D1270120

CÉSAR VALLEJO

SU ESTÉTICA TEATRAL

CÉSAR VALLEJO
SU ESTÉTICA TEATRAL

GUIDO PODESTÁ

Prólogo de
ANTONIO CORNEJO POLAR

INSTITUTE FOR THE STUDY OF IDEOLOGIES & LITERATURE
INSTITUTO DE CINE Y RADIO-TELEVISIÓN
UNIVERSIDAD NACIONAL MAYOR DE SAN MARCOS
Minneapolis / Valencia / Lima

1 9 8 5

SERIES TOWARDS A SOCIAL HISTORY OF HISPANIC AND LUSO-BRAZILIAN LITERATURE

Instituto de Cine y Radio-Televisión

Departamento de Literatura Española
de la Universidad Nacional Mayor de San Marcos, Perú

Editor Asociado: Ediciones Hiperión, S. L.,
Salustiano Olozaga, 14. 28001 Madrid (España)

IMPRESO EN ESPAÑA
PRINTED IN SPAIN

I.S.B.N. 84-599-0984-0
DEPÓSITO LEGAL: V. 1.617 - 1985

ARTES GRÁFICAS SOLER, S. A. - LA OLIVERETA, 28 - 46018 VALENCIA - 1985

ÍNDICE

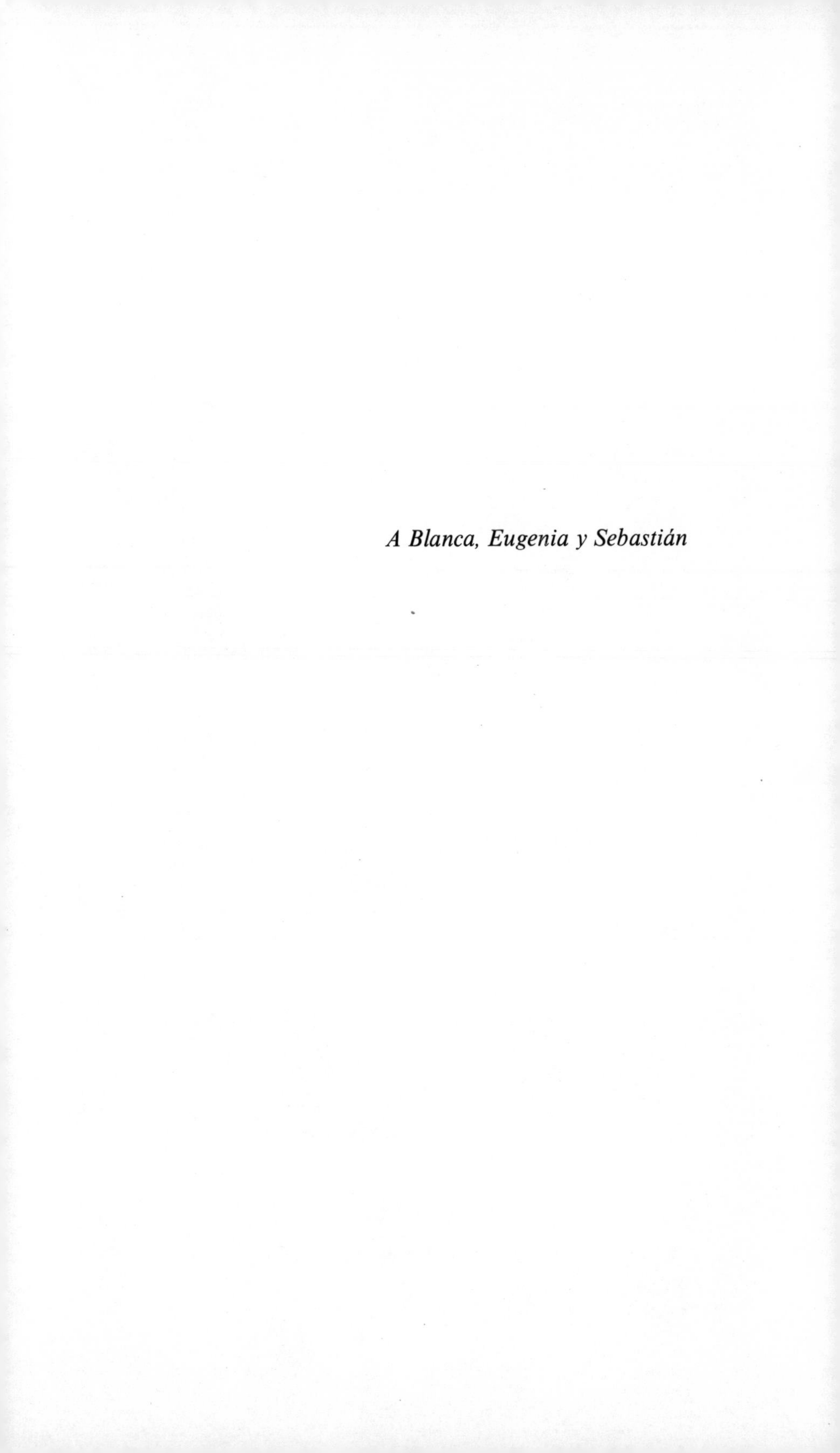

A Blanca, Eugenia y Sebastián

PRÓLOGO

La obra de César Vallejo no ha sido afortunada en lo que toca a su tratamiento filológico. Al escándalo que significa no haberse hecho todavía una edición crítica de su poesía, ni todavía recopilado sus artículos, se añade la tardía aparición de su *Teatro Completo*[1] que, como lo prueba Guido Podestá en este libro, no sólo olvida algunos textos, o refunde otros, sino, lo que es mucho más grave, pone en circulación versiones siempre discutibles y por lo menos una (de *La piedra cansada*) groseramente mutilada y "corregida": basta indicar, a este respecto, que las omisiones son tan burdas y la edición tan descuidada que en el elenco de personajes figuran algunos que no aparecen en el texto.

Lo asombroso es que había ediciones mucho más cuidadas de algunas piezas teatrales de Vallejo, de las que el *Teatro Completo* simplemente prescinde, y que las inéditas (o versiones de otras ya conocidas) no estaban en alguna deficil biblioteca privada sino –nada menos– en la Biblioteca Nacional del Perú. Podestá las publica en el apéndice de este libro y advierte que por lo menos desde 1974 se tenía noticia de este material, en un artículo de José Miguel Oviedo, sin contar con las referencias generales hechas sobre el asunto, muchos años antes, por Raúl

[1] César Vallejo: *Teatro Completo*, Lima, Pontificia Universidad Católica del Perú, 1979 (2 vol.).

Porras Barrenechea. El editor[2] del *Teatro Completo* no sabía nada de este valiosísimo material o –lo que sería peor– lo juzgó irrelevante.

El primer y más obvio mérito de la investigación de Podestá es haber demostrado, sin decirlo explícitamente, las insubsanables deficiencias del *Teatro Completo.* Pese a que algún crítico lo consideró "uno de los acontecimientos culturales más importantes de la última década",[3] lo cierto es que este libro ha devenido casi inservible con inusitada rapidez. Podestá ha puesto nuevas bases –ahora sí rigurosas– para una inaplazable edición fidedigna de las obras teatrales de César Vallejo.

Pero, por supuesto, el valor del trabajo de Guido Podestá no concluye aquí. Es un panorama bastante completo y sagaz de toda la actividad vallejiana relativa al teatro, actividad que incluye la crítica y la teoría teatrales y la producción de textos en este género o en géneros afines como los guiones cinematográficos. Es también una certera inscripción de tal corpus dentro del mundo teatral que el autor de *Trilce* conoció en Europa, especialmente en Francia y en Rusia, y acerca del cual ejerció una aguda y perspicaz reflexión durante sus últimos años.

En este prólogo no se trata, sin embargo, de repetir lo dicho por Podestá, ni de encomiar su trabajo, cuyos méritos el lector reconocerá sin dificultad; se trata, más bien, de apuntar algunas hipótesis acerca de ciertos temas que este libro apenas roza. Tal vez un buen comienzo sea preguntarse por la razón de las evidentes diferencias entre el poeta Vallejo (y no sólo el de *Trilce,* sino también el de *Poemas humanos, Poemas en prosa* y *España, aparta de mí este cáliz*) y el Vallejo dramaturgo; y asimismo, averiguar el porqué de la difícil articulación entre su teoría y su praxis dramáticas, casi inexistente en algunos casos y apenas relativamente fluida en los "esbozos" teatrales o cinematográficos que Vallejo dejó sin terminar.

Optaré por proponer estas hipótesis en relación con una sola línea interpretativa, perfectamente consciente de las limitaciones y riesgos de este tipo de aproximación, pero al mismo tiempo seguro de la utilidad de plantear un problema nuevo y de

---

[2] No se conoce el editor del *Teatro Completo* porque si bien en la solapa del libro se lee que "los originales han sido puestos a disposición por Georgette de Vallejo y preparados para la imprenta por Enrique Ballón Aguirre", los créditos del libro establecen que sólo el prólogo, las notas y las traducciones del francés son de Enrique Ballón y la nota introductoria de *La piedra cansada* pertenece a Georgette de Vallejo.

[3] Ricardo González Vigil: "Teatro Completo de Vallejo", en: *El Comercio* (Suplemento Dominical), Lima, 15 de abril 1979.

acosarlo desde un ángulo relativamente poco trabajado. El punto de partida será el del acceso a la modernidad, presuponiendo que cualquier lector desprejuiciado reconocerá que solamente en los tres "esbozos",[4] y no siempre de manera plena, es posible encontrar algo similar al auténtico vanguardismo de *Trilce* y de sus admirables desarrollos posteriores. En otras palabras, y muy a trazos gruesos, cabe preguntarse por qué Vallejo es mucho más moderno en su poesía que en su teatro.

Hay varias respuestas posibles, por supuesto, pero no todas similarmente satisfactorias. Las que lo son menos podrían agruparse en dos rubros: uno histórico-literario, que señalaría el hecho de que la vanguardia fue sobre todo un fenómeno poético y que por tanto alcanzó menor organicidad (y produjo obras menos consistentes) en los otros géneros, con lo que la desigual trayectoria de Vallejo se explicaría como una reproducción del ritmo también desigual de la literatura de la época; y la otra estético-política, por llamarla de alguna manera, que estabecería que el compromiso político de Vallejo lo condujo a privilegiar factores contenidistas y funcionales, desplazando a un segundo plano las preocupaciones propiamente "literarias" de la vanguardia. El primer argumento tendría que sortear, para ser legítimo, una verdadera avalancha de excepciones, que mostrarían que la vanguardia no sólo ni siempre fue únicamente poética; el segundo, que tiene mayor circulación, queda invalidado ante la simple constatación de que la militancia comunista de Vallejo también produjo *España, aparta de mí este cáliz,* un texto tanto o más político que *Lock-out* o que *Colacho Hermanos* y sin duda infinitamente más moderno.

Estas primeras reflexiones obligan a plantear el asunto en otros términos. No hay que olvidar, por lo pronto, que Vallejo había realizado la más audaz modernidad antes de salir del Perú, con *Trilce,* y que por consiguiente, cuando llega a Europa, "está de vuelta" de este problema y puede desarrollar su poesía sin ningún conflicto de legitimidad y pertinencia histórica.[5] No otra cosa significa la libertad y el rigor con que cuestiona algunas novedades europeas, desde el futurismo ruso hasta el surrealismo francés, a partir de un concepto no aprendido, sino vivido dramáticamente en el Perú, de modernidad. Dicho de modo más beligerante: al autor de *Trilce* no se le podía deslumbrar con

---

[4] Aludo a *Le song d'une nuit de printemps, Dressing-Room* y *Suite et contrepoint.*

[5] Cf. José Morales Saravia: "César Vallejo y la internacionalización", en: *Revista de Crítica Literaria Latinoamericana,* X, 20.

nada que fuera menos audazmente actual e innovador que ese poemario. Europa es, en cambio, el lugar del aprendizaje teatral de Vallejo.

Algo más: Vallejo no parece haber tenido la menor duda sobre el destinatario de sus poemas, al menos en lo que toca a su ámbito idiomático: el español es su opción definida y terminante. En el teatro y en los guiones cinematográficos, por el contrario, Vallejo no deja nunca de fluctuar entre el español y el francés, a veces prefiriendo uno a otro idioma y a veces optando por versiones bilingües. Ahora que pocos dudan de la importancia de la recepción en el proceso productivo de la literatura, es del todo claro que esa indefinición básica tenía que lastrar la creación teatral de Vallejo.

En tercer lugar es imposible no advertir que mientras la poesía se desliza materialmente en el libro y el libro puede ser hecho artesanalmente, como por lo demás sucedió con las primeras ediciones de *Trilce* y de *España, aparta de mí este cáliz,* el teatro urge una base material harto más compleja, una institucionalidad mucho más estable y una financiación por supuesto más costosa. Vallejo era plenamente consciente de que, como señala Podestá, "toda nueva estética teatral sólo es posible con un capital que la financie". En todo caso, aunque este juicio sea discutible y de hecho haya sido superado por el actual teatro popular latinoamericano, lo cierto es que la realización del hecho teatral implica una base material notablemente más complicada que la poesía y que su logro supone un cierto nivel de condiciones objetivas, que a la larga son siempre condiciones sociales, de las que la poesía puede prescindir. En este sentido la inconclusión de los proyectos teatrales o cinematográficos más ligados a la experimentación vanguardista es síntoma de la carencia de ese soporte objetivo adecuado, como la imposibilidad de llevar a escena las obras acabadas, que son de alguna manera las menos innovadoras, denota una precaria articulación con la vida teatral europea, inclusive con el sector que Vallejo veía con mayor simpatía.

Creo que todo lo anterior podría resumirse en una doble hipótesis: de una parte, el ejercicio teatral de Vallejo es tardío e incompleto, está constituido como una exploración inacabada y en él subsisten irresueltos algunos problemas básicos; de otra, ese mismo ejercicio no tiene definido su ámbito de recepción y tampoco tiene solucionado el asunto decisivo de su cimiento material como alternativa concreta de realización escénica. No hay que olvidar, sin embargo, que Vallejo había alcanzado un desarrollo mucho más consistente en el terreno de la teoría teatral, lo que puede explicarse porque en este caso el proceso intelectual queda perfeccionado con la producción de ideas, mientras que el primero requiere realizar un doble proceso de objetivación: la del texto como portador de representaciones de realidad y su posterior conversión, vía la puesta en escena, en hecho teatral.

Es posible que aquí resida el problema mayor del teatro vallejiano. Hay muchos indicios al respecto: la tensión no resuelta entre teoría y praxis teatrales, la constante corrección de los textos, la ambigüedad del destinatario (ahora no como problema de recepción sino de composición del mismo texto), la dificultad en representar la realidad y en encarnar en esa representación la apelación al espectador y en convertirla en símbolo, etc. Por supuesto habría que analizar mucho más profundamente estas cuestiones, pero me parece relativamente correcto advertir que el teatro vallejiano puede llegar a mostrarse como un proceso discontinuo y quebrado y que los propios textos (o algunos de ellos) también aparecen trozados por dentro como si entre el lenguaje, la representación y los símbolos hubiera espacios vacíos, no cubiertos por la composición global de la obra.

Ahora bien: si se compara el teatro de Vallejo con su correlato poético más cercano, que es *España, aparta de mí este cáliz,* es fácil notar que en el poema Vallejo realiza con plenitud la dialéctica mundo real –subjetividad– mundo simbólico, mientras que en el teatro la subjetividad parece incapaz de asumir la realidad y transformarla en símbolo escénico. Sería demasiado superficial explicar esta diferencia por razones vivenciales relacionadas con la intensidad de la experiencia española de Vallejo; podría ser mucho más ilustrativo, en cambio, referirla a las opciones de la poesía y del teatro para encarnar determinados tipos de asuntos, concretamente el de la modernidad.

En este orden de cosas habría que ditinguir, aunque el análisis sea demasiado basto y los términos poco satisfactorios, entre la vivencia de la modernidad y las varias alternativas para reproducirla estéticamente. En lo que toca a lo primero es muy claro que Vallejo no sólo vivió a fondo su contemporaneidad más precisa sino que fue uno de los que la asumió intelectualmente con mayor lucidez. De ello hay suficientes pruebas en sus libros sobre Rusia, en los que aparecieron póstumamente sobre materias de arte y cultura y en su nutrida producción periodística. Tal vez la excepcional perspicacia de esta conciencia sobre la raíz esencial de la historia contemporánea se deba a que

Vallejo no enfrentó en Europa, porque lo había resuelto antes, el problema de su identidad. Asturias y Carpentier, según propias confesiones, descubrieron América en Europa, Borges supo desde entonces que sería un exiliado europeo en América, aun en la más europeizada, la del Río de la Plata, Vallejo –en cambio– no pasó por ninguna de estas experiencias y jamás se dejó engañar por el falso dilema entre nacionalidad y universalidad. Y como "peruano universal" vivió apasionada e inteligentemente la historia de su tiempo.

Un problema distinto es el de la reproducción estética, en este caso literaria, de la modernidad. Esta operación no es idéntica en todos los géneros: entendida como suma y síntesis de una realidad históricamente determinada, la modernidad es reproducida en poesía a través de un proceso de interiorización que la transforma en una experiencia lingüística cuyo soporte material será, casi siempre, el libro; en el teatro, por el contrario, y como ya está dicho, la dirección del proceso va hacia la objetividad, puesto que se trata de representar verbalmente la realidad (aun cuando su resultado sea una "realidad ficticia") y el texto y sus representaciones deben culminar en el acontecimiento que se desarrolla en escena. Por consiguiente, en la poesía, la reproducción de la modernidad cae dentro de una jurisdicción preferentemente subjetiva y su materialidad tiene requerimientos muy modestos. Todo lo contrario sucede en el teatro. Aun prescindiendo del primer nivel de objetivación, el de la representación textual de la realidad, que ciertamente implica una problemática harto compleja, queda siempre el segundo, el de la plasmación del teatro en la escena (o del guión en la producción cinematográfica) que necesita condiciones tanto más difíciles de obtener cuanto la idea que preside el ejercicio teatral sea más moderna e innovadora. Se requiere, en otras palabra, de una base material y de condiciones sociales igualmente modernas.

Más todavía: son estos factores los que a la postre determinan todo el proceso teatral, no sólo porque su inexistencia lo frustra de manera absoluta, sino también porque cualquier incertidumbre sobre este punto puede destruir la coherencia misma del texto y someterlo a una ambigüedad esterilizante. Sería necesario apuntar, complementariamente, que la disposición de estos factores, en los que se mezclan aspectos económicos, tecnológicos, sociales y de institucionalidad literaria, significa una suerte de apropiación de lo que podría llamarse las "fuerzas productivas" de la modernidad.

Creo que lo expuesto hasta aquí permite comprender que Vallejo dispuso de las condiciones subjetivas y objetivas para realizar espléndidamente las más altas virtualidades de la modernidad en poesía, pero que –a la inversa– su producción teatral quedó frustrada por la acumulación de indecisiones y fracasos en las etapas finales del proceso teatral. Detrás de esta frustración pueden encontrarse razones de varia índole, pero sin duda las más significativas tienen que ver con las indecisiones de Vallejo con respecto al destinatario real de su teatro y con la carencia de vínculos orgánicos con la vida teatral europea de entonces. Después de todo, si Vallejo podía plasmar con plenitud los ideales de la modernidad en el espacio de su competencia, que es el del lenguaje poético, no tenía la opción de usufructuar las condiciones objetivas del teatro moderno. Tal vez por esto, porque quedó a medio camino, retrocedió al final de su vida e intentó evocar en *La piedra cansada* el pasado prehispánico y quiso hacerlo recurriendo a formas mucho más tradicionales de la que él mismo había ensayado antes. Por supuesto, habría que preguntarse si en la disparidad de los logros de la poesía y el teatro vallejianos no existe algo así como una reproducción de los alcances y límites de la modernidad de la literatura hispanoamericana, en la medida en que la apropiación de la materialidad del mundo moderno le resulta siempre azarosa y a veces, en ciertos momentos, imposible.

Por lo demás, si se opta por esta hipótesis, el proceso global de la literatura hispanoamericana contemporánea podría contribuir a su afirmación. En efecto, mientras que la vanguardia poética se realizó aquí, y vigorosamente, en las décadas de los 20 y los 30, con manifestaciones subordinadas en otros géneros, los principios que regían ese movimiento se plasmaron mucho más tarde, en los 60, en el campo de la narrativa, en ese momento privilegiado, cuando la sociedad entera, presidida por la vida urbana, otorga a los géneros de producción compleja las condiciones materiales que la poesía, por su propia naturaleza, había obtenido años antes. Escapa a las intenciones de este prólogo desarrollar este punto, pero me parece que hay suficientes razones para imaginar que en muchos aspectos sustanciales la nueva narrativa hispanoamericana es la continuación de la experiencia poética vanguardista y que una y otra, como partes de un solo proceso, reproducen el difícil acceso de nuestra América a la conciencia, al lenguaje y a la reproducción estética de la modernidad. Las dificultades y contradicciones de este proceso, concentradas en la obra de un escritor, determinan el desnivel entre poesía y el teatro de Vallejo y explican el carácter inacabado y ambiguo de su ejercicio escénico y cinematográfico.

Tal vez estas pocas páginas sirvan para completar, en un campo específico, ciertamente apenas acotado, la certera imagen del teatro vallejiano que Guido Podestá diseña con propiedad y lucidez.

Lima, julio 1984

ANTONIO CORNEJO POLAR

INTRODUCCIÓN

QUIEN hiciese la historia del teatro peruano no podría dejar de consignar que, salvo algunas notorias excepciones, la mayoría de los dramaturgos lo ha sido de manera ocasional y que el grueso de su producción corresponde a otros géneros literarios.

La inclusión de nombres como los de Abraham Valdelomar, González Prada, Clorinda Matto o José Santos Chocano, podría llegar hasta a desconcertar al lector, que conoce a estos autores como poetas o narradores. Pero esta situación es solamente el reflejo de las condiciones de penuria y desconcierto, causadas por muchas circunstancias, en que el teatro peruano se ha desenvuelto y que ha llevado a críticos e historiadores de la literatura peruana a prestar poca atención a esta actividad, considerándola secundaria y marginal.

No obstante, prescindir de la producción teatral al hacer la historia de la literatura peruana, sería un grave error, no solamente porque el teatro, a pesar de sus altibajos y fluctuaciones, ha sido y es una actividad que concita la atención y los esfuerzos de muchas personas, sino sobre todo porque sin ella no se podría tener una visión coherente del proceso de la literatura peruana. Y esto que se aplica a la historia de la literatura, se aplica también a la comprensión de la obra de autores individuales, más todavía si éstos son de gran significación para la cultura nacional y latinoamericana.

El reconocimiento universal que ha merecido la poesía de César Vallejo ha dejado en segundo plano su obra narrativa y ensayística, y casi ocultado por completo aquélla dedicada a la composición teatral. Sin embargo, la reciente publicación de sus obras teatrales ha puesto sobre el tapete su labor de dramaturgo y abierto nuevas vías de acercamiento a este gran escritor.

La lectura de las obras teatrales de Vallejo posiblemente lleve a algunos lectores a compararlas con su poesía y, posiblemente también, a la conclusión de que, al igual que sus obras narrativas, son inferiores a aquélla. Pero esta conclusión, con todo lo cierta que pueda ser no debería ocultar que junto a la producción teatral peruana de la época estas obras no desmerecen en nada y más bien llegan a destacar claramente. Por otro lado, en Vallejo no sólo cabe destacar el valor de sus obras sino al dramaturgo que no se contenta con teatralizar un asunto dentro de moldes convencionales y heredados, al creador que en constante búsqueda trata de relacionar teoría y práctica, forma teatral y contenido. Es sintomático, a este respecto, que las cuatro obras publicadas en la edición de la Universidad Católica sean otras tantas vertientes de experimentación por las que se internó Vallejo, vertientes que se multiplican si se consideran sus obras inéditas y que lo muestran, como en su poesía, ávido de soluciones, intentando siempre conciliar medios con fines.

Por la lectura del presente trabajo se podrá notar que lo teatral fue ocupando cada vez más la atención de Vallejo en sus últimos años. Iniciado en él a través de la crítica periodística, su interés se fue centrando en la teoría teatral y luego, predominantemente, en la creación dramática. Sus últimos esbozos permiten entrever lo que pudo haber sido la creación de Vallejo de no haber prematuramente fallecido; la renovación que hubiese significado para nuestra escena y hasta para otra más amplia. Pero aunque sólo esbozada, su producción final y aquella terminada pueden dar testimonio más completo del intelectual cabal que fue Vallejo. Por eso nuestro interés en su teatro.

El presente trabajo no intenta ser una investigación a fondo del teatro vallejiano. Múltiples razones impedirían que lo sea, sobre todo el que hasta ahora nadie ha expuesto los problemas y las líneas posibles de investigación. Ni hay que mencionar la escasez de fuentes bibliográficas (la bibliografía de este trabajo mostrará la pobreza de estudios sobre el tema).

En esta investigación se ha examinado, en primer lugar,la teoría teatral, tanto en sus artículos periodísticos como en algunos de sus libros y luego en un ensayo inédito; en segundo lugar, se ha hecho lo propio con su producción artística, es decir con sus obras teatrales; finalmente, en tercer lugar, se ha examinado la estética implícita en toda la producción teatral de Vallejo y su relación con las teorías y críticas que él fue elaborando durante más de diez años (1924-1937).

Gran parte de nuestra investigación se sustenta y se ha hecho gracias a los escritos que se encuentran archivados en la Sala de

Investigaciones de la Biblioteca Nacional del Perú.[1] Hasta ellos se llegó por el camino más largo, debido a que no se tuvo información oportuna de notas que habían aparecido previamente sobre dichos escritos, en particular sobre un artículo de José Miguel Oviedo.[2]

Fue Raúl Porras Barrenechea, en sus "Notas Bio-bibliográficas" quien encaminó esta búsqueda, al mencionar el argumento de *Entre las dos orillas corre el río* (anteriormente llamada *Moscú contra Moscú*) y citar ciertos hechos que, según él, se producían hacia el final de la pieza; acciones éstas que no aparecían en la versión publicada por la Universidad Católica.[3] A sabiendas de que Porras, cuya prolijidad era conocida, había revisado las obras de Vallejo inmediatamente después de haber éste fallecido, surgió la posibilidad de que existiese o un error en la edición de la Universidad Católica o varias versiones. Al iniciarse el cotejo de los varios fragmentos teatrales vallejianos que se habían publicado con anterioridad a la edición de *Teatro completo,* fueron encontradas notorias divergencias que podían no explicarse por la existencia de diferentes versiones y ponían en tela de juicio la originalidad de algunos textos.[4]

En esas circunstancias, fue Enrique Ballón quien sugirió la consulta de los escritos que se encontraban en la Biblioteca

---

[1] Casi todos esos escritos han sido reproducidos en el Anexo de este libro. En esa sección se encontrará la información necesaria acerca del origen de los mismos. Información que, en parte, había ya dado a conocer José Miguel Oviedo en 1974. Esos escritos son, en su gran mayoría, escritos teatrales inéditos que fueron copiados dactilográficamente por César Vallejo y Georgette de Vallejo.

[2] Oviedo dio cuenta de ellos en 1974, especialmente en una de las notas a su ensayo "Vallejo entre la vanguardia y la revolución" (Julio Ortega, ed., *César Vallejo.* Madrid: Taurus, p. 407). Ese no fue un ensayo dedicado al teatro de Vallejo sino a sus libros *El arte y la revolución* y *Contra el secreto profesional,* pero dio cuenta de los trabajos inéditos de Vallejo que habían sido entregados a la Biblioteca Nacional del Perú en 1973.

[3] Esas "Notas" de Porras aparecieron en la primera edición de *Poemas Humanos* (1939) de César Vallejo (París: Editions des presses modernes au Palais-Royal).

[4] Esa edición de *Teatro completo* de Vallejo fue publicada en 1979 y adolece de dos problemas centrales, pese a no haber sido una edición crítica: el primero de ellos es que representa no el teatro completo de Vallejo sino sólo cuatro de sus obras; el segundo es que hay serios problemas relacionados con la integridad de tres de las cuatro obras. David Sobrevilla llamó la atención sobre el primero de estos problemas y advirtió sobre la carencia "de algunas referencias filológicas que son indispensables" en 1981 ("Las ediciones y estudios vallejianos: 1971-1979. Un estado de la cuestión", en *César Vallejo.* Tubingen: Max Niemeyer Verlag, p. 72). En la tesis a que dio lugar el presente libro, sustentada también en 1981, coincidí sin saberlo con estas críticas de David Sobrevilla; al mismo investigador peruano le debo algunas sugerencias que he intentado recoger en esta oportunidad.

Nacional del Perú pensándose que eran copias de lo que ya había sido publicado en *Teatro completo.* Resultaron ser escritos diferentes y desconocidos. Sólo en cierto sentido, aquello fue un descubrimiento, ya que muy poca o nula atención se le habían prestado a dichos documentos, pese a que incluso habían sido expuestos públicamente. Descuido que se explicaba, al parecer, porque no eran poemas de Vallejo y, por tanto, algo secundario. Aunque a veces esta desatención ha querido ser pasada como el gesto de simpatía de quien calla para no hacer daño.

La publicación del *Teatro completo* marcó en este sentido un paso en extremo importante. Hasta su publicación era posible omitir el teatro de Vallejo, ya que no era fácilmente accesible. Esa es una explicación que ya no se justifica. Esa edición ha puesto punto final a la desidia y, en este sentido, ha logrado con creces lo que se proponía.

El presente trabajo se propone continuar y hacer irreversible este propósito, que ha tenido en Enrique Ballón y Jorge Puccinelli a dos de sus iniciadores.

Este libro es una versión corregida de la tesis que presenté ante el Departamento de Literatura de la Universidad Nacional Mayor de San Marcos (Lima, Perú), en 1981. En la primera versión, problemas como los derivados de las obras, obligaron a que pusiese el énfasis en las obras mismas y esto impidió que la atención se centrase en lo que el teatro vallejiano aportaba para el entendimiento del trabajo intelectual de Vallejo. Además, inesperadamente, el trabajo se situó, por esa misma razón, en una actitud de crítica a la edición de *Teatro completo.* No obstante, esa crítica no obviaba el reconocimiento al esfuerzo desplegado por los editores y el prologuista de dicha edición, quienes debido al entusiasmo y la rapidez con la que trabajaron no previeron los problemas de los que se hablaré más adelante en detalle.

En esta oportunidad he querido subsanar algunos vacíos, el más importante de los cuales era que no se examinaba la estética implícita en las obras teatrales de Vallejo y la relación que tenían con sus teorías y críticas. A eso se debe que en esta oportunidad se haya reformulado casi completamente un capítulo, el último de este libro. No obstante, es indispensable advertir que no ha sido posible llevar a cabo un examen exhaustivo de la estética teatral de César Vallejo, dado el nivel de información acumulada y el carácter introductorio del presente trabajo a un área poco o nada investigada. Dicho examen será el objeto de un nuevo libro, actualmente en preparación, dedicado a analizar los planteamientos teóricos de Vallejo y la relación que éstos guardan con toda su producción literaria.

Hoy, como dos años atrás, es necesario ratificar la importancia que tiene el estudio del teatro vallejiano para comprender a Vallejo y el significado actual de toda su escritura.

No es el propósito central de esta investigación publicar los escritos inéditos de César Vallejo que se encuentran en la Biblioteca Nacional del Perú. Sin embargo, hubiese sido imposible entender mucho de lo que en este libro se expone de no contarse con dichos materiales. Esto obligó en la tesis a contar con un anexo en el que se incluyeron fotocopias de los mismos, y, en este caso, ha obligado a que los reproduzcamos como anexo de este libro. Por esa razón, somos enteramente concientes de que ese anexo de ninguna manera subsana el vacío que se tiene de contar a la brevedad posible con el teatro completo de César Vallejo.

Esta ocasión me permite agradecer a algunos compañeros de trabajo, cuya colaboración hizo posible esta investigación. En este sentido, quisiera mencionar a Santiago López Maguiña, José Cerna y Alberto Isola. Mi especial gratitud a Carlos Garayar y Fernando Vidal quienes con mucha paciencia siguieron paso a paso toda la investigación, ofreciéndome sugerencias y críticas que resultaron en extremo útiles. A Carlos Garayar también por autorizarme a reproducir su traducción de algunos escritos teatrales de Vallejo. A François Cassé por traducir la primera versión del último acto de *Colacho Hermanos.* A David Sobrevilla por sus valiosas sugerencias y críticas. También mi agradecimiento a Enrique Ballón quien me proporcionó informaciones sin las cuales no hubiese sido posible formular algunas de las preguntas a las que hemos intentado dar respuesta en esta investigación. Por otro lado, mi gratitud para con Nora Airaldi quien pasó en limpio los borradores de la primera versión; a Blanca Losada, que me ayudó en el cotejo de versiones, y, a Eugenia y Sebastián que respetaron el letrero que no les permitía entrar al cuarto donde trabajaba.

Finalmente, al Departamento de Español y Portugués de la Universidad de Minnesota y al Departamento de Literatura de la Universidad de San Marcos, así como a Hernán Vidal, René Jara y Washington Delgado quienes contribuyeron de manera especial y auspiciaron la presente edición.

Mi reconocimiento también a los empleados de la Sala de Investigaciones de Biblioteca Nacional y a su directora, por la amabilidad con la que atendieron mis pedidos, pese al recargado trabajo que siempre tienen.

Capítulo I

VALLEJO COMO CRÍTICO TEATRAL

La experiencia de Vallejo es bastante amplia y compleja para tratarse de un intelectual al que se pretende considerar exclusivamente como poeta. En este capítulo van a examinarse los inicios de esa actividad que, con el transcurso de los años, llegará a convertirse quizás en su principal preocupación.

En 1915 Vallejo no sólo escribe poemas, algunos de los cuales formarán posteriormente su libro *Los heraldos negros,* sino que también redacta *El romanticismo en la poesía castellana,* tesis para graduarse de Bachiller en la Facultad de Filosofía y Letras de la Universidad de Trujillo.[1]

En esta tesis hay una primer mención al teatro, concretamente al *Don Juan Tenorio,* de José Zorrilla. En un pasaje del capítulo segundo, a criticar al romanticismo, Vallejo califica a esta obra de Zorrilla como la más popular de todo el teatro escrito en lengua española por haberse ella nutrido de la historia del pueblo español y por la sencillez de su estilo. Llega a decir que *Don Juan Tenorio*

> es la imagen pura y fiel del hombre español, y por este motivo es tan favorecido de la estima popular. Y en cuanto al arte formal del desarrollo de la obra, es otra fuerza poderosa que ha detenido y arraigado el pensamiento del autor en la imaginación de todo aquél que habla el idioma español (...) debido a la sublime sencillez del estilo, a la familiar elocución fraseológica y al empleo predilecto del metro romance y del endecasílabo...[2]

---

[1] André Coyne (1969), "César Vallejo y su obra", en *Visión del Perú,* Lima, julio, n.º 4, p. 56.

[2] César Vallejo (1954), *El romanticismo en la poesía castellana,* Lima: Juan Mejía Baca y P. L. Villanueva, pp. 52-3.

Esta tesis expresa preocupaciones que serán constantes en los escritos sobre teatro de Vallejo. Años más tarde, en 1923, Vallejo viaja a Europa. Apenas llega a París se inician sus colaboraciones periodísticas con el diario *El Norte,* de Trujillo.[3] Se convierte así en crítico teatral y ya entre sus primeros artículos encontramos uno en el cual se hace una breve crítica de la puesta en escena de *El Pájaro Azul,* de Maurice Maeterlinck, afirmando lo siguiente: "Esto habla de una decadencia innegable en la sensibilidad, decadencia consistente, no ya en la hiperestesia bizantina, sino en una anestesia alarmante".[4]

En 1925 coinciden dos hechos que tienen importancia para su labor de crítico: por un lado inicia sus colaboraciones en la revista limeña *Mundial* (un año después hará lo mismo en *Variedades*), y, por otro lado, un afortunado encuentro con Maurice de Waleffe, presidente de La Prensa Latina, le permitirá obtener documentos que lo acreditan como periodista.[5] Desde entonces la actividad periodística, en particular aquélla que realiza como crítico de actividades artísticas, lo colocará frente a la responsabilidad de opinar sobre los principales acontecimientos que se desarrolan en la vasta escena parisiense.

Evidentemente el teatro no fue al principio la única preocupación de Vallejo, que se va perfilando cada vez más como un intelectual completo, pero poco a poco fue atrayendo una parte considerable de su atención. Hasta 1925 había escrito solamente un artículo relacionado con el teatro, el que hemos mencionado, mientras que a partir de entonces y hasta el año 1930 aparecieron veintiún artículos más.

Estos artículos son crónicas y al mismo tiempo críticas de los acontecimientos culturales que ocurrían en París. Los artículos permiten reconstruir las contradicciones que se daban entre las principales corrientes y expresiones artísticas de la época, así como la crisis del arte, la literatura y el teatro europeos. Por otro lado, sus reseñas periodísticas fueron sumamente importantes, porque le obligaron a diseñar su propia teoría en materia teatral. A este respecto es interesante señalar el hecho de que en éstas se nota su discrepancia con muchas de las novedades que traían las nuevas corrientes. En la medida de que estos artículos estuvieron dirigidos al público peruano, tuvieron el mérito de poner a

---

[3] El periódico *El Norte* comenzó a editarse en 1922 bajo la dirección de Antenor Orrego y Alcides Spelucín. Al igual que Vallejo, colaboraron José Carlos Mariátegui, Víctor Raúl Haya de la Torre, Luis Alberto Sánchez.

[4] César Vallejo (1924), "El pájaro azul", en *El Norte,* Trujillo, 1.º de febrero.

[5] La revista *Variedades* fue fundada y dirigida por Clemente Palma y dejó de imprimirse en 1930. Durante la presidencia de Augusto B. Leguía se colocó en oposición al gobierno.

los intelectuales peruanos al corriente de la cultura europea; aunque debido a la situación del teatro peruano, difícilmente pudieron servir de instrumento para su renovación.

Sin pretender ser exhaustivos, vale la pena referirse brevemente a lo que en Europa estaba aconteciendo en el ambiente teatral, durante el período que va de 1923 a 1930, para entender el contexto al que hacen referencia sus artículos.

El teatro estaba en crisis debido, por un lado, al avance arrollador del teatro comercial (no de las "revistas" sino del llamado *"teatro mortal"*, del que habla P. Brook) y, por otro, a la debacle de la denominada 'puesta en escena' y la aparición y desarrollo del cinema.[6]

El teatro denominado 'puesta en escena' *(mise en scène)* había representado durante casi cincuenta años la respuesta más exitosa, seria y orgánica al drama burgués. Pero la aparición del cinema, que asumió sus objetivos y los cumplió con mucha eficacia, lo dejó sin una función que cumplir. El teatro serio perdió, así, el espacio que con mucho sacrificio había alcanzado. Entre tanto, el *teatro mortal,* en nada afectado por esta situación, alcanzaba un momento de apogeo.

Ciertos grupos teatrales, buscando una salida, intentaron reaccionar contra el teatro naturalista o verista, teatro que tuvo sus iniciadores en el duque de Meinengen, en el *Teatro Libre* de Antoine y en Stanislavski.[7] Esta reacción contra la 'puesta en escena' dio origen a una variedad muy amplia de escuelas y corrientes que, sin embargo, no lograron la popularidad que antes había conseguido el teatro naturalista, popularidad lograda, en parte, por haber congeniado con el gusto del público por lo dramático.

Quienes intentaron superar esa crisis europea del teatro fueron tanto las corrientes de vanguardia como los iniciadores del teatro épico –en especial Piscator y Brecht; otros dramaturgos buscaron un camino más individual, como Pirandello que

---

[6] Brook señala que el teatro mortal es aquel que a primera vista significa mal teatro. Es además, la forma de teatro que se ve con mayor frecuencia y está ligado al teatro comercial, aunque no todo teatro comercial sea necesariamente mortal. Por eso, tampoco se circunscribe al teatro comercial. Señala también que es uno de los causantes del ausentismo en el teatro. (Peter Brook (1973), *El espacio vacío, arte y técnica del teatro.* Barcelona: Ediciones Península, pp. (7)-53.)

[7] El Duque de Meiningen logró organizar una compañía de teatro hacia fines del siglo XIX, haciéndose director de la misma; procuró un estudio filológico minucioso y una detallada observación de la realidad, aunque sin poner demasiado énfasis en el ambiente. Stanilavski, representó a esta misma corriente en Rusia pero insistiendo en el actor y los fenómenos psíquicos.

tan decisivo papel desempeñó en lo que respecta a Italia y Europa.

En Rusia la situación era diferente. Allí la revolución de octubre había cambiado totalmente el panorama. El teatro comercial, por ejemplo, era un blanco inexistente, por lo que la reacción estuvo dirigida exclusivamente contra el naturalismo o verismo, en particular contra Stanislavski. Fue el constructivismo –con Meyerhold, Vakhtangov y Tairov–, la corriente de vanguardia que se puso al frente de esta lucha contra la llamada 'cuarta pared'.

En medio de toda esta crisis, Vallejo fue perfilando su propia teorización teatral, centrando todas sus espectativas en el teatro ruso (en los constructivistas), en algunos aportes de la vanguardia y en el cinema. Sus escritos periodísticos representan por eso una etapa muy precisa en la que tomará conciencia del carácter de la crisis y de las posiciones que en torno a ella se desarrollaron. Hay que anotar, sin embargo, que el relativo desconocimiento, en Francia, de las experiencias teatrales que se estaban dando en Alemania, le impidió acercarse a los interesantísimos logros de los dramaturgos posteriores a Piscator, Brecht especialmente.[8]

Los veintiún artículos, como hemos dicho, de 1923 a 1930, no tienen solución de continuidad, esa coherencia facilitó la maduración y el desarrollo de su pensamiento.[9] Esto lo podemos constatar con sólo comparar "El pájaro azul" con "El nuevo teatro ruso", escritos, respectivamente, en 1923 y 1930. En el primero de ellos hay un rechazo de la grandilocuencia, rechazo que se mantendrá en los escritos posteriores; en el segundo se introduce una idea más, la de que el teatro ruso era el depositario del nuevo teatro contemporáneo y, por tanto, de

[8] César Vallejo (1925), "El verano en París", en *Mundial,* Lima, 11 de septiembre, n.º 274.

[9] Los títulos de los artículos son los siguientes: "El pájaro azul", "La exposición de artes decorativas de París", "La nueva generación de Francia", "El verano en París", "La conquista de París por los negros", "Un gran libro de Clemenceau", "Influencia del Vesubio en Mussolini", "El asesino Barrés", "La visita de los Reyes de España a París", "El bautista de Vinci", "Ginebra y las pequeñas naciones", "Una importante encuesta parisien", "Contribución al estudio del cinema", "D'Annunzio en la Comedia Francesa", "La pasión de Charles Chaplin", "Falla y la música de escena", "El año teatral en Europa", "Las lecciones del marxismo", "Los creadores de la pintura indoamericana", "El decorado teatral moderno", "Últimas novedades teatrales de París", "El nuevo teatro ruso" y "Duelo entre dos literaturas". Gran parte de estos artículos los menciona Enrique Ballón en su Prólogo para la edición antes citada de *Teatro completo* de César Vallejo.

ese teatro dependía la superación de la crisis. Véase detenidamente el proceso.

Con motivo de la Exposición de Artes Decorativas de París, Vallejo señala algo que es fundamental: En esa exposición, que se había construído con diseños novedosos, se traslucía, a pesar de las apariencias, un fondo viejo. Por encima del estilo "caprichoso" que había animado su construcción se descubría que no pasaba de ser una pretensión moderna, ya que por ejemplo, la disposición escénica simultánea, usada con dicha ocasión, no era más que un recuerdo del "teatro medioeval".[10] En efecto, uno de los escenarios que más se usó en la Edad Media era el llamado escenario simultáneo o *Simultanbüne,* en el que se encontraban reunidos y continuos todos los escenarios requeridos para una determinada obra; los actores se trasladaban de un lugar a otro. Esto que había sido presentado en la exposición como un verdadero invento, no lo era, ya que podía, por ejemplo, soportar la "puesta en escena' sin ninguna alteración. Vallejo se da cuenta que no era ese el camino, como no lo era tampoco el iniciado por Pirandello.

Pirandello era un dramaturgo muy importante en esos años y Vallejo reconoce que "la crítica considera a Pirandello como el más grande dramaturgo del mundo". Vallejo también lo pondera con especial atención aunque precisando su verdadero aporte: Pirandello "plantea la crisis del teatro contemporáneo" y en su obra *Seis personajes en busca de autor* "la situación dramática sustacncial consiste por entero en la oposición insoluble que hay entre la verdad estética de la vida y la verdad estética del tablado. Lo demás es secundario". En otro artículo reitera que "quedará tal vez como innovador de la técnica escénica (más) que como creador de dramas de valor intrínseco y humano".[11]

Estas ideas se mantendrán como una constante en la crítica periodística de Vallejo. Años más tarde volverá a decir que "Pirandello en sus 'Seis personajes' planteó, sin duda en forma categórica y oficial, la crisis de los resortes cardinales de la escena".[12] Resta, por lo demás, valor a sus otras obras, indicando que éstas siguen la norma teatral de la época con la sóla excepción de *Seis personajes en busca de autor.*

Antonio Gramsci, casi por la misma época, ofrece algunas opiniones sobre Pirandello, muy cercanas a las de Vallejo y que

---

[10] Vallejo (1925), "La exposición de artes decorativas de París", en *Mundial,* Lima, 17 de julio, n.º 266.

[11] Vallejo (1925), "La conquista de París por los negros", en *Mundial,* Lima, 11 de diciembre, n.º 287.

[12] Vallejo (1927), "Una importante entrevista parisien", en *Mundial,* Lima, 25 de noviembre, n.º 389.

sirven de complemento: "Creo que Pirandello tiene más importancia intelectual y moral, es decir, cultural, que artística." Más adelante dice también lo siguiente:

> He señalado en otro lugar que en un juicio crítico-histórico sobre Pirandello, el elemento 'historia de la cultura' debe ser superior al elemento 'historia del arte', es decir, que en la actividad literaria pirandelliana el valor cultural predomina sobre el valor estético. En el marco general de la literatura contemporánea, la eficacia de Pirandello ha sido mayor como 'innovador' del clima intelectual que como creador de obras artísticas: ha contribuído más que los futuristas a 'desprovincializar' al 'hombre italiano' suscitar una actitud 'crítica-moderna', en contraste con la actitud 'melodramática', tradicional y ochocentista.[13]

Ambas apreciaciones, la de Vallejo y la de Gramsci, coinciden en considerar como principal aporte del dramaturgo italiano el haber hecho consciente la crisis del teatro europeo de entonces. A diferencia de ellos, la crítica oficial hizo hincapié en lo que Vallejo llama "los resortes baratos del aparato escénico, es decir, de lo que tiene de truco el movimiento de actores y personajes de la famosa comedia".[14]

¿A qué se refiere Vallejo cuando indica que la oposición entre las verdades estéticas de la vida y del tablado es el más importante aporte de Pirandello? Durante esos años, la reacción contra el naturalismo tenía, como se ha dicho, dos aspectos: por un lado estaba dirigida contra la 'puesta en escena' y, por el otro, contra el gusto melodramático. Pirandello, según Vallejo, logra ubicarse, por única vez con *Seis personajes en busca de autor,* en el eje de estas contradicciones, enjuiciando al naturalismo por confundir "la verdad estética de la vida" con "la verdad estética del tablado" y actuar como quien toma una fotografía, a tal punto que si se trataba de representar una carnicería ésta debía tener carne auténtica.

En los artículos de Vallejo se encuentran opiniones sobre otros dramaturgos como Bernard Shaw, Jean Cocteau, Oscar Wilde, Jules Romains, Jean Girardoux, Bruckner. Brevemente, éstas son las siguientes:

---

[13] Antonio Gramisci (1972), *Cultura y literatura,* 2.ª ed. Barcelona: Península, pp. 307 y 314, respectivamente.

[14] Vallejo (1925), "La nueva generación de Francia", en *Mundial,* Lima, 4 de septiembre, n.º 273.

En cuanto a B. Shaw, se opone a quienes lo consideran inferior a Pirandello, rescatando la concepción humanista que anima a Shaw y que está ausente en Pirandello. Critica duramente a Cocteau por conservador pese a sus posturas modernistas: "Sus actitudes son a base de maquillaje; sus acrobacias son clownescas, es decir, falsas". Compara, más adelante, a Oscar Wilde con Lonardo da Vinci, refiriéndose a su obra sobre Juan Bautista. Señala la osadía de Jules Romains que "ha planteado graves situaciones teatrales a base de una ideología social más o menos audaz y comunista". Frente a Girardoux tiene frases bastante severas, llegando a decir que "carece de pasión, de humanidad, de inspiración vital". Su obra "traiciona la vida". Finalmente, en el mismo artículo, le increpa a Bruckner su naturalismo en *Los Criminales,* acusando a su obra de ser un panfleto, demagógica, anarquista y nihilista: "Mucho de convencional, de barato efectismo,de pedantería universitaria y de desorientación ideológica".[15]

La crisis del teatro es un problema que tiene mucha vigencia en aquel momento. Vallejo se preocupa de tenerla siempre presente, reiterando una vez tras otra este hecho, al punto que, como se vio, valoriza el aporte de Pirandello sólo en ese sentido. Sus artículos están dirigidos a encontrar la particularidad de esta crisis en el teatro francés, desentrañando su mediocridad pero no confundiéndola con el llamado teatro lírico, al que trata con la mayor displicencia, al extremo de comentar, con motivo de la representación de un ópera de Debussy, que "Para oir un drama lírico" no valía la pena "asarse tres horas" aludiendo al tiempo que había que esperar para obtener una entrada.[16]

Por el contrario, tiene expresiones bastante elogiosas respecto a otro tipo de actividades ligadas o cercanas al teatro, tales como la revista: Mientras que el teatro no podía subsistir por mucho tiempo en las condiciones en que se encontraba, desgastándose entre el gusto melodramático y el naturalismo, la revista era para él "lo único soportable y hasta encantador" porque no tenía ninguna pretensión trascendental y solamente buscaba un efecto decorativo y ligero, de innegable gracia y colorido".

---

[15] Cf. sobre Shaw en "La conquista de París por los negros"; sobre Cocteau en "La visita de los Reyes de España a París" (1926), en *Mundial,* Lima, 27 de agosto, n.º 324; sobre Wilde en "El bautista de Vinci" (1926), en *Variedades,* Lima, 18 de septiembre, n.º 968; sobre Jules Romains en "Ginebra y las pequeñas naciones", en *Mundial,* Lima, 14 de enero, n.º 344; y sobre Girardoux en "Últimas novedades teatrales de París", en *El Comercio,* Lima, 15 de junio de 1930.

[16] Vallejo (1925), "El verano en París", en *Mundial,* Lima, 11 de septiembre, n.º 274.

Pero al mismo tiempo que constata la crisis no cesa de interesarse por encontrar posibles salidas como lo comprueban sus comentarios sobre esta obra de Loie Fuller:

> 'L'home au sable' viene a revolucionar la escena. Esta comedia puede situarse entre el teatro y el cinema, porque participa de ambos, y ella puede ser el punto de partida de un arte nuevo, cuyos fundamentos irán delineándose y afirmándose poco a poco. Una de las mejores cualidades de esta comedia mágica es que en ella no hay ningún simbolismo y los valores en acción son directos, simples, escuetos, vivos por sí mismos, sin intelectualismo alguno".[17]

Es importante resaltar esa relación muy particular que propone Vallejo entre el cinema y el teatro y, además, su rechazo a todo simbolismo e intelectualismo, ya que éstos son algunos de los criterios que no desaparecerán; por el contrario, contribuirán posteriormente a definir el teatro que vislumbra Vallejo.

Es interesante hacer notar que afirma de nuevo algo que había sostenido muchos años atrás, cuando valoraba el *Don Juan Tenorio,* por las fuentes de las cuales se nutría. Pero aquí ya no se trata solamente de asimilar lo popular sino todo aquel medio expresivo que haya logrado enraizarse en el gusto del público. Esa era la razón por la que afirmaba lo siguiente:

> No debemos olvidar que los más frescos descubrimientos del arte escénico aparecen antes que en los teatros llamados serios, en los Music-Hall.[18]

Este es un criterio que compartían algunos directores por aquellos años; baste señalar que el teatro épico, y Piscator en particular, se va a nutrir precisamente de los aportes de este tipo de espectáculo.

En contraste con la alegría que provoca la revista, el teatro 'serio' atraviesa una etapa fatal: "De un teatro salen las gentes, por lo general, insatisfechas, porque el espectador cree casi siempre, allá en los acordeones estético-económicos de su corazón, que la sesión teatral no valía lo que ha pagado".[19] La

---

[17] Vallejo (1926), "Un gran libro de Clemenceau", en *Mundial,* Lima, 5 de marzo, n.º 299.

[18] Vallejo (1926), "Influencia del Vesubio en Mussolini", en *Mundial,* Lima, 19 de marzo, n.º 301.

[19] Vallejo (1926), "El asesino Barrés", en *Variedades,* Lima, 10 de julio, n.º 958.

inconsistencia del teatro y la degeneración del romanticismo, permitían el suceso de ese teatro que explotaba el gusto melodramático. El gusto melodramático, sin embargo, no era privativo del teatro, sino, como observó Vallejo, un rasgo de la sociedad en su conjunto: también se expresaba en la enorme atracción que ejercían los tribunales para la gente común, en el aprecio de la retórica, en la identificación de la poesía con los recursos externos, en el gusto por la solemnidad de una oratoria impregnada de sentimentalismo que se ponía de manifiesto en los entierros.

Según Vallejo este teatro jugaba con todos estos resortes y así atraía al público. No era sorprendente, por eso, que la gente consultada en una encuesta realizada el año 1927, atribuyese la crisis del teatro a "la ausencia de moral profesional", ya que el teatro comercial había venido conquistando a los actores, directores y, a través de ellos, al público.[20]

Vallejo no está de acuerdo con esta conclusión, como se comprueba en el mismo artículo, y piensa que el fondo del problema no está en esa falta de moral profesional ni en el avance del capitalismo en el teatro sino, por encima de todo, en la decrepitud del género literario, es decir, en el anquilosamiento del teatro como forma de expresión artística y su incapacidad para adaptarse a los nuevos tiempos: "El teatro se encuentra, en efecto, desprovisto de elementos de evolución. La *debacle* del teatro francés, que se nota ahora, obedece a la pobreza de sus medios de expresión y a la falta de autores que renueven de raíz sus formas sustantivas". En otro artículo, muy posterior, reitera esta posición precisando que "En el resto de Europa y singularmente en Francia, el arte de la *mise-en-scène* no progresa mucho pues sigue anquilosado en formas y ritmos de hace cincuenta años".[21]

Si tratásemos de sistematizar los aspectos que encuentra Vallejo en la problemática teatral, se podrían enumerar, un tanto esquemáticamente y usando sus propias palabras, los siguientes: los resortes cinemáticos del teatro, la quiebra nacionalista del teatro, el norteamericanismo en los temas de la pantalla y de la escena, la influencia de la estética eslava en ambas artes, los resortes teatrales del cinema y las relaciones de la política actual con el arte.

---

[20] Vallejo (1927), "Una importante encuesta parisien", en *Mundial*, Lima, 25 de noviembre, n.º 389.

[21] Vallejo (1929), "El decorado teatral moderno", en *El Comercio*, Lima, 9 de junio.

Estos aspectos le permitieron analizar la situación del teatro y formular diferentes proyectos. Como alguno de estos aspectos podrían suscitar interpretaciones equivocadas, vale la pena detenerse a examinarlos.

Para Vallejo lo característico del cine es la omisión absoluta de la palabra. Por eso llegó a afirmar lo siguiente: "Se olvida que la música debe ser excluída radicalmente del cinema y que uno de los elementos esenciales del séptimo arte es el silencio absoluto".[22]

Vallejo habla a menudo del elemento "cinemático" del teatro y por éste entiende aquello que está más allá de la palabra: "El teatro es, pues, cinemático, en el sentido de que su expresión es políglota y accesible a todos los públicos sean cuales fuesen los idiomas que éstos hablen. La palabra, en la escena como en la pantalla, es lo de menos".[23]

Es necesario puntualizar aquí que Vallejo no está oponiendo contenido a forma, ni lenguaje a gesto. Sus afirmaciones se comprenden como producto que son de un momento en que se está reaccionando contra el naturalismo y la retórica de la época. Vallejo, que junto con determinar la naturaleza de la crisis está buscando una salida, encuentra en la muda expresividad del cinema una posible vía de renovación para el teatro. Es en este sentido que deben entenderse expresiones tales como "resorte cinemáticos del teatro" y "resortes teatrales del cinema".

Esto permite entender claramente a Vallejo cuando dice que "Los Estados Unidos perderán esta batalla del teatro como otras tantas de la época. Pero ello no les arredra por ahora. El cinema hablado empieza a ser tentado por New York. Se quiere teatralizar la pantalla, descinematizándola en lo que ella tiene de privativo y original, como arte independiente del teatro".[24]

Cuando Vallejo habló, pues, de "descinematizar" al cine, se estaba refiriendo al abandono del mutismo en el cine; consideraba que ese silencio y las posibilidades expresivas que brindaba eran lo que caracterizaba al arte cinematográfico, mientras que lo opuesto caracterizaba al teatro. Mientras que no vio nada nocivo en que el teatro hiciese uso del mutismo sí se opuso a que el mutismo se perdiese en el cine.

---

[22] Vallejo (1927), "Contribución al estudio del cinema", en *Mundial,* Lima, 9 de diciembre, n.º 391.

[23] Vallejo (1928), "El año teatral en Europa", en *Mundial,* Lima, 14 de septiembre, n.º 431.

[24] Ibíd.

Concepción similar manejará Vallejo al considerar la relación entre la danza y la música, afirmando que la primera deberá desentenderse de la música para perfilarse como una expresión artística diferente y particular, mientras que la música tenderá a complicar su propia estructura con los aportes de la mecánica y la técnica modernas.

Es probable que los espectos que menos se presten a equívocos, por ser más conocidos, sean, en primer lugar, la quiebra nacionalista del teatro, y, en segundo lugar, las relaciones de la política con el arte. En cuanto a la llamada quiebra nacionalista del teatro, ésta se refiere al teatro institucionalizado por las revoluciones burguesas europeas; teatro que estuvo muy vinculado al romanticismo. Ese teatro vio disminuida su importancia con el surgimiento del teatro naturalista, acentuó su lado melodramático y se apropió, a veces, de convenciones que no eran originalmente suyas. No obstante, hasta buena parte de este siglo continuó siendo un fenómeno cultural del cual no se pudo prescindir. Este teatro, junto al naturalista, estuvo claramente asociado a ese tipo de cultura que fue institucionalizada por la burguesía a lo largo del siglo XIX. No es casual, por tanto, que la crisis de la que hablaba Vallejo fuese, a un mismo tiempo, teatral, social y política, en el sentido más amplio de la palabra, si se tienen en cuenta también las condiciones en las que se encontró Europa entre las dos guerras mundiales. En cuanto a las relaciones de la política con el arte, si bien ésta siempre existe, es indudable que la década de los 30 fue privilegiada por el énfasis que grupos, con muy diferente orientación, pusieron en hacer explícita dicha relación. Esta no fue una tendencia que pasase inadvertida para Vallejo; todo lo contrario, Vallejo no sólo asumió ese compromiso sino que lo mantuvo hasta que murió, aunque interpretándolo de una manera muy particular.

Vallejo diseñó una alternativa en la que confluían las siguientes corrientes, en orden de importancia: el teatro ruso, las compañías agrupadas en lo que se llamó *Le Cartel des Quatres,* el cine ruso, algunos "elementos destacables" del cine norteamericano y, finalmente, las innovaciones rescatables de las revistas. Merece destacarse que estas corrientes no tenían nada que ver con el teatro tradicional –ése era el caso de *Le Cartel* y el teatro ruso, por ejemplo– y estuvieron enpeñadas en destruir la llamada "cuarta pared" naturalista y en buscar lo que comenzó a denominarse "la teatralidad del teatro", para diferenciarlo del verismo, a fin de recuperar lo que a criterio de ellos era lo peculiar del teatro como forma artística.

La relación de Vallejo con *Le Cartel* no se limitó a una opinión bastante elocuente sino que devino en contacto personal, tal como lo ha indicado Georgette de Vallejo. Esto es lo que decía Vallejo sobre *Le Cartel:*

> Solamente en los cuatro o cinco últimos años se trabaja en París por renovar y vivificar el arte del decorado teatral. Este esfuerzo, sano e inteligente, lo realizan principalmente unos cuantos teatros de vanguardia tales como el 'Vieux-Colombier', la 'Comedia de los Campos Elíseos', el 'Atelier', la 'Maison de l'euvre', el 'Teatro Pitoeff' y el 'Studio de los Campos Elíseos'. Los directores de estos teatros, Louis Jouvet, Charles Dullin, Gaston Baty, Jacques Copeau y Pitoeff, libran una solidaria y encarnizada batalla por modernizar no solamente la *mise-en-scène* sino también y principalmente las costumbres y las tendencias y el gusto del público.[25]

"Una solidaria y encarnizada batalla" dice Vallejo y se refiere a *Le Cartel,* aunque sin nombrarlo. Este grupo estuvo integrado por cuatro discípulos de Jacques Copeau (fundador del *Vieux-Colombier*), cada uno de los cuales contaba con su propia compañía y su propio teatro, a excepción de Georges Pitoeff. Era, antes que nada, una asociación compuesta por las compañías de cuatro directores: además de Pitoeff, Charles Dullin, del *Atellier,* Louis Jouvet, de la *Comedia de los Campos Elíseos,* y Gastón Baty.[26]

En el sentido estricto de la palabra, era una asociación y no una compañía teatral. Se constituye en 1926 con la finalidad de defender sus intereses profesionales y morales (en alusión directa al teatro comercial). Rechazaron el naturalismo y, como se ha dicho, representaron una revuelta contra la comercialización del teatro. Se reunían quincenalmente y tomaban posición frente a diferentes problemas relacionados especialmente con el teatro. Se convirtieron así en una autoridad moral entre las dos guerras, ubicándose en un punto de equilibrio entre el naturalismo y la vanguardia propiamente dicha, aunque mostraron poca atención a las innovaciones escenográficas. Por ejemplo, no rompieron con la sala a la italiana. Sólo Gastón Baty tuvo relaciones con el expresionismo alemán. Estos cuatro directores murieron entre 1945 y 1952.

---

[25] Vallejo (1929), "El decorado teatral moderno".

[26] Buena parte de la información obtenida sobre el teatro francés se debe a la *Histoire du théatre* (1968), de Vito Pandolfi, y al *Dictionaire du Théatre français contemporain* (1970), de Alfred Simon.

Le Cartel desarrolló los planteamientos de Jacques Copeau (1879-1946), quien planteó la necesidad de renovar el teatro francés. Por esta razón se distanció de Antoine y su *Teatro Libre* (versión francesa de la 'puesta en escena' y del teatro naturalista-verista). Privilegiaba a la obra y al actor y proponía un escenario desnudo para la realización del nuevo teatro. Durante la primera guerra mundial se retiró a los Estados Unidos, regresando a París en 1920. No tuvo éxito y cerró el *Vieux-Colombier* por haberse elitizado. Entre 1925-29 se retiró con nuevos actores con la finalidad de recuperar los valores esenciales –populares– del teatro, en contacto con el pueblo y representando directamente en municipalidades e iglesias. En este sentido, es uno de los precursores del teatro nacional popular en las provincias de Francia. Retornó a París en 1929 y llegó a convertirse, después de muerto Vallejo, en director de la Comedia Francesa.[27]

Tal vez esta influencia de *Le Cartel* se debió al equilibrio que *Le Cartel* mantuvo entre las audacias de la vanguardia y la serenidad del teatro clásico. Es este equilibrio lo que distanció a *Le Cartel* del anquilosamiento del teatro tradicional y le previno contra la asunción indiscriminada de los aportes de la vanguardia.

En el mismo artículo, Vallejo continúa refiriéndose a los integrantes de *Le Cartel:*

> Para esta tarea cuentan con las directivas artísticas revolucionarias de Moscú, cuya grandeza teatral y posibilidades creatrices inmediatas no tienen en estos momentos rivales en el mundo. Todo esto permite esperar que los teatros vanguardistas de París lograrán muy en breve renovar en lo posible la actual escena francesa.

Al margen de si esto era posible o no (por la pronto, los miembros de *Le Cartel* introdujeron en Francia dramaturgos

---

[27] Gastón Baty fundó en 1922 la compañía de teatro *La Quimera* que funcionó entre esa fecha y 1928; su aporte consistió, sobre todo, en la recuperación de aspectos espectaculares y "teatrales" del teatro y criticó lo que llamó "doña palabra". Charles Dullin fue, al igual que Baty, discípulo de Copeau y Antoine; fundó el *Atelier* en 1921 y continuó la renovación iniciada por Copeau, desarrollando la formación de actores con pleno dominio de técnicas múltiples que incluyeran la mímica y la acrobacia. Louis Jouvet –a quien se volverá a mencionar en el capítulo cuarto– fue actor y director, además de diseñador; trabajó con Copeau hasta separarse de él en 1922, en que fundó el *Teatro de los Campos Elíseos* y fundó Le Cartel; en 1940 emigró hacia América Latina Georges Pittoeff, tras haber estado en contacto con Stanilavski y Meyerhold, emigró desde Rusia en 1905; rehusó los sistemas teatrales planteando que cada obra era diferente; el director –según él– estaba al servicio de la obra y tenía que explotar todas sus dimensiones.

como Chejov, Pirandello, Romains, y fue nada menos que Gaston Baty –según Alfred Simon– quien montó *La Ópera de dos centavos,* de Bertolt Brecht) interesa resaltar la función que Vallejo asignó al teatro ruso en la transformación de la escena francesa y en la superación de la crisis.

En 1925 no se conocía aún en París al nuevo teatro ruso ni tampoco al nuevo teatro alemán. El teatro extranjero, o mejor dicho los espectáculos extranjeros, tenían límites muy precisos: en lo que se refiere al teatro los dramaturgos escogidos eran Shaw y Pirandello; en lo referente al ballet el panorama –según Vallejo– era más variado; a lo cual se agregaban las visitas de "sketches de autores anodinos". [28]

En 1928, tres años después, Vallejo comenzó a escribir con insistencia sobre teatro y cine. Antes de su primer viaje a la Unión Soviética, tuvo la oportunidad de presenciar dos montajes realizados por compañías rusas. En el artículo "El año teatral en Europa" concluyó que "todo el provenir del teatro vendrá de Moscú". Por otro lado, describió a una de las compañías en los siguientes términos:

> El teatro de Granovsky se basa en gran parte en el decorado, en lo que éste tiene de expresión plástica y dinámica. El decorado participa, en la Comedia Rusa, del movimiento plástico del music-hall y del circo. La acción teatral no se produce tanto por medio de diálogos ni declamaciones coreográficas. El espíritu de la escena echa mano a todo lo que sea movimiento visible para expresarse: escaleras, andamios, trapecios, etc. (...) El teatro, de este modo, funde en la escena los recursos elípticos del music-hall, del circo, de la danza y del cinema conjugados. [29]

Por su explicación, no cabe duda de que esa compañía formaba parte de la corriente constructivista, que integraron Meyerhold, Vakhangov y Tairov. Esa corriente estuvo relacionada con en expresionismo alemán, pese a sus diferencias.

A diferencia de lo que ocurrirá entre su segundo y tercer viaje a la Unión Soviética, en 1929, luego de su primer viaje, Vallejo no hace otra cosa que reiterar su aprecio por este tipo de teatro y sobresale su atención por la escenografía y la acción. La impresión causada por este nuevo estilo del teatro ruso queda claramente expresada en las siguientes palabras:

---

[28] Vallejo (1925), "El verano en París".
[29] Vallejo (1928), "El año teatral en Europa".

> En el moderno teatro ruso no hay casi idea o frase de un personaje cuyo efecto teatral y cuya sugestión estética no dependan y estén ligados a la forma plástica –actitud, traje, movimiento– en que esa idea o esa frase se expresan o se producen. ¡Y qué verdad vital hay en todo esto![30]

La atención prestada a estos aspectos del teatro ruso le permitió también valorar la importancia del teatro oriental y, en especial, a los teatros japonés y chino, que habían influido en el nuevo teatro ruso, como se comprueba en el mismo artículo.

En "El año teatral en Europa", artículo escrito en 1928, Vallejo contrapone el estilo teatral norteamericano con el ruso diciendo que "En todas las escenas y cinemas de Europa pasan, con visible aprobación de los públicos, los argumentos melodramáticos de estilo yanqui... Por felicidad, al lado de esta boga yanqui –que dicho sea en honor a la verdad, contiene algunos elementos aprovechables– opera el arte ruso, tan fecundo en enseñanzas técnicas de primer orden".

Merece anotarse que por entonces se conocía en Europa muy poco del teatro norteamericano y casi nada, por ejemplo, de la oposición entre Broadway y los teatros ubicados en Greenwich Village. A Europa llegaban, sobre todo, cantantes y bailarines de Estados unidos, según Vallejo.

El contraste entre lo aportes de las corrientes ya mencionadas y el anquilosamiento del teatro francés –incluídos tanto *La Comedia Francesa* como los populares teatros de boulevard– era demasiado notorio para pasar inadvertido. Vallejo acierta en entender la trascendencia del montaje y la escenografía en esa contradicción. Por eso les asigna una función destacada en la transformación del teatro y la superación de la crisis. Lamentablemente, el teatro alemán no es considerado en esta alternativa, incluso parece no haber tenido noticias del mismo (como cosa curiosa, vale la pena mencionar que "La ópera de los dos centavos" de Bertolt Brecht, se estrenó en París, en 1931, justamente cuando Vallejo se encontraba en España).

Vallejo se acercó a quienes representaban en París lo nuevo en el teatro: a *Le Cartel des Quatres.* Y también a los innovadores del teatro en el extranjero (si exceptuamos a los alemanes) que pasaron por esa ciudad: los rusos. Es importante señalar que el entusiasta acercamiento de Vallejo al teatro ruso no se debe sólo a su aproximación al marxismo sino también a su clara conciencia de la crisis del teatro, para cuya superación se necesitaba renovar los recursos expresivos.

---

30 Vallejo (1929), "El decorado teatral moderno".

En sus artículos periodísticos, Vallejo logró ubicarse en el centro del problema teatral europeo de entonces, según se manifestaba en Francia, constató la crisis y entrevió las posibilidades que habían para solucionarla. No aceptó la explicación de quienes consideraban que la crisis se debía a la comercialización del teatro, y sostuvo que ésta se debía al anquilosamiento del género.

Como se verá en los próximos capítulos, los siguientes viajes a Rusia marcarán el inicio de un cambio radical. Esos viajes trazaron un rumbo que terminó siendo definitivo.

Capítulo II

FUNCIÓN POLÍTICA DEL TEATRO

Como es sabido, Vallejo viajó en tres oportunidades a la Unión Soviética. La primera en octubre de 1928, la segunda en setiembre de 1929 y la tercera en octubre de 1931. Se trata, en los tres casos, de viajes relativamente cortos pero impactantes.

Para precisar la relación que existió a partir de esos viajes entre la producción intelectual, particularmente la teatral, y la filiación ideológica de Vallejo, es imprescindible detenerse, aunque sea brevemente, en lo que ocurría por esos años en Rusia en aquello que tenga relación directa con el teatro ruso. Precisamente a partir de esos viajes se inicia en Vallejo una etapa de actividad intelectual mucho más compleja. Esto es especialmente importante en relación con el teatro, ya que su actividad como dramaturgo comenzará propiamente al regreso de esos viajes.

Los años que van de 1928 a 1931 forman parte de un período bastante difícil para la URSS y constituyen un momento de transición que culminará en 1934, cuando asumen el realismo socialista como línea política oficial en el campo del arte. Este hecho, pues, no fue un viraje repentino sino que se fue preparando desde años antes.

La década de los años 20 fue muy productiva y polémica para el teatro ruso. Se desarrollaron tendencias de lo más diversas, algunas realistas, pero ninguna de ellas obtuvo el respaldo oficial. Sin embargo la tensión era notoria, sobre todo a partir de la segunda mitad de la década. Dos organizaciones se enfrentaron con especial entusiasmo: el L.E.F. (Frente de Escritores de Izquierda) y la R.A.P.P. (Asociación Rusa de Escritores Proletarios). Al L.E.F. pertenecían, por ejemplo, Maiakovski y Tretiakov; planteaban, en términos generales, una literatura de hechos que fundiese varias corrientes vanguardistas, sosteniendo que la novela no se adaptaba ya al nivel de desarrollo de las fuerzas productivas y que la individualidad se había convertido en algo frágil y discutible.[1]

Un cambio sustancial, aunque no repentino, ocurrió en la década del 30. Esto se puso de manifiesto, en primer lugar, cuando el 23 de abril de 1932 el Comité Central del Partido Comunista de la URSS decidió la reestructuración de todas las organizaciones dedicadas a la literatura y el arte, disolviéndose las organizaciones existentes y creándose una sóla: la Unión de Escritores Soviéticos, organización a la que podían pertenecer todos aquellos escritores que apoyaban el poder soviético y se mostraban dispuestos a colaborar en la construcción del socialismo; estos eran sus principios elementales.

En segundo lugar, en agosto de 1934, se produjeron los acuerdos del Primer Congreso de Escritores Soviéticos en los que el realismo socialista es proclamado "el método creador de la literatura soviética".[2] Máximo Gorki resumió así el contenido del nuevo método:

> El realismo socialista afirma la existencia como actividad, como creación. Su objetivo primordial consiste en desarrollar las dotes del hombre para que triunfe sobre la naturaleza. Es decir, en pro de su propia salud y de su longevidad. Para vivir feliz en la tierra, de cuyos ámbitos aspira a hacer, a medida que sus necesidades vayan creciendo, una vasta morada para la humanidad.[3]

Los antecedentes de este desenlace se remontan a 1920 cuando el Comité Central del P.C.U.S. y Lenin deciden intervenir en la Proletkult (Organización para una Cultura Proletaria); ésta había sido creada en 1906, pero a partir de 1917 es Alexander Bogdanov quien enunció el principio según el cual la cultura era un instrumento más para alcanzar el socialismo. Cuando los bolcheviques tomaron el poder se fundaron secciones del Proletkult en toda Rusia, secciones que eran sostenidas directamente por el pueblo y cuyas actividades estaban en

---

[1] Francisco Posada (1969), *Lukács, Brecht y la situación actual del realismo socialista.* Buenos Aires: Galerna, p. 65.

[2] Adolfo Sánchez Vásquez (1970), "Introducción general. Los problemas de la estética marxista", en *Estética y marxismo,* t. I. México: Era, p. 56.

[3] Máximo Gorki (1968), *Literatura, filosofía y marxismo.* México: Grijalbo, pp. 55-6.

manos de intelectuales para los que el arte abstracto y la experimentación se convirtieron en el arte de la revolución.[4]

Al P.C.U.S. le preocupaban, ya en 1920, las experimentaciones ilimitadas y las críticas unilaterales que al realismo y a los clásicos de la literatura hacía la Proletkult. Estas reservas se mantuvieron en los siguientes años y dieron origen a una desviación que posteriormente se consolidó: el realismo socialista.

Sánchez Vázquez ha precisado con claridad los momentos y puntos neurálgicos de este enfrentamiento:

> ...podemos afirmar que el arte bajo el socialismo –particularmente en la Unión Soviética– conoce dos grandes períodos cuya línea divisoria pasa por los años 1932-1934, años en que se pone fin a la lucha de tendencias y corrientes artísticas y se consagra el realismo socialista, del arte de los demás países socialistas.[5]

Hay que precisar,sin embargo, que aunque este proceso se inició tempranamente, las corrientes vanguardistas y realistas coexistieron. Es más, aunque casi todos los dirigentes del P.C.U.S. coincidieron en señalar su preferencia por las corrientes realistas, no plantearon la ilegalización de las vanguardistas ya que éstas aportaban con innovaciones formales.

Ahora bien, es importante que no se confundan las corrientes de vanguardia de Rusia con las europeas, ni siquiera para el caso del expresionismo. Baste recordar, como ejemplo, la actitud distante asumida por los futuristas rusos Maiakovski y Jlebnikob ante la llegada de Marinetti a Moscú y San Petersburgo en 1914. Ninguno de los dos lo acoge con simpatía debido a que el futurismo ruso poseía características propias y mucha mayor afinidad con el marxismo. Pese a esto tenían sus puntos de contacto y, en lo referido al teatro, éstos eran el uso teatral de los objetos, la utilización de maniquíes grotescos y la proximidad al circo en el desarrollo del espectáculo.

Este es, pues, el panorama que encontró Vallejo en sus viajes a Rusia y del cual escribió en *Rusia en 1931,* en *El Arte y la Revolución* y en "Duelo entre dos literaturas", así como en algunas de sus primeras obras teatrales, como se verá más adelante.[6]

---

[4] Franck Jotterand (1971), *El nuevo teatro norteamericano.* Barcelona: Barral, pp. 24-5.

[5] Sánchez Vásquez, op. cit., p. 57.

[6] *Rusia en 1931. Reflexiones al pie del Kremlin,* 3.ª ed. Lima: Gráfica Labor, 1965, 258 pp. *El arte y la revolución* (1973). Lima: Mosca Azul, 167 pp. "Duelo entre dos literaturas (1931), en *Universidad Nacional Mayor de San Marcos,* Lima, 1.º de octubre, n.º 2.

Antes de tratar los planteamientos que Vallejo trajo de su experiencia teatral en Rusia, expuestos pormenorizadamente en *Rusia en 1931,* es necesario detenerse en los otros dos escritos mencionados. Los tres son relativamente contemporáneos y lo que puede diferenciarlos es que tanto *Rusia en 1931* como "Duelo entre dos literaturas" fueron publicados inmediatamente, en tanto que *El arte y la revolución* se mantuvo, inédito, lo que le dio la oportunidad de incorporar modificaciones hasta 1934.[7]

La importancia de consultar esos escritos, que no están específicamente vinculados al teatro, estriba en que permiten entender mucho más claramente la transformación que se produce en Vallejo luego de sus dos primeros viajes a la Unión Soviética; cambio del cual su teatro es una interesante ilustración.

"Duelo entre dos literaturas" es, como su nombre lo da a entender, la explicación de todo aquello que pone en contradicción lo que Vallejo denomina genéricamente "literatura burguesa" y "literatura proletaria".

El entusiasmo de Vallejo con motivo de estos viajes le hace caer en simplificaciones que no se pueden entender sólo como producto de un afán didáctico; reflejan, a nuestro entender, el estado de ánimo de quienes se habían hecho marxistas y habían tenido la oportunidad de presenciar con simpatía la construcción del socialismo.

En este sentido, Vallejo afirma que la literatura capitalista reflejaba la agonía de este tipo de sociedad: al haber agotado el contenido social de las palabras –"el verbo está vacío"– en ella sólo se puede encontrar egoísmo, vacío e impostura. En cambio, la literatura proletaria estaba surgiendo:

> De la misma manera que el proletariado va cobrando rápidamente primer puesto en la organización y dirección del proceso económico mundial, así también, va él creándose una conciencia de clase universal y, con ésta, una propia sensibilidad, capaz de crear y consumir una literatura suya, es decir, proletaria. Esta nueva literatura está naciendo y desarrollándose en una proporción correlativa y paralela –en extensión y hondura– a la población obrera internacional y a su grado de conciencia clasista. Y como esta población abraza hoy las nueve décimas partes de la humanidad y como, de otro lado, la conciencia proletaria gana en

[7] Georgette de Vallejo (1973), "(Nota introductoria)", en *El arte y la revolución,* pp. (7-8).

> estos momentos casi la mitad de los trabajadores del mundo, resulta que la literatura obrera está dominando casi por entero la producción intelectual mundial.[8]

Más adelante, precisa que el aporte de la literatura proletaria consiste en devolver a las palabras su contenido social: "Su literatura –nos dice– habla, por eso, un lenguaje que quiere ser común a todos los hombres". Consecuentemente con esto, afirma que ella contiene valores superiores.

Finalmente, Vallejo explica las razones por las que importantes intelectuales burgueses respetan y se interesan por la literatura proletaria y piensa que son dos las razones: el snobismo y las "vacilaciones características de una ideología moribunda". Estas son afirmaciones que se hallan con frecuencia en aquellos años entre intelectuales que se radicalizaban y sirven para comprender claramente las actitudes de quienes intervinieron en estos acontecimientos. En cuanto a Vallejo, proyectan la imagen de un intelectual que luego de su visita a la Unión Soviética y como producto de su entusiasmo por el marxismo entendió a veces formalmente la lucha de clases y trasladó mecánicamente ciertas variables de tipo social y económico al campo de la literatura, cayendo preso de un sociologismo vulgar aunque con la sana intención de explicarnos la aparición de una literatura proletaria que él entendía –vale la pena decirlo– como la literatura no sólo de los obreros sino como la literatura al servicio de su causa.

Difícil es poner distancia entre el contenido de este artículo y las referencias que hizo a los que llamó "marxistas gramaticales" apenas un par de años antes.[9] Sin embargo es importante resaltar que su compromiso político no violentó su trabajo teórico o artístico sino que, por el contrario, lo motivó en la apertura de nuevas perspectivas. A esta búsqueda se debe que la labor de Vallejo no se limitase a la de crítico sino que se ampliase a la de dramaturgo y teórico del teatro.

Rusia en 1931 fue el resultado de los dos primeros viajes de Vallejo a la URSS y aunque obviamente no se limitó a comentar el teatro ruso, le dedicó una atención especial.

En este libro, Vallejo destacó el "verismo heroico" que caracterizaba al cine soviético y en cuyas escenas intervenían no profesionales sino artistas sin formación previa. Señaló también, en lo referente al sonido en el cine, que no se le atribuía ninguna

---

[8] Vallejo (1931), "Duelo entre dos literaturas".

[9] Vallejo (1929), "Las lecciones del marxismo", en *Variedades*, Lima, 19 de enero, n.º 1090.

importancia. Eisenstein –según Vallejo– consideraba que la transformación del cinema provendría de la "intelectualización cinemática del mundo". Vallejo desarrolló el mismo criterio, agregando que el cinema hablado creaba nuevas fronteras y separaba a los pueblos; era, desde ese punto de vista, antisocialista y contrarevolucionario. Muy similar fue su posición frente a la música y la danza: "La danza palpitará en silencio, inspirada y guiada por una sola música: la de la sangre del danzante". Por otro lado, destaca lo que denomimó "estética del trabajo", en función de la cual se revolucionaban los medios, las técnicas y los fines del cinema:[10]

> Por primera vez en el cinema se sorprende, se compone y se *decoupe* con un asombroso efecto cinedialéctico (...) las fuerzas e instrumentos elementales de la producción económica, el aparato del Estado, los imponderables de la técnica industrial, las formas de la riqueza social, los avatares de la materia prima, el materialismo dialéctico de la historia, el movimiento y el reposo de la vida.[11]

En *Rusia en 1931,* se nota que todo lo relacionado con el cine y el teatro le llamó la atención, incluso la importancia que en la reorganización arquitectónica de la ciudad tenía la cultura, el entretenimiento y, en especial, el teatro.[12] Notó con curiosidad e interés la asistencia masiva del público obrero y pobre al teatro, y el contraste que había entre ese nuevo público y el viejo escenario a la italiana, con sus huellas de estratificación social. En esas condiciones y tomando en cuenta que el pueblo no tenía aún recursos para construir nuevos teatros, da cuenta de cómo los palcos eran distribuídos democráticamente, en forma rotativa, sabiendo que llegará el momento en que "se edificarán locales estrictamente soviéticos, cuya disposición arquitectónica refleje la nueva estructura social de Rusia".[13]

Transcribe textualmente las opiniones de algunos intelectuales; declaraciones que reflejan de manera clara las circunstancias históricas ya mencionadas: los intelectuales entrevistados eran aquellos que se oponían a las corrientes de vanguardia, en

---

[10] Estas referencias pueden encontrarse en las páginas 224 (nota 1), 215 (nota 1), 219 y 53. Sobre la relación entre la música y la danza Vallejo planteó lo siguiente: "La danza palpitará en silencio, inspirada y guiada por una sola música: la de la sangre del danzante" (p. 53).

[11] Vallejo, *Rusia en 1931,* pp. 222-3.

[12] Ibíd., pp. 17-8.

[13] Ibíd., p. 119.

especial al futurismo y al constructivismo.[14] Es decir, eran críticos del tipo de teatro que Vallejo apreció en París, del teatro que impresionó no solamente a Vallejo sino a la joven generación de dramaturgos y directores franceses (similar impacto causó la gira de Stanislavski por Estados Unidos hacia 1923).[15]

Es interesante precisar que las apreciaciones de estos intelectuales, alineados con el realismo, se colocaron en contradicción con el teatro ruso que Vallejo había valorado en París, al punto de considerarlo la fuente principal para la superación de la crisis del teatro francés. No cabe duda de que los escritores entrevistados eran partidarios del denominado "realismo heroico", posteriormente llamado realismo socialista. Ellos sostenían que el método de creación artística era y debía ser consciente, realista, experimental y científico; planteaban además lo siguiente: "El ejercicio de la literatura es libre y no está organizado en ninguna escuela o academia oficial preparatoria, ni se sujeta a programas o cuestionarios coactivos del Soviet".[16]

Esto último parece incomprensible viniendo de intelectuales que preconizaban el realismo, sobre todo si se tiene en cuenta el desenlace que tendrá la pugna realismo versus vanguardia, pero no lo es si se recuerda que el realismo aún no se había impuesto oficialmente y que eran los vanguardistas y la Proletlkult los que habían orientado unilateralmente el desarrollo del arte. A extremo de que, por ejemplo, la Proletkult, en funcionamiento hasta 1932, había negado toda importancia a la tradición y pretendían crear una nueva imagen de la vida en condiciones de laboratorio, como lo señala Adolfo Sánchez Vázquez.

---

[14] Vale la pena explicar que el constructivismo fue una corriente que se desarrolló con fuerza a partir de 1929. Tenía cierta relación con el expresionismo alemán aunque poseía un carácter bien definido en materia política. Los constructivistas reestructuraron la arquitectura del teatro liberándose de la rampa y el telón, haciendo montajes de los clásicos desde perspectivas inesperadas y se declararon totalmente modernos. Vsevolod Emilievic Meyerhold (1874-1940) fue el gran maestro de esta corriente que contó con Tairov, Evreinov y Annekov entre sus precursores.

El futurismo ruso, por su parte, se desarrolló, sobre todo, en el teatro, ya que sus seguidores consideraban que el teatro era un medio de expresión privilegiado. Su maestro fue Victor Jlebnikob, pero su figura más importante fue Maiakovski, para quien Vallejo nunca tuvo aprecio artístico.

La relación entre futuristas y constructivistas fue muy estrecha, ya que ambos criticaron las concepciones naturalistas del *Teatro del Arte* de Stanilavski, fundado en 1897. También coincidieron en el principio del teatro total que desarrolló Erwin Piscator en Berlín. Importante este último para entender el teatro de Vallejo.

[15] Vito Pandolfi (1968), *Histoire du théatre.* Turín: Marabout Universitá, p. 43; y Alfred Simon (1970), *Dictionaire du théatre français contemporain,* París: Labrousse, p. 49.

[16] Vallejo, *Rusia en 1931,* pp. 89 y 91, respectivamente.

Hechos como los mencionados fueron creando las condiciones para una reacción que, a pesar de tener bases justas y objetivas, no tuvo conciencia de los límites que debía imponerse y devino, a partir de 1934, en algo oficial y desvirtuado.

¿Hasta qué punto Vallejo aceptó estos planteamientos? Alguien que se había entusiasmado tanto por los aportes plásticos del nuevo teatro ruso que vio en París, difícilmente pudo haberse olvidado de todo esto. Pero entonces, ¿por qué omitir sus preferencias? Esto se debe, muy posiblemente, a que *Rusia en 1931* es un libro en el que Vallejo registra la construcción del socialismo en esa sociedad y, por medio de esos escritores, las tendencias que predominaban en el arte y la literatura. No es extraña, por eso, su definición de la literatura rusa:

> La literatura soviética participa, en cierta medida, del antiguo realismo y del antiguo naturalismo, pero los excede en sus bases históricas y en sus secuencias creadoras. Ella no es una escuela sino un trance viviente y entrañable de la vida cotidiana. De aquí su diferencia sustancial de todas las literaturas de la historia.[17]

Vallejo viaja a Rusia cuando el debate aún no había concluído. De ahí que las declaraciones adversas al futurismo y al constructivismo, que Vallejo consigna, no signifiquen que esas corrientes hubiesen ya desaparecido. La actividad de Meyerhold, aunque accidentada, continuará hasta el 8 de enero de 1938, fecha en la que el Comité de Asuntos Artísticos acusa al *Teatro Meyerhold* (T.I.M.) de formalismo, izquierdismo y antisovietismo.[18]

Los planteamientos de Meyerhold y los constructivistas no están, por consiguiente, anulados y Vallejo destaca el hecho de que gran parte de los teatros rusos hayan eliminado el telón por iniciativa de Meyerhold, cosa que él consideró positiva porque de esta manera la representación ganaba "verdad":

> El espectador, que ya no es un niño –por mucho que se esfuercen los estetas burgueses en hacer del arte un simple juego infantil– ha renunciado al regalo de hadas que supone el telón y pide verlo todo con sus propios ojos materiales (...) Contra lo que quisieron sostener los críticos y artistas idealistas, la tragedia económica de hoy no tiene seguramente nada de ilusorio, de sueño ni de juego infantil

[17] Ibíd., p. 91.

[18] Vsevolod Meyerhold (1970), *Textos teóricos,* t. I. Madrid: Alberto Corazón, p. 22.

> (...) el arte que se haga cargo de esa tragedia, también ha de tratarla y recrearla sujetándose en lo posible al mismo realismo y al mismo determinismo del conflicto. Por consiguiente, el elemento convencional del teatro –ya que este arte reposa más que ningún otro en la ficción–debe ser el mínimo y lo menos convencional...[19]

Esta opinión, dada con motivo de una representación en la que había telón, demuestra hasta qué punto había calado en él la innovación propuesta por Meyerhold. Por lo demás, Vallejo y Meyerhold coincidieron al afirmar que tanto el telón como la sala a la italiana y la estructuración de las obras en actos y escenas eran convenciones que no tenían su origen en el teatro antiguo sino en el medieval. Estas convenciones habían sido restauradas por el drama burgués y cuestionadas, aunque muy débilmente, por el teatro romántico.

Su asistencia a representaciones teatrales le permitió a Vallejo comparar el teatro europeo con el ruso en los siguientes términos:

> Mientras los demás teatros no salen de los consabidos decorados a base de residencias burguesas, castillos condales o, a lo sumo de alquerías pastoriles, he aquí que los *regisseurs* rusos movilizan en la escena, por primera vez en la historia, las fábricas e instalaciones electromecánicas, es decir, la atmósfera más pesada y a la vez más fecunda del teatro moderno (...) No estamos ante una calderería simulada, fabricada de cartón y sincronizada con sones de añagaza. Es éste un taller de verdad, una maquinaria de carne y hueso, un trozo palpitante de la vida real.[20]

Ese era el tipo de escenografía que predominaba aún en Rusia gracias tanto al constructivismo como al futurismo, que lo introdujeron en el teatro.

El teatro aportó algo excepcional porque la obra era representada en el escenario sin perjuicio de la "teatralidad". Esa teatralidad era la que buscaban los dramaturgos y directores europeos desde hacía años, pero perdiéndose en los juegos vanguardistas. La escenografía y los nuevos personajes, así como el derecho que tenía el público a intervenir y no sólo a asistir, le permitieron a Vallejo descubrir la profundidad y el alcance del nuevo teatro soviético:

---

[19] Vallejo, *Rusia en 1931,* pp. 123-4.
[20] Ibíd., pp. 124-5.

> Hasta hoy tan sólo se nos daba en candilejas los dramas del reparto entre la burguesía de la riqueza creada por los obreros. Los personajes eran profesores, sacerdotes, artistas, diputados, nobles, terratenientes, comerciantes, hombres de finanzas y, a lo sumo, artesanos. Nunca vimos en escena la otra cara de la medalla social: la infraestructura, la economía de base, la raíz y nacimiento del orden colectivo, las fuerzas elementales y los agentes humanos de la producción económica. Nunca vimos como personajes de teatro a la masa y al trabajador, a la máquina y a la materia prima.[21]

Algo similar planteará Vallejo en "Duelo entre dos literaturas" a propósito de lo que denomina "estética del trabajo" y de la cual se hablará más adelante.

A pesar del éxito con el que se desarrollaban las nuevas corrientes en la URSS, se notan claramente, en los escritos de Vallejo, las huellas dejadas por el constructivismo, no así por el futurismo. Incluso cuando Vallejo subrayaba las características que tenían los diálogos en las obras: "El diálogo –decía– es errátil y geométrico, como un haz de corrientes eléctricas".[22]

El teatro ruso le premitió a Vallejo establecer una clara posición frente a Piscator: mientras que el teatro ruso es "militante dentro de la dinámica económica constructiva" el teatro de Piscator no lo es, no lo pudo ser.[23] Ambos, sin embargo, tenían en común los mismos principios y objetivos políticos, pero mientras que Piscator escandalizaba a la sociedad alemana cuando presentaba una obra, el teatro ruso tenía como respaldo no solamente las expectativas del público sino también el financiamiento que le ofrecía el pueblo. Se dirigían pues, a dos públicos diferentes, y eso contribuyó a que los resultados logrados por Piscator no fuesen del todo favorables.[24]

Otro punto importante, a tener en cuenta cuando se vean las obras de Vallejo, es el problema del personaje central. Como se sabe, el siglo XIX fue el siglo que dio mayor importancia al actor y, con ello, al espectador. El director era una parte secundaria y esperaba, por así decirlo, su turno, que recién llegó con la 'puesta en escena' naturalista. Antes que el director, el escenógrafo había sido también pieza importante. El personaje central no era, pues, poca cosa: tenía un significado muy especial y su proyección estaba asociada, más que a las obras mismas, a la irrupción y rápido desarrollo del teatro comercial. Por consi-

---

[21] Ibíd., p. 126.
[22] Ibíd., p. 125.
[23] Ibíd., p. 126, nota #1.
[24] Pandolfi, *Histoire,* pp. 287-296.

guiente, el personaje central era, más que un elemento indispensable del teatro, un signo que ponía en evidencia una concepción determinada del teatro. En reacción al papel predominante que desempeñaba el actor como personaje principal de una obra, hubo quienes reivindicaron, como Stanislavski, la función de los actores secundarios.

En Rusia, luego de Stanislavski, se modificó drásticamente la definición del actor y la masa se convirtió en el personaje más importante (hecho parecido ocurrió en el cine). El personaje, entendido como un individuo que sobresalía, desapareció, y algunos hablaron, por eso, de una democratización en el teatro. Vallejo explicó así esta innovación:

> En el teatro soviético, como en todos los sectores de la vida y del arte rusos, han sido abolidos los protagonistas, los personajes centrales, los 'roles' acumuladores de la acción y el interés escénico. Esta acción y este interés se hallan repartidos entre todos los personajes de la pieza. Los grandes actores no son grandes por la importancia y volumen del rol que ellos encarnan, sino por la perfección con que desempeñan el papel aún más banal o insignificante en sí mismo. Si nos empeñásemos en descubrir un protagonista en la escena soviética, ese protagonista sería la masa, es decir, la reunión de todos, la colectividad.[25]

Cabe señalar que esta concepción no permaneció inmutable. Conforme se acentuó el predominio del social realismo, reapareció el personaje individual, esta vez heroico y proletario, ocupando la posición más prominente en la acción y el desenlace.

Una pregunta que reaparece a menudo, cuando se leen los testimonios de Vallejo sobre la Rusia de los años 1928 y 1929, es hasta qué punto reflejan las concepciones que él va asumiendo en su tránsito definitivo al marxismo. Se presta a confusión el hecho de que no siempre es posible distinguir las opiniones propias de las ajenas, de tal manera que una afirmación no siempre se sabe si pertenece al autor al que se entrevista o a Vallejo. Hay en *Rusia en 1931* ciertos indicios que permiten esclarecer este asunto, aunque no en forma exhaustiva.

En relación a este punto puede afirmarse que el impacto de esas visitas fue importantísimo y Vallejo asumió con verdadero entusiasmo no todas pero sí gran parte de las ideas de la intelectualidad rusa. Para ser más claros: el impacto causado por el teatro ruso en París, fue ratificado; esto debido a que el constructivismo todavía estaba vigente en los años 28 y 29. Pero

---

[25] Vallejo, *Rusia en 1931,* p. 127, nota 1.

hay un cambio importante: una nueva variable, desconocida antes, entra en acción y es la que se expresa por boca de aquellos autores, que Vallejo entrevista, adversos al futurismo y al constructivismo.

El arte y la revolución es un libro de pensamientos, como su propio autor lo llamó, fue escrito a partir de fines de 1929 y revisado continuamente; al parecer, su redacción final data de 1934. Por las reflexiones que contiene, es un libro en extremo importante.[26]

En este libro hay algunos escritos relacionados con artículos periodísticos publicados en revistas, tales como "Los doctores del marxismo" y "El duelo entre dos literaturas".[27] En fin, la temática es casi la misma, quizás por haber sido escritos en fechas cercanas. Sin embargo, *El arte y la revolución* por haber sido revisado con frecuencia, especialmente cuando intentó publicarlo en 1932, posibilita encontrar detalles que precisan la relación existente entre sus viajes a Rusia y su propia estética.

Vallejo nunca cuestionó su trabajo como intelectual sino que, por el contrario, de acuerdo con su compromiso marxista, se esforzó por precisar la función del intelectual, hasta afirmar lo siguiente: "El tipo perfecto del intelectual revolucionario, es el del hombre que lucha escribiendo y militando, simultáneamente".[28] Esta posición lo acerca al planteamiento esbozado por Marx en *La Sagrada Familia* cuando afirmaba: "Es cierto que el arma de la crítica no puede sustituir a la crítica de las armas, que el material tiene que derrocarse por medio del poder material, pero también la teoría se convierte en poder material tan pronto como se apodera de las masas. Y la teoría es capaz de apoderarse de las masas cuando argumenta y demuestra *ad hominem,* y argumenta y demuestra *ad hominem* cuando se hace radical. Ser radical es atacar el problema por la raíz. Y la raíz, para el hombre, es el hombre mismo".[29]

Para Vallejo las tareas del intelectual revolucionario debían ser la de organizarse y asumir la plataforma aprobada en el Congreso de Kartov, al cual asistió. La plataforma de ese congreso sólo planteaba la creación de una cultura proletaria, también llamada cultura de los trabajadores, pero sin dar ni

---

[26] Georgette de Vallejo, ("Nota introductoria"), pp. (7-8).

[27] Este es el caso de "La lecciones del marxismo" y "Duelo entre dos literaturas".

[28] Vallejo, *El arte de la revolución,* p. 15.

[29] Karl Marx (1967), "En torno a la crítica de la filosofía del derecho de Hegel y otros", en *La sagrada familia,* 2.ª ed. México: Grijalbo, p. 9.

explicaciones ni directivas más precisas. Esto último se debió a que aún no se había oficializado el realismo socialista.[30]

Sin embargo, Vallejo concibió una distinción que, al margen de su simpleza, era significativa, porque muestra cómo Vallejo fue perfilando una división de responsabilidades, al interior del trabajo literario, que fuese compatible con los acuerdos de dicho congreso. Vallejo distinguió tres tipos de artista: el revolucionario, el socialista y el bolchevique; y lo fundamentó de la siguiente manera: "Revolucionario, política y artísticamente, es y debe ser siempre todo artista verdadero, cualquiera sea el momento o la sociedad en que se produce". En cambio, "El arte bolchevique es principalmente de propaganda y agitación... Al iniciarse la edificación socialista mundial, cesa su acción estética, cesa su influencia social" y le señala, además, objetivos, didácticos. La definición de lo que es el poeta socialista es especialmente interesante y revelador:

> Sólo se creará un poema socialista, en el que la preocupación esencial no radica precisamente en servir a un interés de partido o a una contingencia clasista de la historia, sino en el que vive una vida personal y cotidianamente socialista (digo personal y no individual). En el poeta socialista, el poema no es, pues, un trance espectacular, provocado a voluntad y al servicio preconcebido de un credo o propaganda política, sino que es una función natural y simplemente humana de la sensibilidad.[31]

Esta tripartición es una suerte de división del trabajo que no niega, en ninguno de los casos, el compromiso político del escritor. Son funciones diferentes, según los momentos históricos y sus necesidades. Son también actividades que se deben desarrollar simultáneamente y no por etapas.

De acuerdo con esta clasificación, Vallejo planteó lo siguiente: "El teatro bolchevique introduce numerosos elementos nuevos a la plástica escénica... inéditos resortes plásticos y cinemáticos... con evidente significación política y hasta económica, revolucionaria".[32] Esto quiere decir que Vallejo, sin la menor ambigüedad, encontraba aportes en cada una de estas actividades o funciones diferentes.

El balance con que concluye su experiencia en la Unión Soviética es muy orientador: "Después de la revolución rusa, se

---

[30] Vallejo, *El arte y la revolución*, p. 32.

[31] Estas tres definiciones pueden hallarse en la obra citada, en las páginas 24, 26 y 28-9, respectivamente.

[32] Ibíd., p. 31.

ha caído, en cuestiones artísticas, en una gran confusión de nociones diferentes aunque concéntricas, congruentes y complementarias".[33] Actitud que lo aleja del clima de beligerancia y polarización que, al disolverse el Proletkult en 1932, se mantuvo entre las corrientes realistas y vanguardistas. Podría pensarse que tal actitud de Vallejo es ecléctica pero no lo es. Por el contrario, se acerca a la de los fundadores del teatro épico. Esto le permitió entender otros problemas con mayor perspicacia y reconocer que un artista podía ser revolucionario en política y no serlo en arte; que podía ocurrir exactamente lo contrario y que era posible, excepcionalmente, una coincidencia, debido a que

> la actividad política es siempre la resultante de la voluntad consciente, liberada y razonada, mientras que la obra de arte escapa, cuanto más auténtica es y más grande, a los resortes conscientes, razonados, preconcebidos de la voluntad (...) *Lo que importa es la fuente de su arte y de su inspiración y no el fin consciente que él se propone y las fórmulas especiales que recomienda.*[34]

Expresiones como la expuesta colocaban a Vallejo mucho más cerca de los futuristas y constructivistas que de los realistas, quienes pretendían que la razón recuperara un puesto determinante en la producción del texto artístico. No obstante, es precisamente a partir de estos tres tipos de arte –o mejor, tres funciones– que Vallejo emitió juicios de valor, como cuando concluyó que el arte soviético más que expresar las formas de una nueva sociedad "se propone, de preferencia, atizar y adoctrinar la rebelión y la organización de todas las masas del mundo, para la protesta, pero las reivindicaciones, para la lucha de clases y para la revolución universal".[35] Todo esto le permitió por un lado, indicar que habrá una diferencia sustancial entre el arte socialista futuro y el arte bolchevique y, por otro, que bellezas tales como *El acorazado Potemkin* "se opacarán considerablemente".[36]

Estas afirmaciones mantienen coherencia con su posición frente a la obra de arte como reflejo de la sociedad. Vallejo la admite y la llama "sincronismo" pero le da una interpretación muy particular: "Para encontrar el sincronismo verdadera y

---

[33] Ibíd., p. 32.
[34] Ibíd., p. 35.
[35] Ibíd., pp. 43-4.
[36] Ibíd., p. 44.

profundamente estético, hay que tener en cuenta que el fenómeno de la producción artística (...) es, en el sentido científico de la palabra, una auténtica operación de alquimia, una transmutación".[37]

Maiakovski, cuya producción teatral es cuantiosa, no gozó de la estima de Vallejo, pese a haberlo conocido personalmente: "Maiakovski fue un espíritu representativo de su medio y de su época, pero no fue un poeta. Su vida fue, asimismo, grande por lo trágica, pero su arte fue declamatorio y nulo, por haber traicionado los trances auténticos y verdaderos de su vida".[38]

El 'maquinismo' con el cual el futurismo pretendió darle actualidad y proyección a su propia corriente, incorporando medios de producción modernos como la expresión más saltante y significativa del arte moderno, es juzgado con reprobación. Efectivamente, los futuristas habían transformado la máquina en un mito estético, en un fetiche y pretendían que todos le rindiesen culto, desautorizando lo que de valioso había en la llamada "estética del trabajo":

> La corriente futurista que a raíz de la revolución de octubre pasó por el arte ruso y, señaladamente, por la poesía, fue muy explicable, amén de haber sido efímera. Era un rezumo clandestino y trasnochado de la época capitalista recién tramontada. Maiakovski, su mayor representante en aquél momento, terminó muy pronto por reconocerlo así y boicoteó, en unión de Pasternak, Essenin y otros, todo residuo maquinista en la literatura.[39]

En general, y salvo respecto al constructivismo ruso y Meyerhold en particular, no encontramos especiales reconocimientos hacia las corrientes de vanguardia, ni de Rusia ni del resto de Europa. Y son frecuentes este tipo de juicios: "Creen muchos que la técnica es un refugio para el truco o para la simulación de una personalidad". En otro pasaje dirá refiriéndose al surrealismo, que en materia de teatro poco aportó: "El fondo histórico del superrealismo es casi nulo, desde cualquier aspecto que se le examine". "La poesía 'nueva' a base de palabras nuevas o de metáforas nuevas, se distingue por su pedantería de novedad y por su complicación y barroquismo".[40]

---

[37] Ibíd., p. 48.
[38] Ibíd., p. 110.
[39] Ibíd., pp. 55-6.
[40] Ibíd., pp. 68, 79 y 101, respectivamente.

Los viajes de Vallejo a Rusia marcaron un hito fundamental en su definición teórica y artística. Por eso hay una relación muy estrecha entre sus "pensamientos" y las obras teatrales que escribió o intentó escribir. Vallejo no encontró en esos viajes una realidad pasiva sino, por el contrario, una realidad llena de problemas y contradicciones, en las que se vislumbraba un enfrentamiento aún mayor entre las corrientes de vanguardia y las realistas.

El interés de Vallejo por el teatro le permitió encontrar y reconocer los cambios que se estaban dando. No es desconocido el hecho de que esas polémicas tuviesen en el teatro un campo excepcional de enfrentamiento, ya que tanto los unos como los otros estuvieron de acuerdo –aunque no por las mismas razones– en que el teatro era la forma artística que mejor se adecuaba a lo que Vallejo denominaba "arte bolchevique".

En estos escritos se percibe también una especial preferencia por todo aquello que signifique una renovación plástica del teatro y del cine, lo cual lo pone en contacto, pricipalmente, con el constructivismo. Pero, asimismo, muestra interés por representaciones realistas que aún no forman parte del "realismo socialista". En cuanto a las declaraciones de los escritores realistas, las aceptó pero con reserva y algo de crítica, como se comprueba con la siguiente cita: "Lo que dicen los escritores soviéticos: añadir al final una especie de crítica de lo que dicen esos escritores. Corregir las enseñanzas y ejemplos, los defectos o lagunas, de lo que dicen y hacen estos escritores" (esta es una nota que aparece a pié de página en *El arte de la revolución*).[41]

Pese a esta reserva, no hay un cuestionamiento ni del arte bochevique ni del realismo, en Vallejo; sólo le niega posteridad, aunque equivocándose en los ejemplos, por lo menos. Al no negar esta función –que aplicará a parte de su producción artística y dramática– la asumirá aunque no en forma excluyente.

El 'maquinismo' y con ello lo sustantivo del futurismo es claramente rechazado. Cuando menciona a las corrientes de vanguardia europeas no es sino para destinarles juicios adversos, a veces excesivos, salvo en el caso del expresionismo. Esto explica por qué en "Apuntes para un estudio" –que forma parte de *El arte y la revolución*– afirma lo siguiente: "*Expresionismo,* expresar fielmente lo inmediato y actual, las ideas. Evitar la palabrería, la cosquilla verbal, buscar lo espiritual".[42]

---

[41] Ibíd., p. 117, nota #1.

[42] Ibíd., p. 67.

Finalmente, hay razones suficientes para considerar que de sus viajes a Rusia Vallejo volvió con las mismas preguntas, pero sus respuestas han pasado por una prueba decisiva. No podían quedar como estaban, requerían de una reformulación. En esta reformulación, tomará como fuentes tanto al constructivismo como al realismo y al expresionismo, sin copiarlas tratará de superarlas. En esta tarea permanecerán constantes sus principios políticos y aquellos tres tipos de actividad artístiva de los que se ha hablado en el presente capítulo.

Capítulo III

LA NUEVA ESTÉTICA TEATRAL DE CÉSAR VALLEJO

Desde su llegada a Europa, Vallejo se desempeña como crítico de actividades culturales y teatrales, en particular. Dichas actividades, desbrozaron y facilitaron el inicio de su actividad como dramaturgo. Su estética teatral –la de sus obras y la de su teoría– progresarán desde el social realismo hasta una nueva estética, que se separa del realismo, aunque sin identificarse con la vanguardia.

Hay un hecho que no es circunstancial: a partir de 1930 y especialmente de sus viajes a la Unión Soviética, el teatro comenzó a atraer intensamente el trabajo intelectual de Vallejo. En ocho años inicia nueve obras, a las cuales se agrega un guión cinematográfico que tenía que ver con una de esas obras. Pero tan importante como esto es llamar la atención sobre el hecho siguiente: el crítico dejará paso al dramaturgo y, especialmente, al teorizador. Dicho en otras palabras, lo que escribió como crítico se desarrolló cualitativamente, en una meditación más sistemática que llegó a orientar la producción artística de sus obras teatrales.

Sin embargo, no se puede hablar de un sistema, pero si no se tiene la posibilidad de hacerlo se debe, más que a la inexistencia de planteamientos coherentes, a las circunstancias propias de la vida de Vallejo (su no profesionalización, principalmente), que dejaron inconclusa esta importante tarea.

George Uscatescu decía que los grandes dramaturgos habían necesitado teorizar acerca del teatro.[1] Algo de esto se entrevé en

[1] George Uscatescu (1968), *Teatro occidental contemporáneo.* Madrid: Guadarrama.

los escritos teatrales de Vallejo, a pesar de su interrupción. Lo interesante del caso está en que después de haber elaborado varias obras, decide teorizar y experimentar con nuevas obras, abriendo una etapa diferente en su producción teatral y una perspectiva, por lo menos interesante.

En párrafos anteriores se decía que con su labor como crítico, el camino estaba desbrozado; pero si bien estaba desbrozado no estaba construido y eso es lo que intentó realizar Vallejo con sus *Notas sobre una nueva estética teatral* y también con sus *Temas y notas teatrales.*[2]

Las *Notas sobre una nueva estética teatral,* escritas a fines de 1934, en París, pese a su carácter inconcluso, diseñan algunos principios fundamentales que permiten comprender, sin la menor duda, que el título puesto por Vallejo no reflejaba un acto de arrogancia sino un objetivo plenamente justificado.

Vallejo sorprende diciendo en sus *Notas sobre una nueva estética teatral* que "el teatro es un sueño". ¿Qué tenía que ver una definición así con sus simpatías por el teatro soviético de la época? ¿Qué tenía que ver esa definición con sus obras teatrales de 1930? Parecería tratarse de un viraje hacia el simbolismo o hacia las corrientes de vanguardia.

Es interesante por eso, detenerse a examinar lo que para Vallejo era la vanguardia y concretamente las corrientes que reaccionaron en contra del impresionismo: cubismo, expresionismo y surrealismo, principalmente.

En su artículo "La nueva generación de Francia"[3] (1925), Vallejo relata lo acontecido en un homenaje al simbolista Saint-Pol-Roux y comenta lo siguiente: "Pues sucede que estos suprarrealistas, como buenos sobrinos de Dadá, le han heredado la afición al escándalo."

En diciembre de ese mismo año, escribe "Un gran libro de Clemenceau" y dice: "Una de las mejores cualidades de esta comedia mágica es que en ella no hay ningún simbolismo y los valores en acción son directos, simples, escuetos, vivos por sí mismos, sin intelectualismo alguno".[4]

---

[2] *Temas y notas teatrales* es otro de los escritos teatrales inéditos de Vallejo. En éste, Vallejo esboza un conjunto de ideas sobre posibles obras de teatro, al mismo tiempo que añade algunos planteamientos teóricos. Este trabajo también aparece publicado en el anexo de este libro.

[3] Vallejo, César (1925), "La nueva generación de Francia", en *Mundial,* Lima, 4 de setiembre, n.º 273.

[4] Vallejo, César (1926), "Un gran ligro de Clemenceau", en *Mundial,* Lima, 5 de marzo, n.º 299.

Posteriormente, en *El arte y la revolución,* hay un apartado con un título bastante ilustrativo: "Autopsia del suprarrealismo" en el que manifiesta lo siguiente:

> La inteligencia capitalista ofrece, entre otros síntomas de su agonía, el vicio del cenáculo. Es curioso observar cómo las crisis más agudas y recientes del imperialismo económico... corresponden sincrónicamente a una furiosa multiplicación de escuelas literarias, tan improvisadas como efímeras. Hacia 1914, nacía el expresionismo (Dmorak, Fretzer). Hacia 1915, nacía el cubismo (Apollinaire, Reverdy). En 1917, nacía el dadaísmo (Tzara, Picabia). En 1924, el superrealismo (Breton, Ribemont-Dessaignes).[5]

A continuación se dedica a procesar al surrealismo, señalando que no ha representado ningún aporte positivo. Considera sus postulados recetas sin originalidad y juegos de salón. Explica la conversión del surrealismo al anarquismo diciendo que con este último podía convivir sin mayores problemas ni preocupaciones. El único momento en el que había adquirido cierta transcendencia social –según Vallejo– había sido cuando Breton y los surrealistas se hicieron comunistas, pero al frustrarse ese tránsito se fraccionaron. Casi a manera de moraleja termina diciendo: "Así pasan las escuelas literarias. Tal es el destino de toda inquietud que, en vez de devenir austero laboratorio creador, no llega a ser más que una mera fórmula".[6]

Lo dicho por Vallejo no parecerá tan exagerado si se lo examina en el contexto de lo que otros intelectuales, como Galvano Della Volpe y Roland Barthes, sostuvieron acerca de las corrientes de vanguardia. Y tampoco si se toma en cuenta lo que un crítico más reciente, como Henri Behar, ha planteado en relación al Dadaísmo.[7]

Galvano Della Volpe y Roland Barthes coincidieron (por lo menos inmediatamente después de la segunda guerra mundial) en lo fundamental, sobre el simbolismo y el expresionismo. Para

---

[5] *El arte y la revolución* (1973), Lima: Mosca Azul, p. 72.

[6] Ibíd., p. 79.

[7] Según Henri Behar, en Dadá resalta la negación: rechazó cualquier consideración técnica, rebajó la primacía del texto y se opuso a las convenciones; de manera muy especial, rehusó todo tipo de coherencia en el teatro y sobre esta base pretendió plantear una nueva relación con el público, agrediendo su capacidad racional y su lenguaje. En *Sobre el teatro Dadá y Surrealista* (1971), Barcelona: Barral, p. 234.

Della Volpe, la poética simbolista había intentado "un teatro no verista o de 'poesía', meramente literario" que se caracterizaba por ser "escaso de acción y todo abstracción y ensueño"; mientras que la poética expresionista, por su parte, había superado e integrado la práctica naturalista, a fin de "tener en cuenta no sólo la objetividad o realidad sino también y sobre todo la subjetividad. No mero im-presionismo de lo real sobre nosotros, sino ex-presionismo de la interioridad del hombre, de sus sentimientos profundos".[8]

Ambas poéticas –según Della Volpe– se habían originado como reacción a la "poética naturalista" que había sido la poética teatral "del 'estilo del instante', la poética rigurosa de la simbólica 'cuarta pared' en virtud de la cual se finge que el espectador no existe".

La noción misma de vanguardia, según Roland Barthes, era algo nuevo que se asociaba históricamente con la aparición de escritores que sintieron la necesidad de oponerse al *statu quo* y también a la clase capitalista, porque ésta se había convertido en algo retrógrado. Pero la vanguardia había respondido a la degeneración cultural que imponía esa clase con el filisteísmo. Su violenta reacción era, ante todo, ética y por eso, según Barthes, no logró orientarse políticamente. Las diferentes corrientes que la integraron, no pasaron de plantear una subversión que era sólo formal: "Más allá del drama personal del escritor de vanguardia –escribe Barthes– sea cual fuere su fuerza ejemplar, siempre llega un momento en el que el orden recupera a sus francotiradores".[9]

Barthes mismo definió en los siguientes términos, generales pero no menos útiles, el aporte que habían hecho esas corrientes:

> Aquí –refiriéndose a la revista *Theatre Populaire*– donde siempre hemos defendido la necesidad de un teatro político, medimos sin embargo todo lo que la vanguardia puede aportar a semejante teatro: puede proponer técnicas nuevas, intentar rupturas, hacer más flexible el lenguaje dramático, hacer ver al autor realista la exigencia de una cierta libertad de tono, despertarle de su despreocupación habitual con respecto a las formas.[10]

---

[8] *Crisis de la estética romántica* (1964), Buenos Aires: Jorge Álvarez, pp. 137-139.

[9] *Ensayos críticos* (1967), Barcelona: Seix Barral, p. 98.

[10] Ibíd., pp. 99-100.

Como se verá más adelante, Vallejo tiene en sus *Notas sobre una nueva estética teatral,* un punto de vista semejante. Para Vallejo, también se trata de llenar ese vacío, aunque sin tener que repetir lo que las corrientes de vanguardia hacían. La recuperación consistía, más que en repetir, en producir nuevas formas y renovar lo que él identificaba como el material teatral.

El único caso en el que Vallejo adopta una postura diferente es el del Expresionismo y esto no es casual si se toma en cuenta, al menos, las polémicas que hubieron entre marxistas, después de la primera guerra mundial, precisamente en torno a cómo caracterizar esa corriente de vanguardia.

En una de las notas que aparecen en sus "Apuntes para un estudio", en *El arte y la revolución,* dice Vallejo que el Expresionismo tendía a explicar fielmente lo inmediato y actual, las ideas. Además, entiende por Expresionismo el evitar la palabrería, la "cosquilla verbal", y la búsqueda de lo espiritual. Todas las expresiones evidencian un tratamiento diferenciado y preferencial hacia el Expresionismo, aunque sin olvidarse de críticas que él consideraba válidas para todas la corrientes de vanguardia.

César Vallejo evaluó a las corrientes de vanguardia, si bien no omitió diferencias que habían entre ellas, resaltando lo que consideraba medular y frente a ello que consideró central se expresó sin ambigüedades. Sin embargo, sería una injustificada exageración no notar que entre Vallejo y las corrientes de vanguardia hay una relación compleja que es necesario descubrir, como estudios recientes han hecho en casos parecidos como los de Vsevolod E. Meyerhold, Erwin Piscator y Bertolt Brecht.

Sustancialmente diferente fue su actitud respecto al Impresionismo. En "La muerte de Claude Monet" Vallejo dice lo siguiente:

> El Impresionismo en estos momentos, ha muerto como escuela. En 1908 sucedió a su estética la estética cubista de Picasso. Pero del ciclo impresionista quedan, sin disputa, obras resplandecientes y nombres imperecederos. Probablemente, el impresionismo fue, después de los románticos, el más logrado de los esfuerzos pictóricos del siglo XIX. Esto es indudable. Vano es que los iconoclastas de todos los tiempos nieguen el valor de los impresionistas, para hacer resaltar los posteriores escarceos cubistas, dadaístas y superrealistas. Ya los artistas de post-guerra, pueden a base de su futurismo científico y sportivo argüir lo que quieran en contrario.

En cuanto a todo lo tocante con la vanguardia, vale la pena tener en cuenta que Vallejo se refiere también a los integrantes de *Le Cartel* como "teatros vanguardistas", quienes no fueron precisamente vanguardistas sino que tendieron un puente entre el teatro clásico y algunos aportes de las corrientes de vanguardia. Por esta razón, es de suponer que Vallejo está usando la palabra "vanguardia" en un sentido diferente, casi como adjetivo.

Es en sus *Notas sobre una nueva estética teatral* donde es posible dilucidar y esclarecer ese extraño y productivo vínculo entre las corrientes de vanguardia y Vallejo, porque es en ese documento que Vallejo "expropia" aportes de las corrientes de vanguardia y sobre todo del Expresionismo.

Como se dijo anteriormente, Vallejo definió al teatro como un sueño, pero sería una equivocación asociar mecánicamente esta definición con el simbolismo o el surrealismo. En el caso de Vallejo, no se trata de llevar al escenario la vida onírica del dramaturgo. De lo que se trataría es de aplicar las leyes del sueño, sus características, a la escritura teatral y a la representación de esa escritura en el montaje. Es más, el que se hable de leyes no es casual, porque da a entender que posee una organización.

Las características a las que se refiere Vallejo son la arbitrariedad y la libertad que son inherentes al sueño. Una concepción así del teatro, distaba tanto del "teatro político" de la época, como del teatro de vanguardia, por lo demás escaso, ya que no fue una actividad privilegiada por ellos.

Para Piscator, por ejemplo, el teatro no intentaba tanto exponer un problema sino transmitirlo con su solución y su consigna. Piscator pretendía poner en juego no tanto la capacidad racional del espectador sino las emociones y la pasión revolucionaria que, según suponía, tenía su público. Los teatros de vanguardia, por otra parte, utilizaban el sueño con la exclusiva finalidad de demostrar su nihilismo; el sueño se perdía así en las apariencias de su arbitrariedad y libertad (libertad y arbitrariedad que el psicoanálisis ya había logrado interpretar, demostrando que los sueños no eran ni tan arbitrarios ni tan libres como parecían).

Cuando Vallejo habla del sueño, no le interesa trasladar los sueños al escenario sino sus características. Pero al mismo tiempo, esas características no aparecían encerradas en sí mismas sino en tanto ilustraban el desorden social de la vida, en su espontaneidad, esa espontaneidad que posee una lógica profunda. La obra, según Vallejo, era arbitraria y libre (es decir, espontánea), pero tenía un orden que estaba escondido.

La utilización del sueño en la escritura teatral no es exclusiva de las corrientes de vanguardia. En todo caso, el uso que del sueño hicieron se caracteriza por descartar toda interpretación del sueño. Por el contrario, Vallejo no entiende el sueño como algo inaprehendible y por eso es que dice que son las leyes del sueño las que deberán aplicarse al teatro.

Tras afirmar que el teatro es un sueño, que deben aplicarse sus leyes (la arbitrariedad y la libertad de la que se ha venido hablando) y que hay dos niveles (el orden esencial y el orden de superficie) Vallejo afirma que el autor, su mujer y su familia deben también tomar parte. Es decir, así como ellos intervienen en la vida onírica del dramaturgo, igualmente deben intervenir en su producción artística: Sin embargo, las consecuencias son completamente diferentes, porque desde el momento en que el autor y su realidad inmediata, más afectiva, intervienen en la obra, está queriéndose introducir en el desarrollo de la acción, el contexto en el que la obra misma fue producida; si bien no la totalidad de ese contexto, algunos de sus elementos. De esta manera, en cierto sentido, se convierte al dramaturgo también en un personaje. Lo interesante del caso es que se está apelando a la cotidianidad.

Vallejo también plantea lo siguiente en sus *Notas sobre una estética teatral:*

> Es necesario revolucionar así esta frontera entre subjetivo y objetivo, entre lírico y épico, entre autor y obra creada. Subjetivizada así la obra escénica, que debe ser obra de poeta, en la cual aquél pueda contemplarse a sí mismo y como intérprete de sus personajes.

Este planteamiento es indispendable para precisar la actitud de Vallejo frente al realismo. Hay una clara superación de éste como forma artística y aún más del naturalismo. No se trata ni de perderse en los detalles más insignificantes, como hacían los Meinenger, ni de elaborar una suerte de determinismo ambiental, como hizo Antoine. Tampoco de llevar el naturalismo a la esfera de la relación personaje-actor (Stanilavsky). Según Vallejo, se trata de lograr una unidad indisoluble entre lo objetivo y lo subjetivo, que siendo dialéctica en poco se parecía al teatro didáctico y político de la época.

Al no entender la obra teatral como un reflejo mecánico o sociologista, sino mediatizado por la espontaneidad, Vallejo se alejaba del realismo socialista en particular, con sus características más saltantes: héroe positivo, romanticismo revolucionario, partidismo artístico y sociologismo en la interpretación de la cultura y el arte. Pero al hacerlo, también se alejaba y superaba algunas de sus primeras obras teatrales, como *Lock-Out* y *Entre las dos orillas corre el río.*[11]

Los componentes que intervendrían en la ya mencionada mediatización eran de lo más variados, aunque destacaba la fusión de dos géneros, por entonces tan contradictorios, como eran la lírica y la épica. Por otro lado, cuando Vallejo sostuvo que la obra escénica así concebida debía ser una obra de "poeta" está tratando de resaltar todo aquello que no disminuye artísticamente a una obra (si se tiene presente esa tripartición de la que hablaba Vallejo en *El arte y la revolución* es casi seguro que, en este caso, está hablando del "poeta socialista" y no del "poeta bolchevique"). Intenta, por tanto, rescatar lo que es peculiar al trabajo artístico y teatral, manteniendo la tarea de reprogramar la función del teatro de acuerdo a una nueva estética, a semejanza de lo que estaba haciendo Brecht en la misma época.

¿Cuáles eran las fuentes de esa nueva estética que definía al teatro como un sueño? Según Vallejo, él llegó a su nueva estética teatral empujado y exasperado por las dificultades propias de la forma como se concebía el teatro. Es casi seguro que se refiere a esas "formas anquilosadas" de las que con frecuencia habló en sus artículos periodísticos. Pero en sus *Notas* Vallejo actualiza y renueva o reforma su alternativa; sin limitarse a recomendar a *Le Cartel des Quatres* (Gaston Baty, Charles Dullin, Louis Jouvet y Georges Pittoeff), al constructivismo o el verismo heroico. Ese fue un momento de redefinición en el que tuvo que reordenar sus simpatías, acuerdos y desavenencias, sobre todo luego de la "confusión" encontrada en su último viaje a la Unión Soviética.[12]

Vallejo afirmó de manera explícita que no se trataba de ser original, ni de impresionar al mundo, al gusto de las corrientes de vanguardia. El problema inmediato consistía en comprender

---

[11] En *Teatro completo* (1979) de César Vallejo, tomo I. Lima: Universidad Católica del Perú.

[12] Esa "confusión" se debía a la polémica que entonces había en la Unión Soviética, entre realistas y constructivistas. En los libros de Vallejo sobre Rusia, hay información y comentarios al respecto.

el estado actual del teatro, sus recursos, sus dificultades, su impase y las causas de ese impase; ya que el teatro, a pesar de todas las nuevas corrientes, se mantenía en medio de la crisis.

Propuso entonces liberar al teatro de los yugos y trabas de aquel momento, los cuales lo condenaban a la "anquilosis propia de una momia". ¿Cómo llevar a cabo esta nueva estética y cómo provocar el renacimiento esencial del teatro? Para lograr ese renacimiento –según él– era necesario desmontar la institución teatral, para luego proceder a construir un nuevo engranaje, dotado con nuevas articulaciones y nuevas arterias, todo lo cual conduciría al encuentro de nuevas formas.

Más adelante precisa que lo esencial de su nueva teoría no estaba ni en un nuevo tratamiento de la sustancia psicológica (que lo podría haber acercado a Stanilavsky), ni en un nuevo manejo del contenido humano de las piezas: lo esencial de su nueva teoría consistía en una revolución profunda de la materia teatral, ya que en ese aspecto estaba concentrada la crisis. Pero con eso, Vallejo no quería decir que había que dejar intocables los demás aspectos.

A continuación, Vallejo precisa con más claridad lo que entiende por "materia teatral" diciendo que es ese molde que se ha mantenido inalterable, pese a muchos cambios históricos. Frente al cual, Pirandello sólo había mostrado la vulnerabilidad del teatro "naturalista" y su "puesta en escena".

La alternativa diseñada por Vallejo tampoco puede entenderse como la programación de un teatro fantástico o un teatro sin contenido humano. Todo lo contrario –afirma Vallejo– se trata justamente de hacer entrar en la escena la mayor cantidad de vida y de realidad posible. Nuevamente se está refiriendo a una realidad que no por ser elaborada tiene que dejar de ser espontánea.

Las propuestas de Vallejo se inscriben también en esa necesidad que compartían muchos de sus contemporáneos: la de "teatralizar" el material teatral (palabra usada en oposición a "puesta en escena" asociada con el naturalismo).[13] Se quería darle a ese material una existencia mucho más amplia, elástica,

[13] El término "teatralizar" se usó por entonces, en contraposición a *mise en scène* o "puesta en escena" naturalista. Quienes procuraban "teatralizar" al teatro, intentaban recuperar sus recursos artísticos, evitando que el teatro se convirtiese en una repetición detallada de la realidad.

flexible e infinita. Construir una existencia escénica que se burle de las leyes (para que no determinen ni el texto ni la actuación ni el montaje) y de las convenciones del mundo corriente y de la literatura como institución, que sujeta al teatro y garantiza la continuidad del sistema.

Vallejo realiza una comparación que es pertinente y que pone al descubierto una peculiar situación en el terreno de la cultura: dice que mientras que las artes plásticas, la música, el cinema, la poesía, la novela y el cuento (es decir, casi todas las formas artísticas) gozaban y disponían de libertades enormes, el teatro era un prisionero de convenciones que habían resistido todo tipo de cambios políticos. Asimismo dice, que ese estado de cosas no había cambiado con las corrientes de vanguardia.

En lo referido al "molde", Vallejo afirma que todo consiste en descomponer el teatro actual en sus elementos más simples, para luego proceder a recomponer el conjunto de manera totalmente diferente. En esa tarea, la estructura concitará una especial atención, ya que el desmontaje alude igualmente a los actos, las escenas, los cuadros y hasta los entreactos. Era necesario ordenar todos los elementos simples que componían el teatro, cortarlos (violentar su relación necesaria, su debe ser así y no de otro modo); hacerlos alternar, permitiendo que cada uno cumpla su función y de encadenarlos para que sigan otro sentido estético, estableciendo, por otro lado, una orquestación escénica diferente. La identidad del elemento más simple –plantea Vallejo– no puede resolverse abstractamente sino en el contacto directo con la escritura y la representación teatral, ya que puede ser una réplica, la entrada o salida de un personaje, un golpe de luz o sombra, incluso una sola palabra, un gesto, el decorado. Pero sea cual fuere el elemento más simple de la obra, su importancia estriba en que a través del mismo se logrará un nuevo sentido estético.

Vallejo se pregunta en sus *Notas* cuál será el meollo del tipo de teatro que él proponía y responde que en la obra habrá una coherencia arbitraria, una confusión aparente, una suerte de sinfonía densa y espesa. Esos serán, asimismo, los resultados de la representación. Se pregunta también cuál será la emoción final que despertará ese tipo de representación, y responde que será caótica, ya que el espectador saldrá colmado de una emoción cósmica. Sin embargo, será ese mismo público el que deberá organizar y sintetizar esa emoción.

Debido a que en su ensayo él afirma que en su teatro hay una suerte de espontaneidad, él mismo aclara cómo se va a lograr que el espectador organice y sistematice ese aparente caos que hallará en la representación: En primer lugar, el público deberá ser advertido por el actor de que va a asistir a un sueño en la forma de pieza teatral y que no es necesario que esto le admire. En segundo lugar, el público no tendrá un puesto asegurado y estable dentro del teatro y deberá intervenir en un juego teatral, de tal manera que pueda reubicarse en la sala, intervenir en el escenario y hasta en las escenas, como ocurre en las ferias. En tercer lugar (en oposición a Piscator), la impresión del espectador no tendrá que ser instantánea, como un golpe o relámpago (a criterio suyo, esta convención debería derogarse definitivamente).

Resta definir qué entiende Vallejo por "emoción cósmica". Para Vallejo es la emoción total de la vida y como tal es algo que se acerca a lo que para él fue su poesía. Por otro lado, según Vallejo, su teatro pretende la unidad. Unidad que se conseguiría mediante la síntesis que cada espectador producirá, basándose en las diversas escenas. Una vez lograda esa unidad de conjunto, el espectador precisará el tema de la representación y el de la obra misma. No obstante, y esto es en extremo importante, cada espectador producirá una impresión diferente. Es decir, se estaría ante una obra absolutamente abierta en la que cada espectador reaccionaría de acuerdo a factores que no están bajo control ni del dramaturgo ni del director de la obra ni de los actores. Por eso, la reacción no será homogénea. La simetría estará dada por la llamada "emoción cósmica" y aunque pueda parecer poco lógico, sería a través de esas diferencias que se lograría la unidad de conjunto y se definiría el tema de la representación y de la obra.

En relación con ese público dotado de tanto poder, Vallejo dice algo esclarecedor: el público deberá ser educado y esa educación consistirá en exigirle mucha atención, mucho silencio y, finalmente, mucha paciencia. Sin lugar a dudas, una educación así que enfatiza ante todo la conducta y no la información o el contenido, era nada convencional.

En cuanto a los personajes, piensa Vallejo que estos deberán proyectar una imagen que impida referencias. El actor interpretará los personajes independientemente del referente. Todo esto como parte de su búsqueda por recuperar la "teatralidad" del teatro.

Favorece la introducción de personajes bufonescos, impregnados de características que los puedan acercar a los fantoches y las marionetas.[14] Propone un personaje destinado a coordinar diversas escenas (indispensable, dada la complicada estructura que propone Vallejo) y le asigna un rol similar al que cumplió el coro griego, al colocarlo entre el público y los eventos de la representación. Plantea la intervención de actores en escenas simultáneas pero sin que éstos tomen conciencia o racionalicen esa coexistencia. Es decir, la actuación omitiría por completo el reconocimiento de otra acción, que se estará desarrollando al mismo tiempo en una escena contigua físicamente pero no temporalmente. En cuanto al orden de las acciones los únicos que tendrían información de ambas serían los espectadores, que verían así, nuevamente, incrementado su poder.

El actor, además, tendrá la responsabilidad de representar al personaje con la eficacia que puede no tener el texto.[15] Las facultades o derechos con los que cuenta –esencialmente el derecho a improvisar– le ayudarán a crear estas condiciones. Obviamente, todo esto tiene que ver con lo reiterado por Vallejo en múltiples ocasiones: la verdad teatral es independiente de la real, porque hay una contradicción entre la verdad estética del teatro y la verdad estética de la realidad. Es más, en un sentido cósmico, la verdad teatral es para Vallejo más verdadera que la verdad real. Distinción ésta que no comprendieron ni los naturalistas ni las corrientes de vanguardia, tampoco los realistas.

A otro nivel, el acto no deberá ser coactado por el texto del autor y para evitarlo se contará sólo con un cuadro de diálogo, a manera de bosquejo, a partir del cual es que se inventará o improvisará. De esta manera, el texto ya no domina al actor y casi no existe. Mientras que el actor tiene la oportunidad de violentarlo arbitrariamente, aumentado la distancia entre "dra-

---

[14] Muy diferente es la actitud de Vallejo, años antes, respecto a las marionetas: "La plástica y el movimiento escénico del teatro de marionetas, son, por esencia, pobres y logran su efecto solamente ante los ojos de los niños o de los pueblos primitivos". Cf. "Falla y la música de escena", en *Variedades,* Lima, 28 de abril de 1928, n.º 1052.

[15] El actor, íntimamente ligado a la función que tendrá el personaje, advertirá sobre las características oníricas de la representación. Similar uso del actor, como instrumento de diálogo con el público, hizo Brecht, aunque con una función diferente.

ma" y "teatro", entre el texto y la representación (según los diferenciaba Wolfgang Kayser).[16]

La estructura que plantea Vallejo para el teatro, o mejor dicho para la producción teatral, es harto complicada y guarda estrecha relación con el cinema y Einsenstein en particular.[17]

A fin de derogar para siempre los eternos tres actos y veinte escenas (entonces estrictamente respetados), Vallejo propone una serie de recursos para los elementos más simples de la obra teatral. Esos recursos son a grosso modo los siguientes: 1) Incorporar en diferentes momentos, dentro de la acción principal, escenas fugaces que sin ligarse explícitamente con el tema formen parte suya; 2) Disponer al lado de la escena donde se desarrolla la acción principal, otra escena que aluda directa o indirectamente a esa acción principal y que se desarrolle simultáneamente, con acontecimientos ligados al estado espiritual, por ejemplo, de los personajes que intervienen en la acción principal, de tal manera que armonicen plásticamente. Tales cuadros o escenas serían cortos y podrían comprender alguna réplica, acontecimiento o pausa que considerase tanto el sentido como el argumento. Del mismo modo, habrían escenas invisibles, aunque aferradas a la acción visible, en las que sólo las palabras serían percibidas. También se mezclarían actos de diferentes obras teatrales.

Esa estructura obligará a determinadas modalidades de juego escénico complementario que, a su vez, deberán apoyarse en determinados recursos que reprodujesen el sentido buscado; para lo cual deberá haber un juego de luces y sombras. Por su parte, el decorado supone un cambio sustancial, ya que debe proyectarse más allá, con el uso de reflectores y escenas cambiantes.

Finalmente, resulta interesante el encontrar que Vallejo afirmase que su nueva estética teatral sólo era posible de contar con capital que la financie. Reflexiones como ésta no eran fruto de la intuición sino de la experiencia ganada por quien intentó

---

[16] Según Wolfgang Kayser, los alemanes solían diferenciar marcadamente estos dos conceptos: "drama" que tenía que ver con todos aquellos aspectos de la obra en tanto que obra literaria, en tanto texto escrito por un dramaturgo; mientras que "teatro" se refería a todo cuanto tenía que ver con la representación teatral. Vallejo, por su parte, hacia 1929, no aceptaba esa distinción y escribía lo siguiente: "No nos convencen mucho quienes afirman que una cosa es el texto de una obra teatral y otra, su representación escénica. En nuestro concepto, ambos elementos van íntimamente unidos y la suerte y valor de unos dependen del valor y destino del otro" ("El decorado teatral moderno", en *El Comercio;* Lima, 9 de junio de 1929). Parece ser que en sus *Notas* Vallejo cambió de manera de pensar.

[17] Vallejo y Einsenstein compartieron también su poco entusiasmo con respecto al advenimiento del cine hablado.

infructuosamente profesionalizarse. Era, asimismo, el aviso de lo que le sucedería a directores de teatro comprometidos políticamente, como Piscator, quienes finalmente no pudieron dirigirse al público que buscaban, ya que obreros y desocupados no podían financiar tan avanzados y costosos proyectos.

En sus *Notas sobre una nueva estética teatral* hay también escuetos ejemplos de cuanto Vallejo diseñaba o imaginaba, para poner en práctica su nueva estética. Lo propio ocurre en sus *Temas y notas teatrales,* escritos en tres momentos diferentes: los primeros hacia 1931, los segundos hacia 1933-1934, y las terceras entre 1935 y 1937, según se dice en los originales.

En las primeras hay ideas y anotaciones sobre posibles obras teatrales y no hay reflexión teórica alguna sobre el teatro. En las segundas se añaden nuevas ideas sobre obras, pero esta vez acompañadas de reflexiones sobre teatro. Allí se plantea una propuesta que también había sido formulada en las *Notas:* "Una estética teatral nueva: una pieza en que el autor convive, él y su familia y sus relaciones, con los presonajes que él ha creado, que toman parte en su vida diaria, sus intereses y pasiones. No se sabe o se confunden los personajes teatrales con las personas vivas de la realidad". Son precisamente estas premisas las que aprovechará al elaborar *Charlot contra Chaplin.*

En las terceras se encuentran otros temas para posibles obras y pensamientos sobre el teatro, tales como el siguiente:

> Introducir o renovar la materia teatral con nuevos elementos de acción y de conducta humana: el viento, la lluvia, el sol, las plantas, los animales y las máquinas, pasando o haciéndose sentir por la escena. El destino o la conducta y los actos del hombre influidos y modificados por todos estos nuevos elementos.

Finalmente, reitera la necesidad de elaborar obras teatrales en las que coexistan escenas, una sola de ellas visible, como ya lo había propuesto en sus *Notas.*

Sin dejar de tomar en cuenta las imprecisiones o vacíos que sus *Notas* tienen, representan una superación con respecto al contenido de otros escritos anteriores, así como en relación a sus primeras obras teatrales: *Entre las dos orillas corre el río, Lock-out, Colacho Hermanos* y *La piedra cansada.* El público, para dar sólo un ejemplo, ha aumentado en importancia, lo que da a entender una mayor conciencia de las características de la audiencia y de lo importante que es su recepción.

En este sentido, es a partir de las *Notas* que Vallejo se situó a distancia del teatro político que predominaba en Alemania (principalmente de Piscator) y en Rusia, aunque sin rehusar el uso de técnicas asimiladas o inventadas por ese tipo de teatro. Lo singular del caso es que no surgió conflicto político alguno, a raíz de esta nueva situación y continuó siendo marxista.

Por otro lado, Vallejo era consciente de los alcances que tenían sus *Notas sobre una nueva estética teatral* y también de sus límites; pendiente quedaba desarrollar sus postulados hasta hacerlos sistemáticos.

Pero en sus *Notas* hay una reunión original no sólo en cuanto a la selección hecha, sino en cuanto a los criterios propios que Vallejo esboza. Sus *Notas* son una suerte de combinación teórica cuya mayor virtud radica en procurar superar la crisis del teatro, planteando no sólo críticas sino también alternativas. Sin lugar a dudas, sus *Notas* son una superación de sus primeras teorizaciones, así como de la estética implícita a sus primeras obras teatrales.

La nueva estética de Vallejo forma parte de una secuencia en su pensamiento teórico sobre el teatro. No representa una ruptura sino la superación de una crítica. Su experiencia como crítico le había permitido constatar una crisis que era pública y que no se reducía al teatro. En el teatro también se daba aunque con sus particularidades. Fue el descubrimiento de esas particularidades lo que distinguió el discurso de Vallejo, en un contexto social donde se solía explicar la crisis del teatro por la ausencia de moral profesional. Vallejo descubrió el trasfondo de la crisis, como el anquilosamiento de la estructura y el material teatral. No era suficiente la sola reacción contra el naturalismo y las corrientes de vanguardia no aportaban alternativas con las que él estuviese de acuerdo.

En cuanto a Francia, pensó que la transformación del teatro podría haberse logrado con los aportes de las compañías teatrales asociadas en *Le Cartel des Quatres,* y con los aportes del teatro ruso de tipo constructivista. Sus viajes a Moscú le permitieron encontrar una atractiva realidad, la de una sociedad donde se estaba construyendo el socialismo. En relación con el teatro, presenció el ascenso del teatro realista y la crisis del constructivismo y con él de Meyerhold. Sin negar sus simpatías con el constructivismo, Vallejo incorporó el realismo a su teoría, no en sus *Notas* sino en escritos anteriores, aunque luego con reservas. Debido a esta nueva variable se vio en la necesidad de reordenar los criterios que había venido manejando en torno al teatro.[18]

---

[18] Podría decirse que Vallejo "expropia" o se apropia de lo que consideró recuperable en las corrientes de vanguardia, en el sentido que Brecht le daba a

Uno de los principales resultados de ese reordenamiento fue su teoría sobre las diferentes funciones del artista revolucionario: el bolchevique, comprometido con las tareas más urgentes e inmediatas, y el socialista, que produce de acuerdo a una función humana de la sensibilidad.

Sus *Notas sobre una nueva estética teatral* corresponden a ese segundo tipo de artista, llamado socialista por Vallejo, integrando en una nueva unidad diferentes influencias o aportes (de manera especial, aquellos aportes provenientes del expresionismo).

Sin embargo, su teoría no puede ser acusada de sincretismo, si de sincretismo se pudiese hablar. Su nueva estética teatral es una teoría construida en un momento extremadamente complejo y en diálogo con las corrientes artísticas más activas de la época. Su teoría no es de ninguna manera la suma de sus simpatías, sino la formulación de un proyecto original y no menos político.

Esa nueva teoría le permitió comenzar una nueva etapa en su producción teatral, marcadamente diferente de la anterior y sustancialmente más importante e interesante.

---

esa palabra: aprovechar todo tipo de tradición, culta o no, para dar forma a un nuevo tipo de teatro.

CAPÍTULO IV

LAS PRIMERAS OBRAS TEATRALES DE VALLEJO

ANTES de pasar directamente al estudio de las primeras obras teatrales de César Vallejo, es necesario detenerse a elaborar una cronología provisional (en tanto no se cuente con una mejor información) de toda su producción teatral, ya que es en base a esta cronología que se ordenarán los capítulos que siguen.

Las obras que se publican en el Anexo de este libro, permiten ordenar dicha cronología de una manera más precisa, por la información colateral que ofrecen. Esta información corrige, en algunos casos, interpretaciones con las que se ha venido contando y que se examinarán en su momento.

CUADRO CRONOLÓGICO DE LAS OBRAS TEATRALES DE CÉSAR VALLEJO

	Nombre de la Obra	*Año(s)*	*Características*
1.	*Les Taupes.*	1930	Cinco escenas y un epílogo. Escrita en francés.
2.	*Lock-out.*	1930	Cinco escenas. Escrita en francés.
3.	*Moscú contra Moscú.*	1930-32	Tres actos, cinco cuadros y un prólogo. Escrita en español y francés.
	Entre las dos orillas corre el río.	1936(?)	
4.	*La Mort.*	1930(?)	Tragedia en un acto. Escrita en francés.
5.	*Colacho Hermanos.*	1934	Tres actos, cinco cuadros y escenas. Escrita en francés y español.
6.	*Presidentes de América.*	1934(?)	Guión cinematográfico escrito en español. Esbozo.
7.	*Le songe d'un nuit de printemps.*	1935-6	Esbozo. Escrita en francés.
8.	*Dressing-Room.*	1932-37	Bufonada en un prólogo y cuatro actos. Esbozo. Escrita en francés y español.
9.	*Suite et contrepoint.*	?	Tres actos. Escrita en español. Esbozo.

10.	*¡Alemania Despierta!*	?	Extraviada.
11.	*La piedra cansada.*	1937	Tres actos y quince cuadros. Escrita en castellano.

En los escritos dactilográficos de *Les Taupes* se afirma que es la primera obra teatral de Vallejo: "La première pièce de César Vallejo" se dice, en francés.[1] Es obvio que era la primera en relación a sus obras teatrales. Anteriormente, esa obra había sido conocida bajo el nombre de *Mampar.*

Les Taupes es una obra anterior a *Lock-out* y *Moscú contra Moscú.* Al respecto, Georgette de Vallejo ha afirmado que *Les Taupes* fue escrita en 1930, el mismo año en el que se iniciaron las otras dos ya mencionadas. Esta es la afirmación más confiable con la que se cuenta, aunque no se puede descartar la posibilidad de que haya sido escrita un poco antes, debido a la abismal diferencia temática que existe entre esta obra y las otras dos.

En cuanto a *Lock-out* y *Moscú contra Moscú,* no hay datos precisos que indiquen el orden en que fueron escritas. No obstante, la edición de *Teatro completo* daría a entender que la primera habría sido *Lock-out* y la segunda *Moscú contra Moscú,* publicada en dicho libro bajo el nombre definitivo de *Entre las dos orillas corre el río.*[2] Este criterio se justifica también por el hecho de que esta última obra fue objeto de constantes y profundos cambios, hasta 1936 (aunque las fechas claves para esa reestructuración sean 1930 y 1932). André Coyné es el único que discrepa con la fecha señalada para *Lock-out* y piensa que Vallejo la escribió en España, por consiguiente en 1931.[3] Esta discrepancia podría tener sus orígenes en una confusión, ya que ése fue el año en que Vallejo procuró sin descanso la representación de esa obra en España.

La Mort, que es una tragedia en un acto, fue publicada en 1952 con la siguiente nota introductoria: "Las escenas que

---

[1] Vallejo, *Les Taupes,* pp. 181-194 (véase el Anexo de este libro).

[2] Vallejo (1979), "Lock-out", en *Teatro completo.* Lima: Universidad Católica. En esta edición también se encuentran las obras *Entre las dos orillas corre el río, Colacho hermanos o presidentes de América* y *La piedra cansada.* Debido a que esta edición será citada con frecuencia, se usará sólo la abreviatura TC. Del mismo modo se identificarán la edición parcial de *Colacho Hermanos* y total de *La piedra cansada* que se publicara en la revista *Visión del Perú;* en este último caso se usará la abreviatura VP.

[3] André Coyné (1960), "César Vallejo, vida y obra", en *Visión del Perú,* Lima, julio, n.º 4, pp. 52-3.

publicamos a continuación formaban parte de la tragedia 'Moscú contra Moscú', bosquejada en 1920. Fueron suprimidas por el autor en la nueva y definitiva versión, actualmente titulada *Entre las dos orillas corre el río".*[4] Es claro que no se trata de 1920 sino de 1930, puesto que de no ser así resultaría que Vallejo la hubiese escrito estando preso en Santiago de Chuco. Lo importante es precisar que por su cercanía temática con *Moscú contra Moscú,* es posible sostener que data de 1930.

Después de *La Mort,* Vallejo escribió *Colacho Hermanos* en 1934; en el intervalo que va de 1930 a 1934 se dedicó, según parece, a continuar o corregir sus primeras obras teatrales. Como lo señala Georgette de Vallejo, ésta es una de las obras que tuvieron modificaciones.

Es necesario que se tenga también en cuenta, en esta cronología, a *Presidentes de América,* a pesar de que es un guión cinematográfico y de que se le ha confundido con la obra teatral *Colacho Hermanos* en múltiples ocasiones. No es posible aún saber la fecha en la que fue escrita; por eso es que puede tomarse en cuenta 1934 sólo como un fecha tentativa que se basa en la relación que este guión mantiene con *Colacho Hermanos.*

Si de dos épocas se pudiese hablar, en relación con el teatro y el cine de Vallejo, podría aceptarse que con *Colacho Hermanos* y *Presidentes de América,* terminaba una primera época. Mientras que todas sus demás obras, a excepción de *La piedra cansada,* pertenecerían a una segunda. Si explicásemos estas dos épocas en relación a sus escritos periodísticos y teóricos, diríamos que a la primera corresponden sus artículos publicados en revistas y sus libros en torno a Rusia, mientras que a la segunda corresponden, sobre todo, sus *Notas sobre una nueva estética teatral* y sus *Temas y Notas teatrales,* mientras que su libro *El arte y la revolución* explicaría, en gran parte, la transición de una época a la otra. Este es un punto que se desarrollará con más detalle en el capítulo octavo.

El sueño de una noche de primavera, obra escrita originalmente en francés bajo el nombre de *Le songe d'une nuit de printemps,* en París, data de 1935-1936 según se dice en la portada del escrito dactilográfico.[5] Esta es una de las obras con las cuales Vallejo puso a prueba su nueva estética.

---

[4] Vallejo (1952), "Una tragedia inédita", en *Letras Peruanas,* Lima, abril-junio y agosto, n.os 6 y 7, p. 37.

[5] Vallejo, *Vallejo, El sueño de una noche de primavera* (cuyo título original estaba escrito en francés: *Le songe d'une nuit de printemps*), pp. 213-215 de este libro.

Dressing-Room, de acuerdo al mismo tipo de fuente, fue escrita en París entre 1932 y 1937.[6] Este es uno de los proyectos que Vallejo tuvo consigo por mucho tiempo y sobre todo en 1936, según lo indicó Georgette de Vallejo. Su diseño guarda también estrecha relación con su nueva estética.

¡Alemania Despierta! es una obra de la cual muy poco puede decirse, debido a que está extraviada y las posibilidades de que pueda aparecer no son muchas. De su existencia se sabe por Georgette de Vallejo y otros críticos. De sus características y contenido casi no se sabe nada; aunque sería posible intuir, sin ninguna prueba que lo pueda sostener, que su tema guarda relación con lo que por entonces ocurría en Alemania, en las vísperas de la segunda guerra mundial. Pero afirmar esto, poco aporta; por eso, las interrogantes que se tienen sobre esta obra serán por algún tiempo las mismas, de no mediar la aparición de informaciones o documentos que permitan tentar alguna interpretación.

Finalmente, está *La piedra casada,* obra escrita a fines de 1937 y terminada en las vísperas del año en el que moriría Vallejo. Pese a la fecha, no tiene la más mínima relación con su nueva estética y es, en muchos sentidos, un acontecimiento inesperado, como se verá en el capítulo octavo. Con esta obra concluiría la producción teatral de Vallejo.

Les Taupes es la obra con la cual Vallejo inició su actividad como dramaturgo. Georgette de Vallejo, André Coyné y Raúl Porras Barrenechea coinciden en este sentido y también en afirmar que la obra fue destruida por el propio Vallejo.[7]

De esta obra inicial sólo quedan actualmente algunos fragmentos de la primera, tercera y quinta escenas. Todos estos fragmentos se encuentran, junto a otros, archivados en la Biblioteca Nacional del Perú, e igualmente se los puede encontrar en el anexo de este libro.

Sin embargo, ésta no es la única fuente de que se dispone a fin de informarnos sobre esta obra. Otra importante fuente es una carta membretada y suscrita por Louis Jouvet, entonces director de la Comedia de los Campos Elíseos, fechada el 2 de

---

[6] Vallejo, *Dressing-room,* pp. 217-222 de este libro.

[7] Georgette de Vallejo (1974), "Apuntes biográficos sobre César Vallejo", en *Obra poética completa* de César Vallejo. Lima: Mosca Azul, p. 367. André Coyné (1969), "César Vallejo, vida y obra", p. 54. RPB (Raúl Porras Barrenechea) (1939), "Notas bio-bibliográficas", en *Poemas humanos* de César Vallejo. París: Les Editions des presses modernes au Palais-Royal, p. 156.

septiembre de 1930. El valor de esta carta estriba en que proporciona una crítica de la estructura de esta obra y da referencias sobre el contenido, el desarrollo de la acción y los nombres de algunos personajes. Es por estas razones que la carta constituye un paso obligado.[8]

Jouvet le indica a Vallejo lo siguiente: "La principal crítica que yo haría a *Mampar* es la siguiente: se trata de una pieza doble" debido a que plantea dos situaciones muy diferentes, una de las cuales correspondería a un "drama moral" mientras que otra plantearía un "drama filosófico".[9]

Jouvet da cuenta además, de la existencia de tres actos. Al primer acto lo carateriza como el "drama de la franqueza" en donde Mampar siente siempre la necesidad de decir la verdad y eso lo lleva a insultar a un mendigo y matar a su madre, mientras sufre en manos de una amante intrigante.

El segundo acto tenía como problema central la búsqueda de la verdad objetiva, y el personaje central era un juez, y habían por lo menos otros dos personajes: un criminalista y Roncalo. Jouvet menciona la existencia de dos escenas tal vez un poco extensas en este acto.

El tercer acto enfrenta a Mampar y a juez o, lo que es lo mismo, la necesidad de franqueza con la necesidad de verdad, para determinar la responsabilidad de Mampar en torno a la muerte de su madre.

Como se ve, esta carta era casi una reseña crítica de *Les Taupes,* pero el testimonio de este lector privilegiado que fue Louis Jouvet no concuerda fácilmente con el escrito dactilográfico que se reproduce en el anexo de este libro.

Para comenzar, el título de la obra no es el mismo, como ya se mencionó. Más importante aún es que la obra, según Jouvet, tenía actos y escenas; mientras que el escrito dactilográfico tiene cinco escenas y un epílogo. Hay pues, una notoria diferencia en lo referido a la estructura de la obra.

La primera explicación posible es que tales incongruencias se deban al hecho de que Vallejo pudo haber destruido los originales, pero luego de haberlos revisado. Toda revisión implica cambios y tal posibilidad es la que puede explicar las diferencias estructurales y hasta el título mismo de la obra.

---

[8] Carta reproducida en el Prólogo de Enrique Ballón para la edición de *Teatro completo* de Vallejo, pp. 14-15.

[9] Jouvet, Louis (1930) ("Carta a César Vallejo"), en *Teatro completo* de César Vallejo, pp. 16-17, copia facsimilar. La traducción completa de la carta aparece citada en el Prólogo escrito por Enrique Ballón bajo el título "La escritura escénica de Vallejo", pp. 14-5.

Hay dos datos importantes que pueden apoyar esta interpretación: uno de ellos es el argumento que aparece en estos fragmentos (argumento que se examinará dentro de poco) y el otro es una nota que aparece en la parte inferior de la portada, en francés, y que dice lo siguiente: "Il N'en reste que des fragments, la plupart des tableaux ayant été ou égarés ou volontairement supprimés par l'auteur lui-meme" (traducido quiere decir: De ella no quedan sino fragmentos, la mayor parte de los cuadros se han perdido o han sido suprimidos voluntariamente por el mismo autor). Lo cual indica claramente que Vallejo trabajó sobre esta obra antes de haber procedido a destruir los originales y que no los destruyó todos, pensando, tal vez en reconstruir la obra.

No obstante, el argumento encerrado en estos fragmentos es especialmente importante para verificar las coincidencias que existen con lo expresado por Jouvet.

La lista de los personajes que intervienen en la que sería la primera escena comprende a Mampar, Lorry, Tralves, el Dr. Lafranc y una mujer de servicio. En cuanto al argumento, esta escena se desarrolla en una atmósfera intelectual, en un lugar elegante pero sin lujo. Mampar está leyendo a Tolstoi mientras lo escuchan Lorry (su amante) y Tralves, a quien se caracteriza como una persona formal. Comienza discutiendo sobre temas religiosos y morales pero rápidamente el debate se traslada hacia Tralves. Mampar menciona un comentario despectivo que había hecho anteriormente Lorry sobre Tralves, ante lo cual ella reacciona tratando de loco y mentiroso a Mampar, con la finalidad de salir del aprieto en que se encuentra por la imprudencia de Mampar al decir la "verdad". Tralves se retira entonces de la casa a pesar de que Mampar y especialmente Lorry insisten en que no lo haga. Lorry le dice que se sentirá responsable si lo hace. Inmediatamente después Lorry le increpa a Mampar su infidencia. Casi de inmediato la mujer de servicio anuncia la llegada de un tipo llamado Martel y se desarrolla una situación análoga a la anterior, pese a que Lorry intenta callar a Mampar. Lorry invita a entrar a Martel mientras que Mampar se opone, tratándole de imbécil. Martel ingresa y Mampar insiste en pedirle educadamente que se retire, ante lo cual Martel pide explicaciones. Mampar insiste en tratarlo de igual manera y finalmente logra que Martel se retire pese a que Lorry trata de impedirlo.

Lorry reacciona violentamente contra Mampar; lamenta haberlo conocido y piensa que Mampar necesita un médico. Para ella, la situación es aún peor ya que la madre de Mampar la odia; todo esto hace que ella llegue a creer que se trata de una acción arreglada por Mampar y su madre contra ella.

Mampar considera que Lorry es injusta, pero la discusión se interrumpe porque la mujer de servicio anuncia la llegada del doctor Lafranc; Mampar aprovecha ese momento para dirigirse a comprar remedios para su madre.

Se desarrolla, entonces, un diálogo continuo entre Lorry y el doctor Lafranc, que durará hasta el regreso de Mampar. Lorry dice estar muy preocupado por la salud de la madre de Mampar. Interroga al doctor sobre la enfermedad de la madre, miente constantemente y niega que Mampar hubiese estado antes en su casa. El doctor le expone sus opiniones sobre la enfermedad de la señora, reservándose el diagnóstico definitivo, pero alertando de que cualquier cólera, impresión fuerte o dolor moral podría ser fatal. En respuesta a lo cual Lorry le promete que tanto ella como Mampar harán todo lo necesario para evitar ese tipo de problemas.

Regresa Mampar preguntando por el doctor, que ha salido, y Lorry le dice que sólo había venido a saludarle. Le indica a Mampar que ha recibido un aviso de Solé que ha prometido conseguirle un trabajo a Mampar y que vendrá a visitarlo.

La alternativa para Mampar es si esperar a Solé o llevar los remedios a su madre. Lorry y Mampar discuten sobre este asunto, Mampar decide quedarse a esperar a Solé pero en medio de gestos y actitudes violentas de Lorry quien llega a impedir casi por la fuerza que Mampar se vaya y le increpa el que su madre tenga más importancia para él que ella. Mampar reacciona arrodillándose y pidiéndole perdón. Lorry le pregunta sobre lo que le ha dicho su madre y Mampar le relata que su madre no ha podido dormir pensando en su matrimonio y que ha decidido escribir para averiguar los antecedentes de Lorry. Lorry le dice que su madre es una hiena; mientras que a Mampar sólo le preocupa el pensar que su madre es infeliz por causa suya. Lorry le emplaza a decidir entre su madre o ella y lo amenaza con separarse de él para siempre. En su última intervención Mampar le dice a Lorry que la ama a pesar de su mamá, pero que también ama a su madre. Ante lo cual Lorry responde que él es un loco que siempre las pone en discordia al decir la verdad de lo que cada una dice.

Al fragmento de la escena tercera corresponden las siguientes acciones: Se inicia con un diálogo entre Mampar y su madre. Mampar le dice que son tres los médicos que la han atendido y que ninguno sabe lo que ella tiene; su madre le dice que con su carácter violento va a ahuyentar a los médicos; responsabiliza de todo esto a Lorry e indaga sobre las opiniones de Lorry. Mampar le responde que habla mal de ella todos los días y que ese mismo día le ha dicho que escoja entre su madre y ella. La Sra. Mampar reacciona tratándola de loba. Mampar agrega que también le ha dicho que no es su madre la que se acuesta con él y termina diciendo que no sabe qué hacer. Su madre le dice que tiene que abandonarla, y le advierte que si se casa será su perdición. Mampar nervioso por la posibilidad de que aparezca Lorry, le responde que no tiene fuerza para eso. Su madre le señala que no le tiene miedo a Lorry, aún estando enferma. Mampar le dice a su madre que la ama aún sabiendo que debería odiarla, pero que en lugar de responder con odio a sus actitudes él responde con amor. La madre propone alejarse de él e irse a algún asilo de provincia ante lo cual Mampar le dice que él quiere cuidar de las dos. Mampar le informa a su madre, que Lorry le ha exigido casarse al día siguiente. La madre se sobresalta pero se interrumpe el diálogo por la llegada de Lorry. Toda la acción se centra en Lorry y la Sra. Mampar.

Lorry le pregunta a Mampar si le ha contado a su madre del empleo que ha conseguido, gracias a Solé, y que, por lo tanto, el obstáculo para el matrimonio había sido resuelto.

La Sra. Mampar le señala que eso es así sólo en parte ya que el dinero no lo es todo y Mampar le hace mucha falta. Lorry reacciona, diciéndole que su afecto de madre se opone al suyo de mujer. La madre insiste en que no deben casarse mientas esté enferma. Lorry le increpa que es ella misma, Lorry, quien está sufriendo las consecuencias, y le pregunta airadamente por qué permitió su noviazgo con Mampar. La Sra. le responde que nunca debió consentirlo. Lorry la acusa de impedir su matrimonio por maldad.

La Sra. Mampar recurre a Mampar a quien le pide que la defienda. Lorry, continúa diciendo que su honor está siendo puesto en duda y que ella no tien corazón. La madre le responde que es una intrigante y una aventurera. Mampar interviene recién, tímidamente, para calmar los llantos de su madre y tranquilizar a Lorry. Ella en cambio lo emplaza nuevamente gritándole ¡Mañana en la municipalidad! La madre responde que no irá. Y Lorry le pregunta directamente a Mampar ¿qué dices tú? Mampar responde solamente con un gesto que denota consentimiento, por lo cual la madre cae completamente abatida y es llevada por Mampar hacia su cuarto. Mampar la deja allí y sale en dirección hacia la puerta de la casa, escuchando ruidos como de quien camina sigilosamente. Se encuentra con Solé que le informa que todo está listo. Mampar le pide que se calle porque su madre duerme y salen.

Los fragmentos de la escena quinta reproducen el diálogo entre Mampar y Lorry; diálogo apasionado y erótico en el cual Mampar llega a decir que el deseo es el origen de la vida y la muerte.

Este es el argumento visto con el mayor detalle posible, al tratarse de una obra desconocida e inédita, en la que se evidencia el problema planteado al comienzo: la existencia de actos en la versión que aparece en le anexo de este libro. Problema que puede explicarse de la siguiente manera.

Si se tiene presente el contenido de la carta enviada por Louis Jouvet a Vallejo se encontrarán coincidencias con relativa facilidad. Pero éstas se refieren al primer acto tal y como Jouvet lo describe. Como se recordará el primer acto era descrito por el dramaturgo francés como el "drama moral", a diferencia de los otro dos, ya que el segundo era un "drama filosófico", mientras que el tercero era un intento de reunir estos dos dramas.

Los fragmentos cuyo argumento se ha expuesto, indudablemente tienen relación sólo con el primer acto leído por Jouvet. No tienen relación alguna ni con el segundo ni con el tercer acto, en los cuales la presencia del juez era decisiva.

En el primer acto Mampar es el personaje principal, alrededor suyo se desarrolla la acción en la que intervienen Lorry (su papel intrigante está bien caracterizado por su conducta desdoblada) y la madre, la Sra. Mampar.

Por otro lado, salta a la vista que ese "drama moral" y el delirio de franqueza al que aludía Louis Jouvet están presentes explícitamente.

Las únicas posibles incongruencias son dos: no aparece aquél pasaje en el que Mampar insulta a un mendigo, ni tampoco se presenta de manera consumada la muerte de la madre, aunque hay dos indicios que apuntan en esa dirección: en primer lugar el ocultamiento premeditado por parte de Lorry de la información traída por el Dr. Lefranc y cuyo destinatario era precisamente Mampar; información que aludía a la gravedad de la madre. En relación a esto mismo, Lorry con su intervención en la tercera escena, no sólo contraviene lo expuesto por el médico sino que utiliza esa información con la finalidad, voluntaria o involuntaria, de provocar un desenlace que podía ser fatal. En segundo lugar, hacia el final de la tercera escena se alude a determinados ruidos sigilosos que se orientan hacia el cuarto de la madre de Mampar y que se podrían vincular con algún evento accidental o deliberadamente violento.

Todo lo expuesto hasta el momento, a lo cual agregaremos que Vallejo organizó esta obra no solamente en actos sino también en escenas –tal y como se desprende de la carta de Jouvet– permite plantear la siguiente interpretación: los fragmentos corresponden a tres de las cinco escenas que formaban parte del primer acto.

Otra posibilidad adicional, que no cuenta con mayores evidencias, es que Vallejo haya reestructurado su obra reduciéndola a cinco escenas, las cuales habrían formado parte del primer acto en la versión que tuvo en sus manos Louis Jouvet. No obstante, está fuera de toda duda que los fragmentos correspondieron a la primera obra realizada por Vallejo. Obra con la que inauguró su actividad como dramaturgo. Pese a la pertinencia de la crítica formulada por Louis Jouvet es una obra en la que hay un creativo manejo de conflictos inmersos en la cotidianidad.

Lock-out es una de las primeras obras teatrales de Vallejo y como su nombre lo indica toca un tema relacionado con el cierre de una gran empresa capitalista. Está ambientada en Francia, con personajes salidos de esa sociedad y es una obra que por sus características puede ser considerada parte del llamado teatro político porque sobresale lo didáctico.

Caracterizarla de esta manera obliga a ubicarla en relación con el teatro político de la época e indudablemente con el teatro político alemán, del cual Piscator fue su mejor representante. Esta comparación se justifica porque Vallejo conoció el teatro de Piscator y tuvo información, aunque limitada, de lo que llamó en sus artículos el "nuevo teatro alemán".[10] Además, por el hecho de que este tipo de teatro político fue el que asumió y desarrolló con gran efectividad, dentro de sus posibilidades, los resultados del teatro político ruso y particularmente los de Kerchensev luego de la revolución de octubre.[11]

Este tipo de teatro surgió en Alemania bajo la influencia del teatro soviético y buscando encontrar en el campo artístico formas particulares que se adecuasen a un público obrero y a sus tareas políticas. Este tipo de teatro tenía sus antecedentes más lejanos en la década del 10 pero su desarrollo se dio a partir de 1925. A partir de esa fecha se unificaron los grupos dedicados a

[10] Vallejo (1925), "El verano en París", en *Mundial,* Lima, 11 de septiembre, n.º 274.

[11] Por teatro político se entiende, en este caso, a una corriente que expresamente asumió esta denominación y que cumplía tareas de agitación y propaganda al servicio de la revolución socialista. El mismo sirvió de título para uno de los más importantes escritos de Piscator.

esta actividad. Se crearon las llamadas Revistas Rojas (aplicando el género musical de tipo norteamericano) que violentaron las convenciones dramáticas pero sin alcanzar unidad y tornando las obras más ingenuas cuanto más directas pretendían ser; sin embargo, incorporaron elementos del circo que sistematizarían Piscator y Brecht. El texto se volvió coyuntural y marcadamente pedagógico, se borró totalmente la diferencia entre platea y escenario, convirtiéndose toda la sala en el escenario. Fueron, pues, en lo fundamental grupos de agitación y propaganda.

Las principales críticas que recibieron estas Revistas Rojas fueron las siguientes: su carácter estrictamente proletario, su intelectualismo (porque era convincente sólo para quienes ya estaban comprometidos políticamente con esas mismas ideas), sus desenlaces idealistas (que disolvían las dificultades propias de la lucha de clases) y su renuncia a los efectos emotivos. Críticas que serán de utilidad para el análisis de *Lock-out.*[12]

En Vallejo encontramos un teatro político que asume como propósito central no tanto la agitación (entendida como consignas de acción inmediata) sino la propaganda y en virtud de esto, el aspecto didáctico es central. Por otro lado, esta obra no incorpora elementos provenientes del circo o los cabarets, pero sugiere una innovadora y complicada escenografía compuesta de tres pisos, uno de los cuales tiene a su vez tres secciones, muy parecida a la usada por Piscator en *Hop lá, nous vivons.*[13] Asimismo, es una escenografía fija, que no cambia con el desarrollo de la acción y que se diseña a la manera de Piscator: no se pierde en detalles sino que hace uso de signos representativos. Las luces y las sombras permitirían ordenar la secuencia de las escenas, iluminando aquellas que intervengan en un momento determinado y sombreando otras, sin anularlas, que aún no intervengan o que hayan intervenido; al no desaparecer están presentes, en estado latente y a la expectativa. De tal suerte que sería el espectador el único que tendría siempre presente la totalidad de la acción. Este era, probablemente, el más interesante aspecto de la obra.

La estructura de la obra no violenta las convenciones teatrales, entonces predominantes. Como se ha dicho, no incorpora elementos nuevos en el desarrollo de la acción y el aspecto documental se presenta no en la relación entre el actor con el público sino en la de un personaje con otro. En cierta medida, es un teatro cerrado porque en ningún momento se confunde el

---

[12] Posada, *Lukács, Brecht,* pp. 119-120.
[13] Pandolfi, *Histoire,* t. 3, p. 292.

escenario con la audiencia. No concluye en consignas de acción inmediata, como lo hubiese planteado Piscator, pero el desenlace no es por eso menos idealista y artificioso.

Este tipo de desenlace se debe a que la huelga con la que los trabajadores responden al lock-out llega a proponerse objetivos tan ambiciosos como la toma del poder y se plantea, expresamente, que la huelga sería el medio para lograrlo.[14] Lo artificioso estriba en que ese objetivo se desvanece, pese a que los obreros triunfan, resultando así que mediante esa cruenta lucha sólo han conseguido el respeto de la estabilidd laboral y sus miserables salarios. Lo artificioso no está en que la lucha fuese cruenta sino en plantar un objetivo tan ambicioso como el de la toma del poder sin que se noten elementos que lo hagan viable –elementos tales como que los trabajadores tuviesen conciencia de ese tipo de alternativa–. En este caso, lo documental y lo didáctico le han restado una mayor coherencia; no han logrado articularse adecuadamente.

Las acciones se desarrollan en un momento de crisis revolucionaria, tal como lo explica uno de los personajes con un propósito educativo; es decir, en un momento en el que sería posible tomar el poder, y la táctica que se propone es la usada en Rusia antes de la revolución, pero que aparece en esta obra trasladada a la realidad francesa.

Lock-out es una obra teatral ligada estrechamente a su momento histórico, es decir a la crisis que en aquellos años se desató en Europa y Estados Unidos, así como en el tercer mundo. Crisis conocida históricamente bajo el nombre de la Gran Depresión.

Los propósitos de esta obra son claramente políticos; prentende ser un instrumento de propaganda, aunque sin lograrlo por la incompatibilidad que hay entre el uso del material teatral y los objetivos que se propone. Se produce así una fractura y la escenografía sólo tranformada podría haberse montado acorde con los intereses políticos de Vallejo.[15] En relación con el público, debido a su esquematismo, podría haber sido asequible sólo a los ya comprometidos y no a un público diverso y complejo; público para el cual el socialismo era todavía sólo una conciencia posible, una conciencia por asumirse. La crisis, aún la crisis revolucionaria, no bastaba por sí sola para dotar de conciencia al proletariado en esa sociedad capitalista.

---

[14] Vallejo, *Teatro completo,* t. I, p. 63.

[15] El referente era especialmente importante para obras que se presentaban como políticas.

Finalmente, hay otro hecho en extremo interesante: en *Lock-out* hay un personaje central, pero ese personaje central existe bajo la forma de una masa, de un conjunto de trabajadores, que se los enumera pero que sólo sumados tienen razón de ser. Como se ha visto, ésta era una característica del teatro político alemán y también de las películas de Einsenstein, no así del realismo socialista o de la dramaturgia clásica, que Vallejo hará suya. En este sentido sí es trastocada una importante convención.

En relación a lo dicho anteriormente, tiene razón Enrique Ballón cuando dice que *Lock-out* no hubiese satisfecho al "intelectual" porque el objetivo de la obra era "el conocimiento de la lucha de clases y su fin ser comprendida por el pueblo".[16] Pero con la siguiente salvedad: los problemas que se derivan de la recepción y que se originan en los objetivos ya mencionados, pueden no limitarse a los intelectuales. Pueden deberse también no al objetivo que se propone sino a la incompatibilidad que hay entre dicho objetivo y el manejo del material teatral. Esto es algo de lo cual Vallejo va a ser consciente y a eso se debe que más tarde procurase encontrar una nueva estética, una nueva orientación y no repetirá este tipo de metodología, por así llamarla.

De paso, vale la pena precisar que el tipo de recepción tiene que ver más con las expectativas del "público" que con el hecho de ser o no intelectual; no se debe olvidar que el mismo objetivo procuraron Brecht y Piscator, sin disgustar a los intelectuales como tales. Aún más, los intelectuales que compartían los mismos principios políticos marxistas podían y pueden tener reservas frente a este tipo de teatro doblemente político. Por otro lado, un error muy frecuente –según Vallejo– era el de confundir clase social con conciencia de clase: ésta es una de las más acertadas críticas que se le podría hacer a esta obra de Vallejo en particular, pero no a otras.

---

[16] Ballón, "Prólogo", p. 18.

Capítulo V

MOSCÚ CONTRA MOSCÚ, ENTRE LAS DOS ORILLAS CORRE EL RÍO Y LA MORT

En este capítulo se examinará una de las primeras obras teatrales de Vallejo: *Entre los dos orillas corre el río,* nombre con la cual fue publicada en TC. Esto obligará a que se observe con cuidado la existencia de versiones a las que dieron lugar continuas revisiones realizadas por Vallejo entre 1930 y 1936.[1] De acuerdo con Georgette de Vallejo, tales ajustes ocasionaron el cambio de nombre de la obra, originalmente titulada *Moscú contra Moscú.* Según parece, es luego de su regreso a Francia, en 1932, que Vallejo realizó gran parte de estos cambios.[2]

Otro problema que se verá en este capítulo es el de la relación que existe entre las diversas versiones, algunas de las cuales han sido publicadas como extractos retirados de la versión final, según parece por decisión del propio Vallejo.

Como se verá, la existencia de estos escritos y la conflictiva relación que existe entre ellos, ocupan gran parte de la investigación realizada en este capítulo, postergando la tarea de vincular la obra misma con la estética teatral de Vallejo. Este límite se explica por el tipo de problemática que se ha encontrado.

Uno de los textos que habrían sido retirados de la primera versión de *Moscú contra Moscú* apareció con el título "El juicio

[1] El lector que cuente con mayor información, notará, en el presente capítulo, que parecería no haber justificación para tratar un "extracto retirado" por Vallejo de *Moscú contra Moscú,* como una obra diferente: *La Mort.* No le faltará cierta razón, pero ese tratamiento adelanta una interpretación de la cual se hablará más adelante. Por otro lado, llamará la atención que se hable de *Moscú contra Moscú* y *Entre las dos orillas corre el río* por separado. Esta separación obedece a que posibilita un mejor acercamiento metodológico, además de que asegura una mejor conciencia de la historia de esta obra.

[2] Georgette de Vallejo (1974), "Apuntes", pp. 407-8.

final", sin ninguna nota introductoria, en la revista *Amaru*. Pero en las "noticias sobre los autores" se dice lo siguiente:

> Los textos inéditos de César Vallejo nos han sido proporcionados gentilmente por Georgette de Vallejo a quien corresponden los derechos. *El juicio final* es de la misma época que el drama "Entre las dos orillas corre el río", con el que guarda cierta relación temática. De esta escena se conserva sólo un original en francés; la versión que ofrecemos se debe a Georgette de Vallejo y Abelardo Oquendo (...)[3]

Posteriormente, ese mismo texto apareció como "Prólogo" de *Entre las dos orillas corre el río* en TC de César Vallejo. En esta última edición no se proporcionó ninguna explicación acerca de este cambio; ni tampoco se conoce información alguna de Georgette de Vallejo sobre este pasaje, ni ninguna aclaración sobre aquella nota anteriormente citada.[4]

De acuerdo con lo expuesto el problema es el siguiente: ¿Formó parte o no "El juicio final" o "Prólogo" de acuerdo a cada una de las dos ediciones citadas, de la obra *Moscú contra Moscú?* ¿Fue extraída de la misma o no? Lo que sí de ninguna manera se puede poner en duda es de que tal pasaje existe.

Sin embargo, hay un problema adicional. "El juicio final" y el "Prólogo" a pesar de tocar un mismo tema (la confesión de un moribundo) son, en realidad, dos versiones que difieren en aspectos sustantivos. Lo cual plantearía la posibilidad de que sean dos versiones diferentes, una con modificaciones respecto a la otra.

Una comparación de ambos textos comprobaría esta posibilidad, pero quedaría pendiente la tarea de determinar los orígenes de cada una de ellas, lo cual a su vez, obligaría a un trabajo filológico a fin de decidir sobre cuál es la primera versión y cuál la segunda. Pero las diferencias entre ambos textos son demasiadas si tomamos en cuenta que se trata de unas cuantas páginas (dos páginas y media en *Amaru* y tres y media en T.C.). Las más importantes son las siguientes:

1) Pese a que la acción se centra en la confesión de un moribundo ante un sacerdote y a que los personajes están caracterizados de la misma manera sus nombres son diferentes: Atovof se convierte en Atovov, lo cual no es demasiado saltante, pero el Padre Rulak se convierte en el Padre Vakar.

---

[3] Vallejo (1967), "El juicio final", en *Amaru,* Lima, enero, n.º 1. La nota que se cita aparece bajo el rótulo de "Noticias sobre los autores" en la p. (101).

[4] Vallejo (1979), "Entre las dos orillas corre el río", en TC, t. I, pp. 101-4.

2) El asesinado posee idénticas características (se trata de un joyero que cuando estaba por asesinar a Lenin con un revólver se convirtió en la víctima de un robo perpetrado por Atovof/Atovov, quien le robó sus llaves), pero pierde su nombre propio, de tal manera que Rada Pobadich se reduce a Pobadich.

3) Se diferencian también por la anulación de dos intervenciones de Atovov/Atovof y otras dos de Rulak/Vakar, las cuales no aparecen en T.C. Esas son las siguientes:

> ATOVOF, *en un recuerdo doloroso, a sí mismo:* Ella fue...
> RULAK, *atento:* ¿De qué tienes temor? Ten confianza en Dios.

y

> ATOVOF: Padre, no he dicho todo...
> RULAK: Lo sé, pero espera un poco. Recupérate.

Se anula igualmente todo un párrafo, escrito en latín, perteneciente a una intervención de Rulak/Vakar.[5]

4) Hay frecuentes omisiones de palabras en las intervenciones de uno u otro personaje, que son los únicos que intervienen en esta pieza tanto en *Amaru* como en T.C.

5) Igualmente, hay alteraciones en los signos de puntuación, especialmente cuando se trata de colocar o no puntos suspensivos.

6) Hay intervenciones que, por el contrario a lo señalado en el punto tercero, aparecen en el "Prólogo" y no en "El juicio final" tales como las siguientes:

> ATOVOV, *quien acaba por fin de comprender:* ¡Oh, padre!...
> VAKAR: Tú eres, quién sabe, el peor...
> ¡Sí! ¡Tú eres el verdadero culpable del desastre ruso!...[6]

7) Hay intervenciones cuya redacción cambia sustancialmente, como la siguiente:

> RULAK: ¿Tú, pues, has salvado la vida de quien ha causado tanta desdicha a Rusia, y ha introducido el ateísmo en las almas?...
> *(Exclama con cólera santa)* ¡Desgraciado! ¡Réprobo! ¡Verdadero culpable del desastre ruso!...

---

[5] Vallejo, "El juicio final", pp. 10 y 11, respectivamente.
[6] Vallejo, "Entre las dos orillas", p. 103.

VAKAR, *cuyo tono va a elevarse a medida que él toma plena conciencia de lo irreparable de la revelación de Atovov:* ¡Digo, ¡desgraciado!, que has salvado la vida del que ha causado la perdición de Rusia!... Del que ha introducido el ateísmo en las almas!...
(Con santa cólera, exclama) ¡Réprobo!... ¡Miserable!...[7]

8) El cambio más importante, tiene que ver directamente con el desenlace. Mientras que en el "Prólogo" Vakar pone punto final con una alocución que dirige a Dios para que lo ilumine en su decisión y luego intenta hacerle conocer a Atovov su veredicto, cuando éste ya se ha muerto, en "El juicio final" se termina con un diálogo entre Atovov y Rulak en el que Atovov lo sorprende al decirle que el joyero fornicaba con Avodna Ilivocha, mujer del sacerdote. Sin embargo, en ambas se concluye con un ruego del sacerdote dirigido a Dios en el que le pide que perdone a todos los pecadores.

Las explicaciones dadas sirven para establecer que son dos textos diferentes. Con ello el problema resulta ser mayor, si se toma en cuenta la nota ya citada de *Amaru,* porque en ella se dice que "se conserva sólo un original en francés". No obstante, la falta de información impide que se pueda determinar el origen de cada uno de estos textos, origen que no podrá establecerse sin el estudio exhaustivo del original.

En cuanto a si "El juicio final" o "Prólogo" formaba o no parte de *Moscú contra Moscú,* es apreciable su relación temática con la versión que se conoce de *Entre las dos orillas corre el río.* Sin embargo, esa relación disminuye hasta hacerse irreconciliable en lo tocante a la acción y los personajes.

Al tomarse en cuenta esto, cabría pensar que se trataría de traducciones desencontradas o de la aparición de otra versión. Es indudable que ninguna de estas posibilidades parece satisfactoria. Por otro lado, si la obra fuese posterior a 1935 se podría sugerir otro tipo de interpretaciones, ya que a partir de entonces Vallejo manejó el "material teatral" de una manera diferente, pero al no ser así no habría cómo fundamentar tales interpretaciones. Más bien, parece tratarse de un texto extraído de *Moscú contra Moscú,* durante la revisión que esta obra sufrió hasta convertirse en *Entre las dos orillas corre el río,* al no tener una función justificada en dicha obra, de acuerdo a los nuevos propósitos de Vallejo. En este sentido, es aceptable la nota de *Amaru.*

---

[7] Vallejo, "El juicio final", p. 11, y "Entre las dos orillas", p. 103.

Por lo expuesto, resulta extraño y difícil de explicar por qué este texto retirado, reapareció formando parte de *Entre las dos orillas corre el río* en TC, sin que hubiese, además, una clara conexión entre dicho "Prólogo" y los cinco actos de esa obra.

En lo que se refiere a *Entre las dos orillas corre el río* cabe señalar que es una obra mucho mejor realizada y coherente.

La escenografía es nítidamente diferente a la de *Lock-Out:* no tiene una construcción fija y total que permita al espectador tener una visión de conjunto; no se determina qué escenografía debería usarse pero sea la que fuere tendrá que permitir cambios, ya que la secuencia de los ambientes es la siguiente: Plaza Roja, pequeña tienda de comercio, habitación de Varona, club de komsomolkas y nuevamente la habitación de Varona.

En esta obra se presenta un problema similar al planteado por Louis Jouvet con respecto a *Mampar:* en esta oportunidad dos personajes de importancia tienen una relación poco clara: el príncipe Osip y Varona Gurakovna Polianov.

En cuanto a los personajes, en general, hay un cambio importante respecto a *Lock-Out:* en esa obra no todos los personajes estaban caracterizados y se caracterizaba concretamente sólo a los personajes comprometidos con el sistema que favorecía los despidos y la reducción de salarios, mientras que los demás personajes y especialmente la masa tenían una conducta común y una emoción colectiva pero despersonalizada. En *Entre las dos orillas corre el río,* en cambio, todos los personajes están caracterizados, lo cual permite un mejor manejo de la acción. Sin embargo, es un asunto delicado analizar el personaje principal que, sin lugar a dudas, es Varona Polianov.

Varona es el personaje principal pero no es de ninguna manera un héreo positivo, tal y como lo entendía el realismo socialista; sin embargo, en el desarrollo de la acción sí encontraremos pruebas de realismo y romanticismo revolucionario personificado en Zuray, por ejemplo. En virtud de esto, Varona sería un antihéroe que se mantendría como personaje principal. Para corregir esta impresión es pertinente recoger el testimonio de Raúl Porras Barrenechea sobre el desenlace de la obra:

> Vallejo (...) Termina de escribir *Moscú contra Moscú* que titulará finalmente *Entre las dos orillas corre el río,* comedia dramática, que condensa el pensamiento social de Vallejo, en la que el amor es más fuerte que el odio. Varona, princesa, de la época zarista y su hija Zuray 'konsomolka' del Soviet, contra la voluntad de su madre, personifican el antagonismo de dos generaciones y de dos ideologías que Vallejo enfrenta en diálogo vigoroso y reconcilia luego en el

> cauce fraternizador de la ternura familiar. El príncipe Osip, el padre, alcohólico y degenerado, es un personaje que en sus delirios restaura el equilibrio de la razón y del sentimiento perturbados, con una lucidez casuística que se emparenta directamente con la poesía de Vallejo.[8]

Su testimonio plantea un problema que debe enfrentarse tomando en cuenta que leyó las obras de Vallejo.

El problema que plantea la cita está relacionado directamente con el desenlace de esta obra. No debe confundir el hecho de que se refiera a una "comedia dramática" porque en aquél entonces teatro y comedia eran conceptos que se solían intercambiar. Debe llamar la atención especialmente el desenlace de la obra que él presenta como reconciliador, se supone entre Zuray y Varona, "en el cauce fraternizador de la ternura familiar". Evidentemente, este testimonio de Porras Barrenechea plantea un desenlace diferente al que se encuentra en TC y que no puede ser descartado fácilmente, a sabiendas de la seriedad de Porras Barrenechea y del hecho de que aporta evidencias inconfundibles de que la leyó, porque menciona personajes que no se conocerían sino hasta que *Entre las dos orillas corre el río* fue publicado en 1979.[9]

El desenlace que menciona Porras Barrenechea involucra, sobre todo, al personaje central: Varona. Ella seguiría siendo el personaje protagónico, pero en lugar de ser un héroe negativo sería un héroe positivo; con lo cual, la obra se acercaría a obras

---

[8] Porras, "Notas bio-bibliográficas", p. 157. Raúl Porras, fue, como se sabe, un lector privilegiado de las obras de Vallejo y colaboró de modo especial en la primera edición de *Poemas humanos,* aparecida en 1939. De esa edición se ha sacado la cita. Porras se encontraba en París, como delegado del Perú a la Sociedad de las Naciones.

[9] Como esos personajes no habían sido mencionados anteriormente, Emilio Cabeza Olías basó toda su investigación doctoral en la pieza aparecida en *Letras Peruanas,* que no corresponde a *Entre dos orillas corre el río* sino a otra obra titulada *La Mort.* La mencionada tesis de Cabeza Olías intentó demostrar lo siguiente: "que la obra de Vallejo en prosa y la obra de Vallejo en verso están íntimamente trabadas formando un todo inseparable; que su prosa aclara y complementa el mensaje de su poesía; y que por lo tanto, y como consecuencia, Vallejo, poeta, no será conocido de una manera total sin un profundo conocimiento de su prosa" (en "Prosa creativa y prosa crírtica de César Vallejo", Tesis doctoral. New York University, p. V). Lamentablemente Cabeza Olías no logró en gran parte cumplir su cometido debido a problemas de información, de los cuales no era responsable, pero también debido a su persistente esfuerzo por despolitizar a Vallejo, bajo el supuesto de que su sensibilidad y amor a la libertad eran incompatibles "con cualquier rigidez doctrinaria" (p. III); esto lo lleva a presentarlo como un autor en cuya obra se percibe "el espíritu cristiano" (p. III).

como *La madre* de Máximo Gorki y se aproximaría al realismo socialista, en la medida de que resaltaría la emotividad de los personajes y el romanticismo revolucionario.

Por otro lado, Georgette de Vallejo brinda un valioso informe en relación a cuál fue el modelo de los cambios efectuados por Vallejo hasta 1936. Ella dice lo siguiente: "En París, revisa y modifica ENTRE LAS DOS ORILLAS CORRE EL RÍO, el amor sustituyéndose a la vehemencia revolucionaria de la primera versión."[10] Lo dicho por ella coincide, implícitamente, con lo expresado por Porras Barrenechea.

Sin embargo, hay un problema adicional en la versión de *Entre las dos orillas corre el río* en TC. Este se desprende de la comparación entre esta obra y aquella parte del cuadro sexto que se publicó en la revista *Tiempo,* en 1958.[11]

Según Enrique Ballón, esta obra fue escrita en español y francés, aunque precisó lo siguiente: "La versión en lengua española que ahora se publica, es la reintegración hecha por el propio Vallejo de 'Moscú contra Moscú' ".[12] No queda del todo claro si se ha hecho o no una traducción en el caso de esta obra, o de alguna parte de la misma. No obstante, queda la impresión de que el grueso de esta obra no ha sido traducido. La misma confusión se da con el cuadro sexto aparecido en 1958, con el título de "Entre las dos orillas corre el río". Pero ocurre que si se comparan los textos de *Tiempo* y TC, se comprobará que, salvo dos o tres intervenciones, no hay coincidencias textuales y abundan las incongruencias entre las dos alterándose el sentido de las intervenciones y omitiéndose por completo determinadas intervenciones.[13] Es indudable que aun tratándose de traducciones, las discrepancias van más allá de lo que podría considerarse como interpretaciones de los traductores. A tal punto llegan estos cambios que se podría pensar que son dos versiones sobre el desarrollo de los mismos eventos, porque las diferencias son constantes.

En ningún momento se da en la revista *Tiempo* aclaración alguna que explique las diferencias, porque se trataba de una versión descartada. Pero se lo presenta como la parte final de un cuadro sexto que no existe como tal en TC. ¿Cómo explicar este

---

[10] Georgette de Vallejo, "Apuntes", p. 407.

[11] Vallejo (1958), "Entre las dos orillas corre el río", en *Tiempo,* Lima, enero, año I, n.º 1.

[12] Enrique Ballón (1979), "Entre las dos orillas corre el río", en *Teatro completo* de César Vallejo, t. I, p. 95.

[13] Ese texto corresponde al que en *Teatro completo* está entre las páginas 170 y 177 del primer tomo.

cambio? De ninguna manera se puede sostener que se deba a la existencia de dos versiones diferentes, porque tal y como lo señaló Enrique Ballón, había sólo una versión original en castellano; pero aunque hubiese estado en francés, tan sustanciales diferencias no se podrían explicar simple y llanamente por un problema derivado de la interpretación. Es más, si el texto aparecido en *Tiempo* hubiese tenido tal cantidad de equivocaciones, eso no podría haber pasado inadvertido para quien poseía los originales. Aquí, no queda más alternativa que plantear con toda claridad que ha habido una alteración muy difícil de explicar.

Los casos a los que no referimos son múltiples y habría necesidad de reproducir casi totalmente el texto que apareció en la revista *Tiempo*. Por eso, sirvan estos ejemplos sólo para ilustrar lo afirmado:

1) Textos que no aparecen en TC: a) "NIURA (a Zuray): ¿No te da vergüenza? ¿No te suben los colores a la cara?" b) VLADIMIRO, NIURA: Sí, señor. Pese a tus amos de gorrita." c) "ZURAY: Ladrad. No os hago caso". d) "VARONA: Tú, no comprenderás nunca, jamás, lo que es haber sido alguien en la vida y caer luego hasta el punto de morder la suela del lacayo que tuviste".[14]

2) Textos que han sido alterados en TC (columna de la derecha):

"VARONA (a Zuray, con una gran suavidad) No sé si es porque te quiero como no quiero a ninguno de vosotros o es porque tú insuflas una extraña y vehemente convicción a tus palabras, que siento, por momentos, que no sería imposible que, a la larga, llegue un día en que logres quebrantar mis rigores maternales más fundados y severos. Hay en ti, cuando hablas, por instantes, aunque fugaces –y eso lo he notado desde tu tierna infancia–, una fuerza de persuasión que me parece venir de tu padre, cuando éramos aún novios... (Niura Vladimiro se han acercado a Varona y Zuray, sosegados)".[15]

"VARONA, *con una suavidad infinita:* –No sé si es porque te quiero como no quiero a ninguno de ustedes o si es porque tú insuflas una extraña y vehemente convicción a tus palabras, que siento por momentos que no sería imposible que, a la larga, llegues un día a quebrantar mis rigores maternales más fundados. Hay en ti cuando hablas una fuerza de persuación que me recuerda a tu padre cuando éramos aún novios... *(Niura y Wladimiro, sosegados, se han aproximado a Varona y a Zuray, cariñosos).* Ello, por lo demás, no tiene nada de raro puesto que en todo eres el fiel retrato de tu padre".[16]

[14] Vallejo, "Entre las dos orillas", en *Tiempo,* p. 1. Vale la pena dejar en claro que hay otras dos intervenciones desaparecidas de Zuray y Varona, luego de la ya citada.

[15] Ibíd.

[16] Vallejo, "Entre las dos orillas", en TC, pp. 173-4.

Es evidente que lo dicho ahora no pone en duda que *Entre las dos orillas corre el río* fue escrita por Vallejo. Pero se comprueba, con los ejemplos mostrados, que puede haber un problema serio, según se descarte o no la existencia de versiones diferentes. Pueden haberse omitido aclaraciones, eso es también posible, y de ser así vale la pena promoverlas.

Las posibilidades son muchas tratándose de una obra que, a diferencia de las demás, fue revisada y modificada constantemente, hasta 1936. Además, se ha dicho que tales cambios fueron profundos, ya que Vallejo extrajo de la obra escenas y cuadros que transformaron casi completamente el primer texto y el nombre original de la obra.[17] Todo en función de aquel criterio mencionado por Georgette de Vallejo: sustituir la vehemencia revolucionaria por el amor; podría decirse, con mayor precisión, por el amor revolucionario.

Esta compleja situación, en la que hay textos que no coinciden pero que están relacionados temáticamente, obliga a formular una interpretación que tome como base los datos y evidencias con los cuales se cuenta hasta ahora: *Moscú contra Moscú* dio lugar a que existiesen piezas como la llamada "El juicio final" y tal vez hasta *La Mort;* textos que pueden haber tenido su origen directamente en esa obra o que pueden haber sido motivadas por su temática. En el caso de "El juicio final" puede tratarse de lo primero, porque no adquirió vida propia.

En cuanto a las incongruencias encontradas entre textos que se supone deberían ser totalmente idénticos, pero que no lo son, es necesario reservar toda interpretación hasta que los originales puedan ser objeto de un exhaustivo, profundo y minucioso trabajo de crítica textual, que posibilite y garantice conclusiones realmente científicas. Esclarecimientos como el expuesto son los que harán posible la edición crítica de las obras teatrales de César Vallejo.

En 1952 la revista *Letras Peruanas,* dirigida por Jorge Puccinelli, publicó en dos números continuos *Una tragedia inédita de Vallejo;* ese fue el rótulo con el cual se editó por primera vez una obra teatral de Vallejo, pese a que se la consideró un extracto retirado, según se aprecia en la siguiente nota: "Las escenas que publicamos a continuación formaban parte de la tragedia 'Moscú contra Moscú', bosquejada en 1920.

---

[17] Georgette de Vallejo (1969), "Apuntes biográficos de 'Poemas Humanos' y 'Poemas en prosa' ", en *Visión del Perú,* Lima, julio, n.º 4, pp. 169-192. Ballón, "Entre las dos orillas", en TC, t. I, p. 95.

Fueron suprimidas por el autor en la nueva y definitiva versión, actualmente titulada *Entre las dos orillas corre el río.*[18]

Ya se ha aclarado lo relacionado con la fecha, errada debido muy probablemente a un descuido tipográfico. Lo importante es señalar que se trataba de *La Mort,* obra que si bien pudo haber formado parte en algún momento de *Moscú contra Moscú,* es decir de la primera versión escrita en 1930, de hecho se transformó en una tragedia totalmente independiente, con su propia unidad temática.

Esta obra apareció sin el título que le correspondía en *Letras Peruanas.*[19] Con su aparición se inauguraba el conocimiento de la producción teatral de Vallejo y se perfilaba una nueva imagen, en quien era considerado exclusivamente como poeta. Tal publicación fue un verdadero acontecimiento, que como otros no logró la debida atención.

Lamentablemente dicha obra apareció como si se tratase de una tragedia inédita o, mejor dicho, como la parte suprimida de una tragedia inédita; esa tragedia inédita era *Entre las dos orillas corre el río.*

No existe tal tipo de dependencia pese a que pudo haber tenido su origen en *Moscú contra Moscú,* si bien ese origen no está claramente establecido: La sola relación temática no es suficiente para afirmarlo. En realidad el único dato con el que se cuenta hasta el momento es el testimonio de Georgette de Vallejo, a quien debemos el que muchas de las obras de Vallejo hayan sobrevivido.

Al ser éste el único dato, no tenemos por qué rechazarlo. Pero al margen de si fue retirado o no de *Moscú contra Moscú,* algo indudable es que se trata de una obra que logró su propia unidad independientemente de aquella en la que pudo originarse. Se puede admitir, incluso, la posibilidad de que haya formado parte de *Moscú contra Moscú* íntegramente, aunque eso es algo que no cuenta hasta el momento con testimonio o dato alguno a su favor. Lo concreto y lo pertinente es recurrir al texto mismo y a los datos que ofrece.[20]

Precisamente ese escrito proporciona el nombre de esta tragedia; en la portada del mismo aparece *La Mort* como su título. En una nota de Georgette de Vallejo que aparece entre las páginas 17 y 18 del texto, se reitera lo dicho anteriormente, es

---

[18] Vallejo (1952), "Una tragedia inédita", en *Letras Peruanas,* Lima, abril-junio y agosto, n.os 6 y 7.

[19] Ibíd., n.o 6, p. 37.

[20] La obra a la que se hace referencia con el nombre de *La Mort* se encuentra, en francés, en el Anexo de este libro, pp. 195-211.

decir, que formaba parte de *Moscú contra Moscú.*[21] Sin embargo, también en la portada se dice que se trata de una tragedia en un acto. Y esto no es extraño, porque Vallejo no tuvo predilección por una organización determinada, sólo tuvo aversión por los tres actos.

El desarrollo de la acción de la obra tiene su propia unidad temática. Hay un personaje familiar, el Príncipe Osip, pero con una caracterización diferente a la que conocemos en *Entre las dos orillas corre el río.* Tienen en común el ser príncipes, el ser borrachos y el estar casados con Varona, y, finalmente, el tener los mismos hijos pero, a diferencia de lo aparecido en TC, se trata de un personaje que no está desquiciado y sus preocupaciones son más bien metafísicas. Su caracterización está muy bien acabada y lo convierte en el principal personaje de la tragedia.[22]

La estructura de la obra tiene relación con *Entre las dos orillas corre el río* más que con *Lock-out.* Requiere de una escenografía simplificada, de un personaje principal y, en general, todos lo personajes están debidamente caracterizados. El tema central es el retiro psíquico de quien luego de la revolución de octubre fue incapaz de readaptarse socialmente y optó por la anulación de toda responsabilidad, abandonando a su familia, sacrificando sus deseos y retirándose a un monasterio, negándose al trabajo productivo aunque no al trabajo por distracción (por eso es que él se niega a ir al Kolkhoz y no se opone a trabajar mientras pasea a orillas del Moscova, como quien descansa del paseo mismo). Este personaje le permite a Vallejo descubrir las intimidades políticas de un monasterio; los personajes del monasterio no aparecen en *Entre las dos orillas corre el río,* mientras que en esta obra ocupan un papel destacado y atraen gran parte de la acción. Varona interviene sólo en un pasaje y en eśte refleja con claridad su frustración, acentuada por la actitud de sus hijos y porque su marido no acepta ser usado como compensación. Osip, aventajándola en claridad, le señala que la hora de los deseos ha terminado para ellos y que él ya está muerto, lo cual es incomprensible para ella. La obra termina cuando el Príncipe Osip rehúsa todo tipo de alternativa

---

[21] Esa nota aparece a pie de página.

[22] Emilio Cabeza-Olías afirma que el principal personaje sería el sacerdote Sakov y define el tema de la obra como "humanismo cristiano". Es indudable que el cristianismo y el humanismo son elementos que están presentes, incluso se podría hablar de una combinación de ambos, pero si se examina el origen de cada uno de esos elementos difícilmente se logrará hacer de cualquiera de éstos el tema central.

y reafirma su posición de no comprometerse con ninguna responsabilidad: ni la del deseo, ni la de Dios, ni la del trabajo.

En el caso de esta tragedia, cuyo título se mantuvo inédito, no hay incongruencias con respecto a la traducción realizada por Víctor Li Carrillo para *Letras Peruanas.*

Finalmente, interesa resaltar que *La Mort* debe ser tratada, ante todo, como una tragedia completa y acabada. Esto no contradice el que pueda tener su origen en *Moscú contra Moscú,* sino que destaca su autonomía. Presentada como un extracto retirado equivaldría a condenarla al anonimato; no hay razones que puedan justificar que algo así ocurra, ni siquiera el que tenga un solo acto.

CAPÍTULO VI

COLACHO HERMANOS Y *PRESIDENTES DE AMÉRICA*

CÉSAR Vallejo inicia en 1934 *Colacho Hermanos.* Y por la fecha se desprende que fue escrito en París. Al igual que sus demás obras, será objeto de modificaciones que, a criterio de Georgette de Vallejo, no fueron sustanciales pero sí continuas hasta 1936.[1]

Antes de publicarse completa esta obra, en 1979, se conocían sólo fragmentos. Éstos no se publicaron como extractos retirados sino como partes de la versión definitiva. Al menos esto es lo que se desprende de las ediciones que aparecieron en las revistas *Letras* (1956) y *Visión del Perú* (1969).[2] En la revista *Letras* se decía:

> La revista *Letras* se honra en publicar la siguiente página inédita de César Vallejo, proporcionada noblemente por su viuda la señora Georgette de Vallejo.
> Se trata de dos cuadros correspondientes al primer acto de una farsa de tema nacional en que rebosa la fuerza satírica, la densidad psicológica y social y la protesta humana mezclada de ternura cósmica, como en sus grandes poemas.[3]

---

[1] Georgette de Vallejo, "Apuntes biográficos sobre 'Poemas Humanos' ", p. 171, y "Apuntes biográficos sobre César Vallejo", en *Obra poética completa* de César Vallejo, p. 407.

[2] Vallejo (1956), "Colacho hermanos. Cuadro primero y segundo", en *Letras,* Lima, Facultad de Letras de la Universidad Nacional Mayor de San Marcos, n.os 56-7. Vallejo (1969), "Colacho hermanos. Cuadro segundo", en *Visión del Perú,* Lima, julio, n.º 4.

[3] "Colacho", en *Letras,* p. (5).

Estos dos cuadros no se publicaron completos en *Letras,* como se aprecia si se comparan el cuadro primero y segundo con los cuadros respectivos en TC.

En este sentido, interesa sobremanera llamar la atención acerca de lo dicho por Georgette de Vallejo a fin de que se lo tenga presente. Ese testimonio era el siguiente:

> Hemos visto que ya en España, Vallejo había puesto muchas esperanzas en sus obras de teatro, para remediar su situación material. En París, año tras año, modificará y volverá a modificar "Entre las dos orillas corre el río (Moscú contra Moscú)" y asimismo, aunque mucho menos, "Colacho Hermanos" o "Presidentes de América." Sólo "Lock-out" no sufrirá mayores cambios.[4]

Que *Colacho Hermanos* fuese objeto de modificaciones (como ocurrió con casi todas las obras teatrales de Vallejo) no es extraño y no tiene por qué discutirse. Pero el decir que aquellas modificaciones fueron menores a las efectuadas en *Moscú contra Moscú,* puede prestarse a interpretaciones de lo más variadas y subjetivas, si no se consultan las obras. Por otro lado, es indudable que lo dicho por Georgette de Vallejo no resuelve la relación existente entre los cambios que hizo Vallejo y las diferencias que hay entre los diferentes escritos, como se verá a continuación.

La primera comprobación consiste en que los cuadros publicados en la revista *Letras* están incompletos. Posteriormente, en *Visión del Perú* (1969), se publicó nuevamente el cuadro segundo pero completo, esa puede ser la razón por la cual se lo publicó como inédito.[5]

Si se comparan, en segundo lugar, los textos que aparecieron en ambas publicaciones, se comprobará que hay diferencias fácilmente apreciables entre *Letras* y *Visión del Perú;*[6] aunque

---

[4] Georgette de Vallejo, "Apuntes biográficos sobre 'Poemas humanos' ", p. 171.

[5] Corresponde a las páginas 273 y siguientes, hasta la página 282 en *Visión del Perú,* ya que lo publicado en *Letras* fue sólo un fragmento del cuadro segundo.

[6] En *Letras* se dice (p. 15): "CORDEL.–(Parándolo) –Alto ahí! Tú no te llevas nada... (Un vistazo, sobre Novo). Qué maneras son éstas de llevarte *lo que no te pertenece?* Tú no eres aquí sino mi dependiente y no tienes derecho a llevarte nada (Otro vistazo a Novo)". Mientras que en *Visión del Perú* no aparece la frase subrayada sino "mercaderías que no te pertenecen" (p. 275). Más adelante en *Letras* se dice: "Mr. Tenedy.–¿Oye usted ese canto que se aleja por el *camposanto*?" (p. 16). "Camposanto" se transforma en "Campamento", en *Visión del Perú* (p. 276). Aún así los cambios son mayores si se comparan estos textos con los de TC.

no son tan saltantes si se compara una de éstas, o ambas, con el texto aparecido en TC, ya que en este caso son fundamentales.[7]

Si se toma, a manera de ejemplo, las versiones de *Visión del Perú* y TC, se comprobará que se han omitido pasajes e intervenciones, en otros casos se han agregado, se ha alterado no sólo la organización propiamente sintáctica sino también el sentido. Ejemplos de lo cual son los siguientes casos:

Se dice, en la introducción de este cuadro en TC que se trataría de unas "minas de oro" pero esto no se menciona en VP. En TC se habla de "telas" mientras que en VP se habla de "tejidos". (De aquí en adelante se pondrán las páginas entre paréntesis).

En TC (29) se dice "Cordel, vestido contra el frío, como los demás personajes de éste y del cuadro cuarto, aparece de perfil", mientras que en VP (273) se decía "Cordel, vestido, como los demás personajes de éste y del cuadro cuarto, contra el frío, aparece de perfil, primer plano, detrás del mostrador, sentado en una oficina pequeña pero confortable y hasta elegante".

En la segunda intervención de Cordel se han omitido en TC las palabras "Como" y "Pedazo de renacuajo".

En TC (31) Cordel dice "Pero ¡qué te voy a llevar a ti, pobre vieja!... ¡Para que sigas trayéndome siempre tus huevos, no te llevo nada! ¡Mira, pues, lo bueno que soy contigo! No te llevo nada". En VP (274) decía "¡Qué te voy a llevar nada a ti, vieja!... ¡Para que sigas trayéndome siempre los huevos, no te llevo nada! ¡Mira, pues, lo bueno que soy contigo! No te llevo nada".

Posteriormente, interviene Cordel en TC (35) "Cordel, *sigue golpeando con la punta del pie la cabeza del sora:* –¡Levanta, te digo! ¡Contesta, Huacho!" Mientras que en VP (276) decía: "Cordel, *golpeando siempre con la punta del pie la cabeza del sora inmóvil:* –¡Levanta! ¡Huato! ¡Anda!... (Y como Huato no da señas de vida, Cordel le examina con un dedo los párpados abiertos del sora.) Estás mirando y te haces el muerto... (Levantándose, al yanquee.) Creo que no respira, Mr. Tenedy".

Casi inmediatamente, no aparece en TC la siguiente intervención que sí aparece en VP (277): "El Sora, no cesa de dar gritos de terror: ¡El taita! ¡El taita!... ¡El taita!".

Nuevamente se omiten estas dos intervenciones en TC que estaban en VP (278): "El Hombre: –¡Ay, taita!... ¡Qué se hará!... ¡Valdrán, pues, mucho, taita!" y "Cordel: –¡Pero dígame: ¿les gusta ésa que tienen ahí?"

[7] Son textos que distan diez años el uno del otro.

Todos estos ejemplos demuestran de manera irrefutable la existencia de cambios que son evidentes. El volumen es mucho mayor, pero no es el propósito de este trabajo dar cuenta de todas las alteraciones. Basta dejar establecido que son textos diferentes, pero quedará pendiente el resolver cuál es el origen de esas variantes. Lamentablemente, la cercanía entre las fechas de esas publicaciones –trece años entre *Letras* y VP, y diez entre VP y TC– y la ausencia de aclaraciones, no permiten aceptar de antemano que se trate de versiones diferentes.

Lo explicado va a adquirir una abrumadora dimensión cuando se comparen las dos versiones completas de *Colacho Hermanos:* la de TC y la que se publica como anexo en este libro.

En este caso, se comprobará que ha habido una profunda recomposición textual, recomposición que fue mucho más allá de lo que puede considerarse irrelevante, ya que la estructura ha sido intensamente modificada, se han alterado las acciones, superpuesto personajes, trastocado el argumento; en fin, se ha cambiado la obra en todo lo fundamental, hasta suprimirse escenas y fusionarse un texto que Vallejo consideró, por algún tiempo, alternativo al último acto, el tercero, pero que finalmente suprimió.[8]

En esta comparación, se deberán tener en cuenta tres textos diferentes: el publicado en TC bajo el título de *Colacho Hermanos o Presidentes de América*[9] y otros dos que aparecen en el anexo de este libro bajo los nombres de *Colacho Hermanos* y "Primera versión del último acto". Estos dos últimos escritos, independientes el uno del otro, según lo indican los originales, han sido fundidos en TC. Esta interpretación será probada a continuación, a partir de algunos ejemplos muy representativos que guardan estrecha relación con dos problemas:

En primer lugar, hay personajes en un texto que no aparecen en el otro. Asimismo, hay personajes desdoblados o fundidos (Rina desempeña en VP los papeles de Taya y Zoraida en TC). Por otro lado, hay personajes, como Trozo, que desempeñan papeles diferentes en cada uno de los respectivos textos.

En segundo lugar, los argumentos son asimétricos, no coinciden. Esto ha obligado a que se realicen cambios forzados en el desarrollo de la acción que hacen incoherente el texto de TC.

---

[8] Así se explica en el escrito dactilográfico que se transcribe en el Anexo de este libro. El mismo tiene apuntes a mano hechos por César Vallejo y fue –según lo afirma una nota que está en la primera página– dactilografiada por él mismo.

[9] Vallejo (1979), "Colacho Hermanos o Presidentes de América", en TC, t. II, pp. (9)-143.

En especial, será este último punto el que se verá con mayor detenimiento en las páginas que siguen. El procedimiento a seguirse será el siguiente: se mencionará en primer lugar el *Colacho Hermanos* que se publica en este libro; en segundo lugar se mencionará el texto aparecido en TC; y, en caso de que sea necesario, en tercer lugar, se mencionará la "primera versión" nombrándosela de esta manera. Vale la pena reiterar, también en esta oportunidad, que se señalarán sólo los hechos más representativos y de éstos sólo algunos ejemplos, porque no es posible presentar en esta investigación la totalidad de los mismos, para lo cual se tendría que seguir una metodología diferente. Por otro lado, el orden en el que se presentarán los ejemplos corresponde al del desarrollo de la acción.

En la introducción se da la siguiente disparidad: mientras que en *Colacho Hermanos* se carateriza a Acidal y Mordel como "tipos mestizos de indígena y español" en TC se carateriza solamente a Acidal, pero como "Tipo mestizo, más indígena que español". Más importante aún es el siguiente cambio: en *Colacho Hermanos* se especifica que los dos hermanos son siervos de origen, obreros dedicados a la construcción y aspirantes a comerciantes, mientras que en TC no se determina ni su extracción social ni mucho menos qué trabajo desempeñan, ya son comerciantes.[10]

Posteriormente, aparecen dos mozos (tres en TC) y ocurre una acción notoriamente transformada: en *Colacho Hermanos* los mozos son burdamente engañados por Acidal, quien les ofrece como "regalo especial" un papel colorado con su nombre (el nombre de su casa comercial en TC), pero éstos aprovechan un descuido suyo para robarle una botella de ron. Esta secuencia no aparece en TC, donde simple y llanamente son engañados. pese a que se menciona una botella de "cañazo".[11]

A continuación, hay secuencias que aparecen sólo en TC: aquélla en la cual ingresa un campesino viejo a la tienda para pedirle a Acidal que le explique por quién ha votado él mismo;

---

[10] Véase la introducción en la versión de *Colacho hermanos* que se publica en el Anexo de este libro. Compáresela con la introducción que aparece en TC, t. II, p. 15.

[11] Compárese TC, t. II, pp. 16-18 y *Colacho hermanos,* pp. 2-3, folios 21-22, de la Biblioteca Nacional del Perú. Debido a que dicha obra no ha podido ser reproducida íntegramente, salvo en el caso de los actos II y III, el lector no podrá encontrar esta cita en el Anexo de este libro. Por eso, la fuente que se señala en esta nota (lo propio ocurre con las notas 13, 14, 16, 17, 18, 19, 20, 21, 22 y 23) corresponde a las páginas y folios del escrito orginal que, como se ha dicho, se encuentra en la Sala de Investigaciones de la Biblioteca Nacional del Perú. En el caso de las demás notas, el lector podrá remitirse directamente al Anexo de este libro.

luego, un maestro relata una serie de anécdotas sobre las elecciones en esta zona.[12]

Por el contrario, luego de la aparición de Mordel (Cordel en TC) hay una escena íntegra que no aparece en TC. Esa escena está centrada en un personaje llamado Peira que simula estar seguido por una multitud y amenaza con prender fuego al establecimiento de los hermanos Colacho. En realidad, Peira era un desquiciado sastre, casado (su mujer también aparece en esta escena) y que se consideraba jefe supremo de las provincias del norte, centro y noroeste. La escena concluye cuando Acidal le pide compasión y Peira se retira voluntariamente, continuando sus discursos y arengas.[13]

La escena quinta de la versión que se publica en este libro, comienza con un diálogo entre Acidal y Mordel, en el que cada uno sindica al otro como cobarde. Recién entonces ingresa "EL RAPAZUELO" con la invitación del Presidente de la Diputación (del Alcalde en TC). Aquí hay una pasajera coincidencia entre ambos textos.[14]

Posteriormente, hay en TC dos intervenciones –una de Cordel y otra de Acidal– que no aparecen en *Colacho Hermanos:*

> CORDEL: ¡Sí! ¡Ahí está! *(Abraza frenéticamente a su hermano)* ¡El Alcalde! ¡A nosotros! ¡A nosotros, hermano mío!...
> ACIDAL, *tras una reflexión se serena y trata ya de entrever las posibles consecuencias de tal invitación:* ¡Hum!... ¡Carajo!... ¡creo que, de esta fecha, nos hemos salvado!... ¡Salvado, carajo![15]

Luego empieza otro diálogo entre los dos hermanos que no se interrumpirá hasta el final de este primer cuadro. Sin embargo, en TC el diálogo se interrumpe por el ingreso de una mujer que es echada de inmediato por Cordel, aduciendo que ya había terminado el horario de atención al público. En esta parte, en especial importante para la caracterización de ambos personajes, hay consecutivos cambios: intervenciones que se agregan o retiran, alteraciones textuales, cambios de sentido. Sucede lo mismo cuando Acidal es convencido y decide aceptar la invitación; compárese lo aparecido en cada caso (la columna de la derecha corresponde a TC):[16]

---

[12] Vallejo, TC, t. II, pp. 18-9.

[13] Cf. *Colacho hermanos* del Anexo de este libro, pp. 5-7, folios 24-26.

[14] Compárese TC, t. II, p. 20 y *Colacho hermanos* del Anexo de este libro, p. 8, folio 27.

[15] TC, t. II, p. 21.

[16] Compárese *Teatro completo,* t. II, p. 27 y *Colacho Hermanos* del Anexo de este libro, p. 12, folio 31.

ACIDAL, *heroicamente:* ¡Es el garrote! Pero prefiero el cuello duro al badilejo! ¡O a tener que ir en prisión! Hasta ahora. *(Vase precipitadamente por el foro).*	ACIDAL, *sobreponiéndose al dolor, con heroismo:* ¡Oh, espantosamente! Pero, ¡carajo! prefiero los zapatos al badilejo. O a tener que ir a la cárcel, por los 47 soles del viejo Tuco. *(Sale rápidamente, cojeando).*

El dolor en el cuello ha sido reubicado en los pies, ya que la camisa ha sido sustituida por los zapatos.

En *Colacho Hermanos,* el cuadro segundo se inicia indicándose que habían transcurrido diez años. A esto se agrega el ambiente: un gran bazar en las minas de oro de la "Cotarca Corporation" ubicada en Cotarca, en la provincia de Taque. Esta información o no aparece en TC o aparece en forma tal que pierde su relación con el texto original. Hay otros cambios similares a los ya vistos: Novo aparece en TC como "hijo de Acidal", dato éste que no aparece en *Colacho Hermanos,* ya que en esta última Don Rupe descubre que su hija está embarazada y que no sabe cuál de los dos hermanos Colacho es el padre.[17]

En el mismo cuadro, las primeras quince intervenciones han sido omitidas en TC; intervenciones que corresponden a un diálogo entre los dos hermanos Colacho, con motivo de que Acidal está por salir de viaje. Acidal le da recomendaciones a su hermano y menciona, por primer vez en el diálogo, tanto a Tenedy como a la "Cotarca". Inmediatamente después coinciden *Colacho Hermanos* y TC en cuanto a las recriminaciones de Mordel/Cordel a Novo e ingresa "LA MUJER" ("LA SORA" en TC).[18]

En la escena IV, aparece Tenedy y se da la siguiente incongruencia entre *Colacho Hermanos* (columna izquierda) y TC (columna derecha):[19]

TENEDY, *un norteamericano acriollado, gerente de la 'Cotarca Corporation', entra por la derecha, fumando una gran pipa, y, con voz seca y autoritaria:* Buenas, don Mordel.	MR. TENEDY, *gerente de la 'Quivilca Corporation', entra, fumando una gran pipa y dice seco y autoritario, en una español britanizado y esquemático:* Don Cordel, buenas tardes...

Interesa llamar la atención sobre cómo se caracteriza a Tenedy: en *Colacho Hermanos* se le presenta como "norteamericano acriollado", mientras que en TC no se menciona su nacionalidad,

---

[17] Compárese TC, t. II, p. 29 y *Colacho Hermanos* del Anexo de este libro, p. 14, folio 33.

[18] *Colacho Hermanos* del Anexo, p. 15, folio 35.

[19] Compárese TC, t. II, p. 33 y *Colacho Hermanos* del Anexo, p. 17, folio 37.

pero se dice que habla "un español britanizado". Indudablemente, el texto que contribuye a una mejor caracterización de este personaje no es el de TC. No se olvide de que más adelante uno de los hermanos Colacho será Presidente de la República por presión de la Cotarca y para impedir que los británicos se beneficien del uso del poder político. ¿Cómo, entonces, este personaje podría haber sido caracterizado, indirectamente, como inglés?

Casi inmediatamente se da el conflicto entre el peón enfermo (Sora en TC) y Tenedy, que lo considera un desertor; el peón lo trata a Tenedy como "patrón", pero en TC aparece como "taita". Lo interesante está en el desenlace de este conflicto: en TC el Sora sale de la escena llevado por dos gendarmes y dando gritos de terror, mientras que en el otro texto sale cargado y a punto de considerársele muerto (la cita de la derecha corresponde a TC):

EL COMISARIO: Llévenselo al depósito. Si hasta mañana por la mañana, no vuelve a la vida, que lo entierren detrás del muladar. (Los gendarmes se llevan el cuerpo del peón.)	EL COMISARIO: Perfectamente, Mr. Tenedy, a sus órdenes. *(El comisario llama a lo lejos. Dos gendarmes pronto aparecen y entran)* Llévense a éste a la barra. *(Los dos gendarmes toman al sora que no cesa de dar gritos de espanto y le llevan. Los tres desaparecen.)*[20]

A consecuencia de este brusco cambio, se ha suprimido totalmente la séptima escena del texto que se publica en este libro; escena en la cual dialogaban Mordel y el Comisario en torno a la suerte del peón: el Comisario concluye que el peón se ha muerto porque era cardíaco.[21]

En la octava escena, centrada en el trueque de una garrafa de licor por un campo de trigo, hay problemas similares a los ya mencionados: omisiones, agregados.

La novena escena comprende el diálogo entre Cordel/Mordel y Orocio acerca de lo que este último debe o no decir delante de Novo. Pero las cifras que aparecen en esta parte no coinciden.[22]

En la décima escena el diálogo es entre Tenedy y Cordel/Mordel en torno a la cadidatura de Acidal y la posible actividad política de Cordel/Mordel.

---

[20] Compárese TC, t. II, p. 36 y *Colacho Hermanos* del Anexo, p. 19, folio 39.

[21] *Colacho Hermanos* del Anexo, p. 19, folio 39. En TC el diálogo se limita a considerar brutos, perezosos y bribones a los "serranos" (p. 36).

[22] Compárese TC, t. II, p. 42 y *Colacho Hermanos* del Anexo, pp. 23-24, folio 43-44.

La escena once ha sido totalmente omitida en TC.[23] Esta comprende el diálogo entre un peón y Mordel, quien no entiende por qué el peón viene a regalarle cuatro pesos (no soles). Evidentemente, Mordel aún no asumía del todo el nuevo rol que tenía que ocupar en ese rincón de la sociedad que era Cotarca.

El Cuadro Tercero de TC tiene un comienzo nuevamente dispar. En la introducción a este cuadro se dan una serie de explicaciones que no aparecen en el original, tales como mencionar a dos nuevos presonajes: Taya (Rina en la original) y Zavala (Isidoro Tapa en la versión original).

La primera escena de este cuadro, en su versión original, se inicia con un diálogo entre Acidal y Rina en torno a la llegada del Gobernador. Una vez que éste se sienta conversan en torno a las comisiones receptoras de sufragios. Como el Gobernador es un incondicional de Acidal se dedican a tramar maniobras que garanticen el control de la Asamblea (compuesta por los 45 o 50 mayores contribuyentes) que elegirá a sus integrantes. El diálogo es continuo y sólo se interrumpe cuando aparece el profesor Isidoro Tapa, que no es tanto el preceptor de Acidal sino su hombre de confianza, el encargado de sondear opiniones en torno a las elecciones. Posteriormente se presentará el Comandante Federico Mercedes Hermenegildo de las Cuadras y Sotelaga Dorado del Auxilio Molleturas, enviado para custodiar Taque durante las elecciones, quien se pone a disposición de Acidal con la finalidad de garantizar su elección como diputado.[24]

En TC no aparecen estos episodios y se pierden con ello secuencias que articulan el texto: en TC, se inicia el cuadro tercero con un diálogo continuo entre Acidal y Zavala, en su calidad de preceptor. En *Colacho Hermanos* este diálogo se da recién en el cuadro quinto, aunque siempre con modificaciones, pero entre Llave y Acidal.[25]

Ambos textos se reunifican de nuevo con la parición de Don Rupe, padre de Rina/Taya, a quien Acidal había mandado llamar para que mediante la brujería le explicase lo que le depararía el destino en su carrera política. Cuando Don Rupe se encontraba cumpliendo con el pedido de Acidal, descubre que Rina/Taya está embarazada y que ella no sabe cuál de los dos Colacho es el padre. A raíz de esto se origina un conflicto entre Rupe y Acidal que durará casi hasta el final del cuadro tercero. En TC Acidal amenaza a Don Rupe, pero esto no aparece en

---

[23] *Colacho Hermanos* del Anexo, pp. 26-27, folios 46-47.

[24] Ibíd., pp. 243 y ss.

[25] TC, t. II, pp. 47-57 y pp. 271-272 de este libro.

Colacho Hermanos; lo mismo ocurre con Zavala que reaparece para poner calma.[26] Sin embargo, interesa resaltar más que ésta u otras diferencias, el desenlace de este cuadro, luego de la llegada de Mordel/Cordel en parecidas circunstancias: En TC el cuadro concluye cuando Cordel afirma que volverá a pedirle a Mr. Tenedy que lo reemplace Acidal en la Presidencia de la República, ya que el origen de la exasperación de Cordel estaba precisamente en que Mr. Tenedy le había señalado que tanto Wall Street como la Quivilca Corporation exigían que fuese Presidente para poner coto a los intereses de las compañías inglesas.[27]

En *Colacho Hermanos* el final del cuadro es otro y mucho mejor acabado. A Acidal se le ocurre organizar una juerga para que Tenedy acepte a Acidal como Presidente:

> ACIDAL: En fin, ¿qué hay que pedirle, en suma, a la Virgen?
>
> MORDEL: Hay que pedirle tres cosas: primeramente, que Tenedy se enamore de La Rina perdidamente y que no se pase en mientes para hacerla suya; luego, que, a cambio de ella, acepte que tú seas el Presidente, en mi lugar, y, por último, que la revolución salga triunfante.
>
> ACIDAL: Conforme. Empecemos.
>
> MORDEL: Empecemos. (Ambos cruzan los brazos y dirigen una mirada de dolorosa unción hacia la Virgen del Socorro. Luego, doblan la frente y sus labios murmuran, en el silencio de la escena, una oración ferviente, apasionada y llena de ansiedad) TELÓN.[28]

Este final es indispensable para que se entienda a plenitud el próximo cuadro y el por qué de la juerga misma. Al no mencionarse a Taya/Rina en TC, surge un nuevo personaje llamado "LA ROSADA", que es presentado como la amante de Cordel. Este cuadro concluye de la misma manera en los dos casos: Mordel viaja a la capital, donde lo está esperando el General Otuna (con el mismo nombre en ambos escritos).

El último acto, el tercero, no hace sino profundizar la existencia de notables y profundas diferencias. En *Colacho Hermanos* este acto tiene como contexto la capital de la República. Se encuentran presentes sólo cuatro personajes: Acidal, Mordel, Llave y Trozo, además del criado Pancho. Casi todo el

---

[26] Ibíd., p. 61.

[27] Ibíd., pp. 68-71.

[28] *Colacho Hermanos* del Anexo, pp. 257-258.

acto consiste en un ensayo dirigido a que Mordel se entrene y se sienta capaz de desempeñar el cargo de Presidente de la República. Durante el ensayo, Acidal, Llave y Trozo, quienes saben de antemano qué puesto ocuparán en el nuevo gobierno, se turnan haciendo las veces de representantes de los poderes públicos, incluída la iglesia. Pero aún en el ensayo surgen rencillas entre los futuros funcionarios de Mordel y, a su vez, entre los hermanos Colacho cuando Acidal plantea la necesidad de estar preparados para sustituir al nuevo Presidente en la eventualidad de que éste se accidente o sufra un atentado; como es de suponer, él se ofrece para reemplazar a su hermano en el caso de que algo así ocurra.[29]

Acidal sustituye a su hermano como Presidente, en el ensayo, surgiendo el conflicto a raíz de una situación imaginada. El ensayo no acaba sino hasta que el General Tequila lo interrumpe, acompañado del Teniente Millar y sus tropas. La farsa termina cuando los Colacho son fusilados y la muchedumbre saluda al nuevo Presidente:

> EL GENERAL TEQUILA *ordena a la tropa, señalando de uno en uno a Acidal, a Mordel, a Llave y a Trozo:* ¡Al Presidente de la República! ¡Al Secretario! ¡Al ayudante! ¡Y al Prefecto de Policía! ¡Las esposas a los cuatro!... (La tropa ejecuta la orden y los cuatro hombres entregan las manos mansamente) ¡Y fusiladlos, antes de la aurora!...
>
> *Voces de muchedumbre, mientras baja despacio el telón:* ¡Abajo la revolución! ¡Abajo el imperialismo norteamericano! ¡Viva el Presidente Palurdo![30]

La labor de recomposición ha cambiado el argumento de *Colacho Hermanos,* dando como resultado otro diferente.

En la capital, Mordel se dedica a organizar la conspiración, ayudado por su hermano y Zavala. Pancho aparece como un hombre de confianza; mientras que el soldado Pachaca debe asesinar al General Tequila. El abogado Trozo es detenido por oponerse a la revolución. Palurdo es el dictador al que se va a derrocar. El general Tequila aparece de improviso delante de Cordel y soprendiendo a todos se pasa a las filas de Colacho. Cordel logra reunir en torno suyo a un conjunto de militares y consigue el poder.

[29] Ibíd., p. 284.
[30] Ibíd., p. 294.

Estas secuencias forman parte del cuadro quinto en TC; cuadro que se ha convertido así en un indispensable puente con el cuadro sexto en el que Mordel ya es Presidente de la República. Precisamente el cuadro sexto es nada menos que la primera versión del último acto, versión retirada por Vallejo de acuerdo a la fuente ya citada.[31] Al incluírsele nuevamente, se impidió que el extenso ensayo del que hemos hablado (correspondiente al último cuadro de *Colacho Hermanos*) terminase con el fusilamiento de los Colacho.

En este últmo acto de TC las acciones y los textos se ensamblan de la siguiente manera: Cordel se encuentra ya residiendo en Palacio de Gobierno y se repite la confusión entre los dos hermanos, cuando uno de éstos intenta reemplazar al otro. Para entonces, Cordel ya lleva seis meses en la Presidencia, cuando es detenido el General Ñatón a quien Cordel le dice: "¿Quería usted volver a la Presidencia, para mancharla de nuevo con la sangre inocente del pueblo y para echarse otros varios millones al bolsillo? ¡Conteste!". Este mismo personaje está en *Colacho Hermanos,* pero mientras que en *Colacho Hermanos* es un personaje inventado a lo largo del ensayo, en TC lo tenemos tomando parte de un evento real.[32] Esta importante oposición diferencia a *Colacho Hermanos* de *Colacho Hermanos o Presidentes de América.*

En *Colacho Hermanos,* los hermanos no toman el poder sino que son sorprendidos por el General Tequila, cuando se encontraban ensayando las funciones que desempeñarían, de triunfar la revolución. Son sorprendidos y fusilados. En *Colacho Hermanos o Presidentes de América,* Cordel viaja a la capital, organiza la conspiración que triunfa, con el apoyo del General Tequila, toma posesión del gobierno y es derrocado por el General Colongo, quien a su vez es derrocado por su secretario. En la "Primera versión" el ensayo del que se ha hablado es lo fundamental.

Esto se pone en evidencia también en lo relacionado con el reemplazo en la Presidencia de un hermano por el otro. En TC se da este evento en la realidad y no en un ensayo: Cordel va a viajar a Nueva York por negocios personales y decide dejar como Presidente a su hermano pero sin comunicárselo oficialmente a nadie, ni siquiera a la compañía norteamericana.[33] Esta

---

[31] César Vallejo, "Primera versión del último acto" que se publica en el Anexo de este libro, pp. 295-313.

[32] TC, t. II, p. 135.

[33] Ibíd., p. 122.

impostura se lleva a cabo pero no se mantiene debido a que reciben un nuevo telegrama de Nueva York diciendo que el viaje no era necesario. Ambos hermanos llegan a un acuerdo luego de que se recupera el *status* anterior: Acidal será Ministro de Fomento y reemplazará a su hermano en la Presidencia de vez en cuando.[34] La obra concluye casi inmediatamente cuando el General Colongo da un golpe de estado y se suceden una serie ininterrumpida de derrocamientos entre el General Colongo y su secretario, el Coronel Selar.[35]

De esta manera puso Vallejo punto final a una farsa que tuvo como personajes centrales a dos hermanos, que salidos de la servidumbre se convirtieron en comerciantes y obreros (más comerciantes que obreros) y terminaron sus vidas convertidos nuevamente en siervos pero de la Cotarca Corporation.

¿Cómo explicar, en cambio, el final planteado en *Colacho Hermanos o Presidentes de América* (TC)? Este se explica por la existencia de una "Primera versión", ya que ésta ha sido reincorporada a la obra pese a que Vallejo la había descartado, según lo afirma Georgette de Vallejo en la portada de ese texto.

Fue Vallejo quien reemplazó la "Primera versión" del cuadro quinto por una nueva, en el tercer acto de *Colacho Hermanos.* Esto tiene especial importancia porque en TC la "Primera versión" aparece estrechamente vinculada con el cuadro sexto. El cuadro quinto de TC ha sido elaborado alrededor de la organización e implementación de la conspiración. Este cuadro es una innovación casi total, salvo algunos episodios, como el ingreso de Pachaca, a quien se le encarga el asesinato del Coronel Tequila, Jefe del Estado Mayor del Ejército.

Si se comparan los cuadros sexto de TC y la "Primera versión" se comprobrará lo siguiente, a manera de ejemplo: a) hay cuatro intervenciones que han sido agregadas en TC cuando se entrevistan el Presidente y De Soiza Doll; b) se reducen las intervenciones de algunos personajes cuando el Presidente le pide a su secretario que le prepare un discurso, y las indicaciones que daban origen a determinadas intervenciones; c) se cambian nombres y títulos como el de juez por agente fiscal, Analta por Vitarte, Toviga por Chorrillos, Le Blum por Francia, Hagapampa Rail Corporation por Huallaga Corporation, Sorton por Solton. Por otro lado, los ensayos que realiza Mordel

[34] Ibíd., pp. 137-8.
[35] Ibíd., pp. 142-3.

Colacho en *Colacho Hermanos* coinciden con las entrevistas que realiza el Presidente a lo largo del cuadro sexto en TC.[36]

No obstante, las diferencias más importantes son las siguientes: el diálogo entre el Presidente y el Ministro de Justicia, en el que tratan sobre la destitución del Dr. Alberto Azuela por oponerse a acusar a los comunistas y anarquistas, no aparece en *Colacho Hermanos.* En cambio, se han omitido escenas interesantes de la "Primera versión" como aquella en la que se presenta un detenido ante el Presidente: era un obrero que decía llamarse Mordel Colacho, como el Presidente; éste último lo tilda de insolente e impostor, y señala que el verdadero nombre del obrero era Romain Rolland. Otra notable omisión es aquélla en donde se menciona la posibilidad de que el General Colongo lo reemplace mientras él esté de viaje y se señala que, a criterio del embajador de Estados Unidos, debería pedir la autorización del parlamento (como se recordará, en TC es Acidal quien reemplaza a Cordel).[37] Este pasaje que guarda relación, como se ha visto, con lo que ocurrirá posteriormente, no aparece en TC, en donde Cordel decide abruptamente que su hermano lo reemplace pero sin decirle nada a nadie.[38]

Esta recomposición podría entenderse como el esfuerzo por lograr una mejor adaptación de esta obra a las condiciones históricas del Perú, pero también sugiere otras posibilidades: hay textos diferentes que podrían ser o no versiones de una misma obra pero las diferencias no se pueden explicar, hasta ahora, ni con los trabajos críticos –poco sistemáticos y escasos en lo tocante al teatro de César Vallejo– ni con los testimonios poco convincentes de que disponemos.

El contar con un material privilegiado –la "Primera versión" y *Colacho Hermanos*– permiten sugerir la siguiente interpretación: dada la información proporcionada en los mencionados escritos y los cambios que los separan de *Colacho Hermanos o Presidentes de América* es muy posible que *Colacho Hermanos* sea la versión original y definitiva, según lo indicaba expresamente Georgette de Vallejo en la primera página de esta última versión. Por otro lado, no hay razón alguna para dudar de que la "Primera versión" no fuese descartada; de ser así, no son pocas las interrogantes que surgen en relación al texto publicado en TC, ya que los cambios evidencian la recomposición sufrida por

---

[36] Ibíd., pp. 112 y ss.
[37] Vallejo, "Primera versión", pp. 304-305.
[38] TC, t. II, p. 122.

esta obra, recomposición en la que se incorporó un cuadro íntegro –el quinto– para que sirviese de puente entre los cuadros cuarto y sexto, luego de haberse introducido cambios en el cuadro cuarto, y por la reincorporación de la llamada "Primera versión" originalmente descartada por Vallejo. Cuándo se realizó esta recomposición es algo que no podrá aclararse hasta que no se le preste la atención que merece al teatro de César Vallejo.

Lo que está fuera de toda duda es que resulta incomprensible que se haya afirmado que los cambios sufridos por esta obra fueron menores que aquellos de *Moscú contra Moscú,* a no ser que el autor de estos cambios no haya sido el propio Vallejo.

Se ha mencionado en diferentes oportunidades que Vallejo escribió guiones cinematográficos, uno de los cuales tenía relación con *Colacho Hermanos.* Gracias a los textos inéditos que se publican en el anexo de este libro, eso está confirmado, aunque sea sólo en parte.

Esto último se debe a que sólo se cuenta con uno de esos "guiones" (no hay pruebas todavía de la existencia de otros), pero también al hecho de que más que tratarse de un guión es la historia en base al a cual se hubiese escrito el guión. Pero no se ha limitado a ser una adaptación de *Colacho Hermanos;* por eso se justifica y explica el uso de un título diferente en el escrito original: *Presidentes de América.*[39]

Su argumento permite establecer una suerte de analogía con *Colacho Hermanos,* pero se introducen una serie de variaciones. Tal vez sea esa la razón por la cual lleva un título diferente y tal vez sea también esa la razón por la cual en TC se han confundido los nombres de estos dos escritos. En este sentido, no fue casual el uso de *Colacho Hermanos* para referirse a la obra teatral, a lo largo de este capítulo y del libro.

Vale la pena llamar la atención, por eso, sobre la conveniencia de no confundir más los nombres de estas dos obras, una de las cuales fue escrita pensándose en una representación teatral mientras que en el caso de la otra Vallejo pensó en un montaje cinematográfico.

Presidentes de América tiene un perfil propio: la acción se desarrollaría en Colca (y no en Taque como en TC y *Colacho Hermanos*); Acidal y Mordel (como en *Colacho Hermanos*) han trabajado como cargadores en el puerto de Mollendo; son albañiles y comerciantes (como en *Colacho Hermanos*); ambos

---

[39] César Vallejo, "Presidentes de América" en el Anexo de este libro, pp. 227-234.

tienen características comunes como el ser brutos e insensibles, pero también tienen otras que los diferencian y los complementan o un mismo tiempo.

Por otro lado, Vallejo es claro en precisar que el conflicto que surge entre los Colacho y la sociedad en la que viven –sociedad peruana y sudamericana al mismo tiempo– trae como resultado un tipo de farsa social, burlesca y trágica, que es única y, por consiguiente, imposible de encontrar en Europa.

Así como Mariátegui explicó macroscópicamente este tipo de sociedad andina, hablando del gamonalismo, el servilismo, y el feudalismo; Vallejo interpreta esa misma sociedad a otro nivel, igualmente crítico pero más cotidiano, como aquélla en la que son determinantes "tres modalidades psicológicas": la audacia, la cobardía y el servilismo.[40]

El propósito del "film" era llamar la atención sobre una sociedad o sociedades, en las que "el gran atraso del pueblo, que se traduce por una opinión pública casi inexistente o por una conciencia nacional incipiente y sofrenada, sanciona los más insólitos manejos del audaz triplicado del cobarde y del servil".[41]

Los Colacho ilustran un derrotero: el de aquellos que teniendo una extracción pobre imitan a sus exploradores para mejorar su suerte: imitan, sobre todo, la estafa y el abuso. Su modelo no es otro que el gamonal Tuco, su principal acreedor. Pero paradójicamente no es por medio de esta imitación que mejora su suerte sino por medio de un hecho fortuito: reciben una invitación del alcalde de Colca para asistir a una fiesta; dicha invitación les servirá como pasaporte para ingresar "al mundo capitalista".[42]

A partir de entonces son conscientes de que la imitación no basta; es necesario contar también con el apoyo de la clase que domina y el de su poder político. Esta intuición resulta ser certera ya que casi inmediatamente dejan de ser obreros y sus sucursales se multiplican.

Se trata de un ascenso ininterrumpido aunque por etapas, porque luego de esta prosperidad lograda por el apoyo de la "buena sociedad" local, Vallejo introduce un nuevo elemento que él considera "especial y particular al actual proceso económico de Sudamérica": el "imperialismo yanqui".[43] Es éste el

---

[40] Ibíd., pp. 228-229.
[41] Ibíd., p. 229.
[42] Ibíd.
[43] Ibíd., p. 230.

que llevará a los Colacho desde Colca hasta la Presidencia del Perú, gracias al patrocinio de la Cotarca Corporation y al ascendiente de esta empresa sobre los militares.

Es entonces cuando los Colacho descubren la precariedad de ese ascenso ininterrumpido pero no irreversible, ya que a pesar de no estar convencidos de hacerse cargo de la Presidencia no tienen otra alternativa que aceptar, ya que la empresa norteamericana los amenaza con hacerlos quebrar.

Mordel es el elegido y su hermano lo reemplaza brevemente cuando éste tiene que viajar a Nueva York. Sin embargo, tal vez debido a todas sus vacilaciones la misma empresa organiza el derrocamiento de los Colacho que culmina con el fusilamiento de ambos. Destino que había sido presagiado por "un brujo de Taque".

Como se ha visto no es nada desestimable la semejanza entre *Presidentes de América* y *Colacho Hermanos.* Más de uno podría animarse a decir, por ejemplo, que ese brujo de Taque no es otro que Don Rupe. En ese sentido, puede afirmarse que hay intertextualidad, por lo menos en lo tocante a estas obras.

Cabría preguntarse si es que sería posible considerar la llamada "Primera versión del último acto" como el guión de ese *film.* De ser así, no cabe duda que sería un guión incompleto ya que esa "Primera versión" no cubriría sino una pequeña porción de lo que hubiese sido el guión, de acuerdo con lo que se propuso hacer Vallejo. No obstante, este sólo hecho no sirve para descartar esta posibilidad, aunque otra razón en contra sería la información proporcionada en el escrito dactilográfico de la "Primera versión" y al cual ya se ha hecho referencia. Algo similar podría especularse en torno a *Colacho Hermanos,* pese a que no hayan ni testimonios ni evidencias que permitan sostener que se trate de un guión cinematográfico y no de un libreto teatral. Pero de ser así, se habrán resuelto gran parte de las discrepancias textuales de las que se ha hablado a lo largo de este capítulo.

¿Cómo concibe Vallejo este "film"? Para él, debe ser una combinación de "realismo crudo y directo", "exotismo" y "humorismo". Si se tuviese que establecer una jerarquía entre estos tres componentes, sería el realismo el determinante, ya que según lo afirma Vallejo su película lindaría "con el reportaje", pero el dominante sería el humorismo.[44] La intriga está totalmente descartada.

---

[44] Ibíd., p. 231.

¿En qué público pensaba Vallejo? El párrafo final de este trabajo es, en este sentido, muy claro: "Se trata, en suma, de un tema y de un material enteramente nuevos y desconocidos para el resto del mundo, ya que ellos difieren radicalmente del tema y del ambiente mexicano, tan explotados ya, exhaustos y repetidos en el cinema".[45]

[45] Ibíd., p. 234.

Capítulo VII

LA PIEDRA CANSADA

La piedra cansada fue la última producción artística y teatral de Vallejo. La escribió en diciembre de 1937 y no tuvo oportunidad ni de revisarla ni de corregirla, ya que una vez terminada cayó enfermo, hasta morir el 15 de abril de 1938 en la clínica Arago de París.

Georgette de Vallejo explicaba de esta manera las circunstancias en las cuales Vallejo decidió escribir *La Piedra cansada:*

> Luego e inexplicablemente, Vallejo inicia *La piedra casada.*
> No el libro más vivido que proyectaba desde 1936 sobre la guerra civil en España...
> Ni 'Charlot contra Chaplin', que más hubiera podido haber logrado, teniéndolo, además, prácticamente hecho mentalmente.
> El 31 de diciembre, ha terminado *La piedra casada.*
> Se levanta el primero de enero de 1938: extrañamente hase quebrado en Vallejo la trayectoria del poeta, del escritor, del autor de teatro.[1]

La elección es realmente extraña. En parte porque *Dessing-room* hubiese sido una obra teatral mejor lograda y también porque Vallejo no tocaba –en lo tocante a sus obras teatrales– ningún tema peruano desde 1934. A esto se agrega el que poco o nada tiene en común esta obra con sus escritos teóricos sobre teatro. No obstante, casi en la postrimerías de su vida decide retomar un tema en el que pese a la existencia de elementos que son familiares el cambio no es menos brusco.

[1] Georgette de Vallejo, "Apuntes biográficos sobre César Vallejo", p. 416.

La piedra cansada tiene un desenlace trágico cuasi convencional –no ha pasado desapercibido su parecido con *Edipo Rey.* Tiene elementos innovadores cuyo aporte es más temático que estético. Este es el caso de eventos que ponen de manifiesto las contradicciones en la sociedad inkaika y la posibilidad que tiene el hombre de subvertir el orden establecido, siguiendo caminos a veces inesperados.

El personaje central protagoniza una subversión en la que el pueblo se opone al orden establecido y rechaza normas que son propias de una sociedad estratificada, que traban la felicidad de las personas a pesar de que satisface prácticamente todas sus necesidades materiales.

Es cierto que se trata de un *hatun-runa* que llega a convertirse inusitadamente en Inca, pero igualmente cierto es que su descontento tiene una base muy limitada y no llega a hacerse colectivo. Esto es lo que explica su abdicación, gracias a la cual se restaurará el antiguo orden. Los padecimientos sociales del pueblo no se llegan a ligar con los sufrimientos personales del protagonista: éste se convence de que su desgracia estriba en haber comprobado que para lograr la felicidad no bastaba el poder.

¿Qué razones motivaron a Vallejo para escribir una obra así? Esto es algo difícil de determinar; las respuestas que se han dado hasta ahora –decidió refugiarse en el pasado para olvidarse de lo que ocurría en España– no son convincentes, pese a que nadie desestimará la importancia que un acontecimiento como el mencionado tuvo para un escritor tan comprometido con la España republicana, como fue Vallejo.

Sin lugar a dudas, este es un problema de difícil solución, porque podrían haber intervenido otro tipo de motivaciones. Además, resta la posibilidad de que la noticia dada por Georgette de Vallejo no sea del todo exacta, por olvido o confusión.

Como se hizo anteriormente –en especial con *Moscú contra Moscú* y *Colacho Hermanos*– valdrá la pena comparar las tres ediciones que se tienen de esta obra; todas ellas publicadas aunque sólo dos de manera completa. Esas tres ediciones aparecieron en la revista *Trilce* (1951), en la revista *Visión del Perú* (1969) y en el libro *Teatro Completo* (1979).[2]

La metodología a usarse será la misma. En este caso, se compararán los tres cuadros publicados en *Trilce* con los cua-

---

[2] "La piedra cansada (cuadro segundo)", en *Trilce,* Lima, 20 de mayo, n.º 1. "La piedra cansada", en TC, t. II, pp. (145)-217.

dros respectivos en TC; inmediatamente después, se hará lo mismo con los textos de *Visión del Perú* y TC.

Pese a no haber habido correcciones en esta obra, porque Vallejo la escribió en un tiempo muy breve, hay diferencias notables, tantas que pone en seria duda la autenticidad si no de todas de algunas de las publicaciones ya mencionadas. Es la ausencia de aclaraciones la que abre esa posibilidad.

En *Trilce* se produjeron únicamente tres cuadros de *La piedra cansada:* el primero, el quinto y el decimotercero. El primer problema surge al comprobarse que este cuadro decimotercero corresponde al duodécimo en TC. Se pudo pensar que esta discrepancia no pasaba de ser un error tipográfico, pero ocurre que también en *Visión del Perú* apareció como el cuadro decimotercero, coincidiendo con *Trilce* pero no con TC.

Además, Raúl Porras Barrenechea señaló en sus "Notas Bio-Bibliográficas" que *La piedra casada* estaba integrada por quince cuadros. Sólo en *Visión del Perú* se encuentran tal cantidad de cuadros, mientras que en TC hay sólo trece.

A esto se agrega que en Visión del Perú estos quince cuadros forman parte de tres actos; igual número de actos hay en TC, pero a consecuencia de lo dicho en el párrafo anterior los cuadros no corresponden a los mismos actos. Este no es el caso del primer acto, pero sí del segundo y tercero; en *Visión del Perú* el acto segundo comprende los cuadros octavo, noveno y décimo, mientras que en TC comprende los cuadros séptimo, octavo y noveno; lo propio ocurre con el acto tercero que en *Visión del Perú* está integrado por los cuadros decimoprimero hasta el decimoquinto, mientras que en TC está integrado por los cuadros décimo, onceavo, doceavo y treceavo.

Si se compara lo publicado de esta obra en *Trilce* con TC se comprobrará lo siguiente en relación al primer cuadro: a) hay palabras que han sido omitidas en TC tales como "gran", "uno de", "muévete"; b) hay palabras que han sido incorporadas como "abajo" y lo mismo ocurre con una intervención: "QUECHUA 17: ¿Qué se detuvo aquí, junto a la piedra?"; c) hay también expresiones transformadas: "fortalezas" ha sido sustituida por "fronteras", "tétrico, levanta" por "telúrico, levántate", "dolieran las ramas" por "doliesen las yemas" y "Micos" por "Picas".[3]

En el cuadro quinto –quinto en ambos escritos– los cambios son los siguientes: a) se ha sustituido "temerosas" por "sobrecogidas", "hurañas" por "señoras", y "¿Su novia es una ñusta?"

---

[3] Véase TC, t. II, pp. 151-155.

por "¡Una ñusta...! ¡Es una ñusta!";[4] b) la siguiente intervención ha sido modificada en una buena parte (la columna de la derecha correspnde a TC):

TOLPOR, *riéndose como un niño:* El amor, desconocidas, no viene de planta ni de animal. El amor –todo el amor y todos los amores *de las plantas, animales, piedras y astros*– todo el amor del mundo nace del pecho humano. Lo sé por experiencia. Mi amor, el amor que me nace esta tarde lo he soñado durante soles, lunas y estaciones, al tañer los carrizos de mi antara... (las doncellas también ríen, infantiles).	TOLPOR, *riéndose como un niño:* El amor, no viene de planta ni de animal. El amor, todo el amor y todos los amores del mundo, nacen del pecho humano. *Lo sé.* Lo sé por experiencia. Mi amor, el amor que me nace esta tarde, lo he soñado durante soles, lunas y estaciones, al tañer los carrizos de mi antara... *(Las doncellas también ríen, infantiles).*[5]

En el cuadro decimotercero de *Trilce* y duodécimo de TC hay una cantidad mayor de cambios: En la página 207 se sustituye "régulos" por "emisarios", "ha sido rechazado" por "no ha sido atendido", se agrega "están" en la segunda intervención del Auqui 3; "murmurando" por "mascullando"; se omite en la segunda intervención del Auqui 2 "tras escrutar las afueras de la sala" y la palabra "no". En la página 208 se omite "luminosa" en la primera intervención del Auqui 4 (que en *Trilce* correspondía a la intervención del Oficial primero). En la página 209 se sustituye "astrónomo ardoroso" por "Ardoroso astrónomo" y "médico sensible" por "sapiente médico". En la página 210, se omiten "Quipucamayos, triste es existir... Pero" y "Hablad" en la primera intervención del Inca; en la intervención del Quipucamayoc 3 se sustituye "cuenca" por "cuenta"; en la siguiente intervención del Inca se agrega "en la cultura" y se sustituye "¿Por qué esta oposición, este contraste?" por "¿Por qué esta ironía, este sarcasmo del destino?" y se omite "¡Frío y desierto...!"; se agrega "recuerda que" en la intervención siguiente del Quipucamayoc 4; en la intervención del Inca que sigue hasta la página siguiente se sustituye "sucede a veces" por "puede suceder, venerables amautas" y "únicamente" por "no más que", se omite "de los Amautas" y "¿Os extraña? Y bien, no hay, a mi parece de qué extrañarse". En la página 211, las cinco primeras intervenciones no aparecen en *Trilce;* en la primera intervención del Inca se sustituye "al heraldo" por "profundamente abatido"; "alco negro" por "cóndor", "Villac

[4] Véase TC, t. II, pp. 168-169.

[5] Compárese TC, t. II, pp. 168-9 con *Trilice,* p. 2.

Umo" por "Sumo Sacerdote" y "Entra un gran perro negro conducido con lazo por un niño. Dan una vuelta en la sala y vanse" por "Entra el Villac Umo" en la intervención del heraldo; en la indicación que aparece al final de la primera intervención del Villac Umo le correspondía al Inca; se omite "pero inmutable" en la segunda intervención del Villac Umo; en la intervención que sigue del Inca se omiten "de los" y "ahora", mientras que se sustituye "no me quisieron" por "de mí se apartaron" y "vano" por "balde"; la siguiente intervención del Inca es una de las más cambiadas: se omite "gran" antes de "sollozo", se coloca "mi" en lugar de "la" antes de "princesa", se omite "está" luego de "vivo", se omite "Padre" luego de "Si ella viviera" y "y que por no tenerlo, la maté" antes de "Llora"; se sustituye "¿De qué me sirve ser emperador, si ella no está?" por "¿Por qué ser Emperador si ella no existe?", "para" por "por" después de "cetro", "Villac Umo, ¿qué me das para no sobrevivir? ¡Una palabra! ¡Dila!" por "¡Heraldo! ¡Los aravicus!" y se agrega "igualmente, luego, volviéndose hacia la derecha de la escena llama". En la página 212 se han omitido nueve intervenciones que estaban en *Trilce;* se ha agregado "en una reverencia" en la primera intervención de Villac Umo; en la última intervención del Inca se agrega "bruscamente, como saliendo de una pesadilla, desde el centro de la sala" antes de "acampos" y "del reino"; se omite "un" antes de "simple siervo" y tanto "a" como "de suplicio y", antes y después de "una vida errante"; después de "voluntaria" se omite "por el reino" y se altera un indicación que aparecía así en *Trilce:* "Vase con paso firme por el foro". Y en la última intervención de este cuadro se agrega "atónitos, inclinándose".

Estas son las diferencias que se observan entre ambas publicaciones. Se notará que al comienzo los cuadros no sufren mayores cambios pero que no ocurre lo mismo en relación a los actos en los que han desaparecido cuadros, como se verá más adelante. En estos últimos cuadros las modificaciones se intensifican, poniendo en evidencia cierto ánimo dirigido a corregir el texto, porque ninguna deficiencia tipográfica podría explicar tan profundas transformaciones.

Median veintiocho años entre *Trilce* y TC, pero en ese intervalo no podrá encontrarse el único factor que podría explicar tales cambios: César Vallejo. ¿Cómo explicarlos? ¿Qué relación podría establecerse entre estos cambios y otros que se observan en algunas de las obras teatrales de Vallejo? Como éstas, hay algunas preguntas que pueden plantearse. Sin embargo, sobre todo en este caso, las posibilidades se reducen tanto que es imposible justificar o explicar tales cambios, presentándoselos como correcciones que, como se ha visto anteriormente, no existieron, porque una vez terminada la obra el 31 de diciembre de 1937 –según lo afirma Georgette de Vallejo– Vallejo no volvió a tocar ninguno de sus trabajos.

Esto deja abierta una sola posibilidad y esa posibilidad, lamentablemente, no puede ser otra que la de una alteración del texto posterior a la muerte de Vallejo. Tal vez valga la pena precisar que esta afirmación no podría usarse para explicar los problemas que se han encontrado en otras obras; tal generalización podría no estar debidamente justificada.

La comparación entre la versión aparecida en *Visión del Perú* y el texto publicado en TC, deparará sorpresas aún mayores, que ratificarán cuanto se ha sotenido hasta el momento. Es más, harán más evidentes los hechos que hasta el momento han sido demostrados.

La exposición que se hará a continuación se sujetará a resaltar los siguientes casos: I) cuadros en los que se han detectado cambios menores; II) cuadros en los que los cambios son frecuentes y abundantes; y III) cuadros que han sido omitidos en TC.

Al primer grupo pertenecen los cuadros primero, segundo, cuarto y quinto del primer acto; son cuadros en los que hay cambios de menor importancia, aunque sólo si se los compara con otros, como se verá más adelante:

En la página 152 de TC, en la primera intervención del Quechua 2 se ha omitido la palabra "las" antes de "entrañas" y en la intervención del Quechua 3 se sustituye "fortalezas" por "fronteras". En la página 153, en la cuarta intervención de Tolpor, se sustituye "escalofrío" por "calofrío". En la página 155, "por sí mismo" por "por sí misma". En la página 157, casi al final, se omite "ahora" después de "caer". En la página 164, en primera intervención del Quechua 3, "empujándote de" por "ayudándote por". En la página 168 se omite "de las plantas, piedras y astros todo el amor" en la última intervención de Tolpor. En la página 169 se agrega "Lo sé" en el primer párrafo.

Como se habrá apreciado en la lectura de estos cambios, éstos no tendrían mayor trascendencia de no ser los casos que se verán a continuación.

Tan grave como lo anterior es el caso de los cambios que son frecuentes. Estos tienen que ver con cambios de redacción, agregados, omisiones totales o parciales de intervenciones o indicaciones. Todo lo cual puede dar una idea de la envergadura que este problema alcanza.

En el cuadro tercero del primer acto se encuentran los siguientes cambios: 1) en la página 160 se sustituye "hablaba" por "habla" en el primer párrafo y se omite la intervención del Amauta 3 al haberse reunido los textos que correspondían a dos intervenciones diferentes de Kaura. Su primera intervención debería haber acabado en "Tibios aún están sus cabellos". La oración suprimida del Amauta 3 es la siguiente: "¡Un asesinato, a mi entender, digno de un símbolo!". En la página 161 se sustituye "mirando" por "que mira" en la cuarta intervención de Kaura y en la quinta intervención de Runto se sustituye "La Ñusta" por "Kaura"; en la última intervención de Runto Kaska se agrega "¡Ama Sua! ¡Ama Llulla! ¡Ama Kella!"; en el primer párrafo de esta página se omite "muerte por el fuego, mientras que el otro con la" antes de "muerte por el frío" y en la primera intervención de Kaura, al final de ésta, se omite "¿Comprendéis?"; la tercera intervención de Runto Kaska no concluye en "Incas" sino que debería continuar diciendo "(Acercándose) Viracocha ha encendido en tu fuente un arco bajo el cual la raza del Sol sigue un nuevo destino"; en la última intervención de Runto Kaska se omite después de "partir" "y también en una súplica"; luego de la tercera intervención de Runto Kaska no aparecen dos intervenciones, una de Kaura y otra de Runto Kaska; luego ocurre lo mismo por haberse reunido en la última intervención de Runto Kaska dos intervenciones que eran independientes. Esto da lugar a que no aparezca una intervención de Kaura en la que ésta le llama la atención a Runto Kaska por estarla enamorando; en la penúltima intervención de Runto Kaska se sustituye "¡Halagüeño presagio, por el contrario!" por "¡Halagüeño presagio, Kaura!". 3) En la página 162 se omite después de "se levanta" la indicación "lo toma a dos manos y lo lleva saliendo por la derecha".

En el cuadro sexto del primer acto se dan los siguientes cambios: En la página 171 se sustituye "teoría" por "grupo"; en la página 172, en la segunda intervención del Auqui 2, luego de "sangre" debería decir "hasta la tierna carne en sazón" y en la intervención de Zipacoya Primera se omite "epitalámicos" después de "votos". En la página 173, en la tercera intervención de Uyurqui, debería decirse "yo" luego de "Dormía". En la página 174, en el primer párrafo, se agrega "y" luego de "Caos". En la página 175 se sustituye "nocturna" por "de la noche" en la entrada de Auqui 7; en la segunda intervención se sustituye "Otra pareja vase" por "Vase la pareja". Se agrega la indicación "invisible" en dos oportunidades; en la última intervención de Auqui 7 se agrega la indicación "Inmóvil, junto al dolmen, ella sonríe"; en la intervención de Auqui 7 se omite luego de "bailar" "cantando en torno al dolmen y a Kaura, una danza epitalámica"; luego se omite "Vuelven a bailar y a cantar" antes de "Poco a poco"; en la "Tercera voz de mujer" se ha colocado sólo una indicación que, además, no le corresponde a ella, sino a la "Cuarta voz de mujer" y por eso se han anulado dos intervenciones, una de la "Tercera voz de mujer" y otra de la "Cuarta voz de hombre"; antes de la última intervención de Kaura se anularon tres intervenciones correspondientes a Runto Kaska y Kaura; y en lo tocante a la última intervención de Kaura se reúnen de nuevo dos intervenciones en una sola, a consecuencia de lo cual se anularon diecisiete intervenciones íntegras; tales intervenciones corresponden a un diálogo entre Runto Kaska y Kaura que es interrumpido por la primera intervención de Mama Payo (esta intervención aparece unida a la segunda en TC).

Lo visto hasta el momento con cierto detalle da una imagen de lo que ha ocurrido. No siendo el objetivo del presente trabajo el comprobar exhaustivamente este problema, bastará con que se resalten los cambios más profundos, aunque se deja sentado de que la frecuencia de los mismos es considerable. No sería errado, por tanto, el generalizar; pero debe tenerse en cuenta que la palabra final tendrá que provenir del estudio filológico de estas obras teatrales de Vallejo.

Al tercer grupo, de cuadros que han sido omitidos en TC, pertenecen los cuadros décimo del segundo acto y decimocuarto del tercer acto.

El primero se reduce a dos intervenciones, una de Tolpor y otra de Mama Cussi, cuando se encontraban en una parte del camino de Tampumachay. Tolpor le pide que no se acerque porque Kaura –a quien no se la menciona explícitamente– había matado su cuerpo; también dice que había visto dos lechos y Mama Cussi le responde:

> MAMA CUSSI, *avanzando hacia Tolpor:* Has matado su cuerpo. En cuanto a su alma... Pon tu oído en mi vientre y oirás... *(la voz de Mama Cussi, invisible ya al público)* ¡Valor! Pueden venir. Démonos prisa... *(Los pasos de Tolpor y de su madre resuenan, cautelosos, alejándose)*[6]

En cuanto al cuadro catorce, éste se desarrolla en un páramo andino mientras hay truenos y relámpagos. Tolpor y una pareja

[6] *Visión del Perú,* p. 310.

de pastores dialogan sobre la pérdida de la antara de Tolpor que les dice que su antara era toda su vida y su único refugio. Luego de otras intervenciones concluye diciendo que hay cegueras que se curan sólo caminando.

En relación a este último cuadro, llama especialmente la atención que estos dos personajes –el pastor y la pastora– aparezcan en la lista de personajes que hay en TC al inicio de la obra. Sin embargo, estos personajes nunca aparecen en el corpus de ese texto, precisamente porque de manera casi misteriosa ha desaparecido el cuadro catorce.

Llama la atención también por lo siguiente: en una nota introductoria a *La piedra cansada* en *Visión del Perú,* que aparecía sin firma pero que pertenece a Washington Delgado, se señalaba lo siguiente:

> La falta de una corrección última, de una redacción definitiva es la causa, sin duda, de unos pocos defectos que saltan a la vista. Por ejemplo, aunque el personaje principal Tolpor está precisamente delineado, con toques psicológicos y poéticos exactos e intensos, no llegamos a comprender cabalmente los mecanismos interiores que lo impulsan a matar a Kaura. Su pasión amorosa está descrita de una manera natural y fuerte, pero su conducta homicida parece arbitraria y casi inexplicable. Otro defecto, que salta a la vista, es el del Cuadro X, en el cual Tolpor le revela a su madre que ha matado a Kaura; este cuadro, por su extrema brevedad, es más bien un esbozo, el apunte de una idea dramática que Vallejo seguramente iba a desarrollar de un modo más amplio y preciso.[7]

Es de esperar, que no sea esta certera crítica la que haya motivado la exclusión del cuadro. No obstante, queda la impresión de que no se trata de una casualidad, dada la relación estrecha que existe entre la crítica y los cuadros que se han eliminado.

En el séptimo cuadro del segundo acto hay cambios a menudo, pero la frecuencia aumenta hacia el final. Este es el caso de la página 178 de TC donde al reunirse dos intervenciones de Okawa en una sola (es su primera intervención) se ha omitido totalmente una intervención de Mama Cussi, que hubiese sido la primera de ella. Para lograr esta fusión se han descartado las primeras palabras de Okawa en su segunda intervención: "El último. Es el último".

---

[7] Ibíd., p. (283).

En la misma página se cambia radicalmente el inicio del párrafo correspondiente a la última intervención de Okawa (la columna de la derecha corresponde a TC):

¡Un huaraca! ¡Pasa un huaraca!... ¡Otro! ¡Otro!... ¡Mirad! (...)	¡Un huaraca, mama! ¿Lo ves, Tolpor? ¡Otro! ¡Otro!... (...)[8]

Posteriormente hay textos e intervenciones enteras que han sufrido la misma suerte. Esto ocurrió con dos intervenciones de Mama Cussi que al parecer convirtieron el diálogo en un monólogo del "Extranjero".[9]

En el cuadro octavo del segundo acto, las cambios más sustantivos están al comienzo y concretamente en las páginas 182 y 183, aunque se pueden observar otros cambios en las demás páginas.

En la página 182 se ha eliminado tres intervenciones que correpondían a Sallcupar y otra más de Chasqui Blanco. Esta eliminación quiebra el diálogo. Dichas intervenciones tenían que ver con las dubitaciones de Sallcupar, a raíz de que el Chasqui Blanco le trajo un trozo de camino.[10]

En la página siguiente se eliminaron dos intervenciones, una del Chasqui Blanco y otra del Chasqui Negro: uno hablaba sobre la distancia de los cuerpos y el otro sobre la distancia de las almas.[11]

En el cuadro noveno del acto segundo, de sesentaiocho intervenciones que habían en *Visión del Perú* han quedado cuatro en TC (las cuatro últimas aunque también con cambios). Puede parecer increíble pero es así. En otras palabras, han desaparecido sesentaicuatro. Aquí se repite un problema ya visto: en la lista de personajes aparece Naydami, pero este personaje no aparece en el corpus de la obra en TC.[12] No por casualidad, éste personaje intervenía en el extenso fragmento que ha sido suprimido.

¿Qué ocurría en esas sesenticuatro intervenciones? El noveno cuadro se iniciaba con intervenciones de Runto Kaska en las que éste reflexionaba sobre los torneos del huaraca, describía cómo eran y concluía diciendo que la guerra era más fecunda que la paz y que las armas se usaban para bien de los pueblos sometidos. El Imperio se encontraba en las vísperas de una

8 Compárese TC, p. 178 y *Visión del Perú,* p. 300.
9 Compárese TC, p. 180 y *Visión del Perú,* p. 305.
10 *Visión del Perú,* p. 305.
11 Ibíd., p. 306.
12 TC, p. 150.

expedición contra los kobras. Naydami y Kaura, por el contrario, pensaban que los quechuas eran dulces y apacibles y que su espíritu guerrero era un injerto foráneo. Posteriormente, Naydami señala que el Inca no estaba entusiasmado con la expedición contra los kobras y Oruya agrega que esa expedición era una imposición del Consejo de Ancianos, mientras que Runto Kaska elogia al gobierno de Lloque Yupanqui.

De inmediato se desarrolla el diálogo central de este cuadro, entre Runto Kaska y Kaura, alrededor de Kaura y sus reservas frente a Kaska. Runto intenta descubrir las razones de esa reserva, diciendo que se debe a la profunda inclinación de Kaura por la paz, interpretación que ella niega, y a que está enamorada de alguien. Kaura está muy confundida y sólo atina a explicarle que desde su pubertad se encuentra así y a repetir "Ni tú ni nadie, Runto; tenlo por cierto".[13] Luego Mama Payo interrumpe la conversación diciendo que es medianoche y que ya se anuncia la despedida de los ejércitos.

Este interesante diálogo, ha sido bruscamente retirado en TC, sin ninguna explicación, desarticulando la obra, debido, entre otras razones, a que muy poco del cuadro noveno ha quedado.

En el cuadro décimo del acto tercero –que corresponde al undécimo en *Visión del Perú*– hay cambios de redacción, agregados, omisiones, al igual que se ha visto anteriormente.

En la página 191 se ha omitido "debatía y me" antes de "debato". En la página siguiente se anuló una intevención íntegra de Ontalla al haberse ligado dos intervenciones de Kaura que eran independientes (se trata de la primera intervención de Kaura). En las páginas 192 y 193 son constantes los agregados y las omisiones: Son más de cuarenta las alteraciones que pueden encontrarse en estas páginas. Mientras que en las dos páginas siguientes hay pocas o ninguna (en la página 195). En la página 196 éstas reaparecen, llegándose a suprimir seis intervenciones, debido a que se han fundido dos intervenciones de Ontalla en una sola.[14]

Como es de suponer, en el cuadro duodécimo del acto tercero ocurre lo mismo, aunque en este caso no hay omisiones íntegras de intervenciones, sí son notorias las omisiones al interior de ciertas intervenciones. Por ejemplo, en la segunda intervención del Inca se ha alterado el orden de las palabras y omitido las frases subrayadas:

---

[13] *Visión del Perú*, p. 309.

[14] Ibíd., p. 312.

> El Inca: Llegado a la cima del humano poderío –a mis pies doblegadas naciones brillantes, religiones diversas, dominios infinitos– mi corazón está frío y desierto. ¡*Frío y desierto* en la altura! ¿Por qué *este contraste,* esta ironía, este sarcasmo del destino? *¿Contra el duelo de mi alma, por qué esta apoteosis? ¿Contra esta apoteosis, por qué el duelo de mi alma?* ¿Por qué si esta ascensión debió venir, no haberme antes preservado de esta desolación y de este duelo?...[15]

Posteriormente, en la página 211, se encontrará una nueva sorpresa: en el primer párrafo se omite la siguiente oración antes de "El Peregrino": "¿Os extraña la revelación? ¿Sí?... Pues no hay, a mi parecer, de qué extrañarse".

Lo propio ocurre en la página siguiente, donde la primera intervención del Inca ha sido cambiada (la columna de la derecha corresponde a TC):[16]

El Inca, *petrificado:* ¿Los aedas han muerto? ¿Han muerto los aedas del Emperador? ¿Es posible? ¿Tu mensaje es veraz?	El Inca, *petrificado:* Repite...

En la intervención que a continuación realiza "El Chasqui" hay también omisiones y agragados que reestructuran el texto una y otro vez.

En cuanto al cuadro decimotercero del acto tercero –que corresponde al decimoquinto de *Visión del Perú–* se omiten las dos primeras intervenciones que corresponden a Huacopa y Tolpor. Hay otras dos intervenciones que también se han omitido y que involucran a los mismos personajes en la página 214, después de la cuarta intervención de Huacopa, donde Tolpor le pregunta quién hay en torno a ellos y Huacopa responde que nadie y puede hablar con tranquilidad.[17]

Por otro lado, hay constantes y más marcadas variaciones en la composición del texto, el orden de las palabras, agregados, omisiones, en tal magnitud que se alteran el sentido y la estructura de la obra. Resultados que también se observan en las oportunidades anteriores.

Una vez constatadas esta variaciones sólo resta reiterar que esos cambios son muy fáciles de detectar, dado su volumen e importancia, y que son variaciones que no pueden ser entendi-

---

[15] Ibíd., p. 316.
[16] Compárese TC, p. 212 y *Visión del Perú,* p. 317.
[17] *Visión del Perú,* p. 318.

das como correcciones; por eso es que en forma deliberada se ha preferido no hablar de versiones. Versiones que no pudieron haber de acuerdo a lo sostenido por Georgette de Vallejo. En este mismo sentido, *La piedra cansada* publicada en *Visión del Perú* de no ser el texto original puede considerársele como el más cercano.

Se debe insistir en que *La piedra cansada* no pudo ser ni modificada ni revisada por el autor. Del mismo criterio es Washington Delgado, según se desprende de aquella nota mencionada antes. En este sentido, resulta inaceptable e incoherente la nota introductoria que Georgette de Vallejo escribió para la misma obra con motivo de su publicación en *Teatro Completo.* En dicha nota afirmaba lo siguiente:

> En cuanto a explicar por qué el texto de *La piedra cansada,* texto definitivo que publica hoy día la Universidad Católica con el Teatro Completo de César Vallejo, no es, en su integridad, el mismo que el texto de *La piedra cansada* publicado en 1969, se debe dejar en claro que aquel texto realizado en la carátula con un Vallejo-mujer cuyo rostro es sensacional de estupidez, se le acopló una pieza de teatro exclusivamente fabricada a base de versos textuales de *España, aparta de mí este cáliz,* descomunal inepcia descaradamente fraudulenta que aparece sin sanción ni molestia de ninguna clase por parte del Instituto Nacional de Cultura, en lo que llaman en Honduras: Homenaje a Vallejo...[18]

Es difícil, muy difícil entender esta explicación. Pero más allá de su dificultad es imposible aceptarla. ¿Cómo es posible hablar de "texto definitivo" cuando de acuerdo con sus propias palabras no hubo posibilidad alguna de que hubiesen correcciones o modificaciones (sobre todo en tal proporción)? De texto definitivo sólo se puede hablar cuando han habido versiones diferentes, ante las cuales el autor determina cuál es la versión que él considera definitiva. Por otro lado, el caso de *La piedra cansada* de ninguna manera es el mismo que *Moscú contra Moscú* o *Colacho Hermanos,* obras en las que hubieron versiones diferentes y el problema es, en todo caso, muy distinto. En el caso de *La piedra cansada,* cuando se habla de versión original, definitiva o primera, se está hablando siempre del mismo texto. Por esa misma razón, no podría considerarse la obra publicada en *Visión del Perú* como no definitiva y la de *Teatro Completo* como definitiva. Pese a lo cual, Georgette de Vallejo reconoce que ambas son diferentes.

---

[18] Georgette de Vallejo (1979), "La piedra cansada", en TC, pp. 147-8.

Vale la pena también aclarar otra de sus afirmaciones. Ella afirma que al texto publicado en *Visión del Perú* "se le acopló una pieza del teatro exclusivamente fabricada a base de versos textuales de *España, aparta de mí este cáliz"*. Afirmaciones como ésta no pueden explicar lo que ha ocurrido, ya que en este caso se trata de una confusión o una exageración. Cuando se refiere a una pieza de teatro a la que se acoplaron versos de *España, aparta de mí este cáliz,* probablemente se refiera a lo que se publicó en *Visión del Perú* bajo el título "Petición y denuncia. Homenaje a César Vallejo" ya que se trata precisamente de una versión escénica, escrita por Juan Antonio Castro, en base a poemas de Vallejo sacados, en su mayoría, de *España, aparta de mí este cáliz;* pero esto no tiene nada que ver con *La piedra cansada.*[19]

Finalmente, no queda duda de que la versión editada por *Visión del Perú,* de *La piedra cansada,* es la más representativa de esa obra, aunque se tenga que guardar cierta reserva por las diferencias encontradas entre los tres cuadros publicados en *Trilce* y los correspondientes en *Visión del Perú.*

Las obras teatrales de Vallejo y ésta en particular, no han tenido la suerte que merecían; parte de la responsabilidad les corresponde a las instituciones y profesionales que no les prestaron la debida atención. Una publicación más temprana y completa de estas obras hubiese evitado muchos de los problemas con los cuales es necesario enfrentarse ahora.

Es indudable que los problemas de los cuales se ha venido hablando de ninguna manera comprometen a los editores y otras personas que, con sano entusiasmo, no escatimaron esfuerzos en publicar ésta y las demás obras de Vallejo, total o parcialmente. Es más, la deuda con ellos es muy grande, porque se pusieron contra la corriente, cumpliendo una valiosa labor que hasta la fecha no ha sido debidamente reconocida.

---

[19] Juan Antonio Castro (1969), "Petición y denuncia, homenaje a César Vallejo", en *Visión del Perú,* pp. 135-151.

Capítulo VIII

LA ESTÉTICA DE SUS OBRAS TEATRALES Y SUS ÚLTIMOS PROYECTOS

Hasta el capítulo séptimo, se ha visto cómo Vallejo fue desarrollando su teoría teatral y cuáles fueron sus obras teatrales. Cumplidas ambas tareas, ahora será necesario concentrarse en la estética teatral implícita en sus obras.

Algunas de estas obras, principalmente las que restan por ser examinadas –*Le songe d'une nuit de printemps, Dressing-room* y *Suite et contrepoint*– propician la necesidad de esclarecer la relación existente entre sus obras y sus escritos teóricos, por medio de su estética implícita, que se convierte así en una mediación necesaria.[1]

Para realizar este cometido, no es posible descuidar lo visto en los primeros capítulos de este libro; todo lo contrario, son una guía imprescindible, siempre y cuando no se procure encontrar un correlato perfecto entre obras y escritos teóricos. Por otro lado, este examen puede realizarse aún teniéndose en cuenta los problemas ya explicados anteriormente en relación a algunas de las obras de Vallejo, cuya originalidad podría ser cuestionada.

No se espere de este capítulo un examen detenido de su estética, en el sentido filosófico de la palabra, objetivo que quedará pendiente hasta que se concluya un trabajo actualmente en proceso. Aquí se hablará de estética en el sentido planteado por Vallejo, como una nueva concepción teórica del teatro.

Aclarado esto, puede decirse que en Vallejo hay obras que demarcan dos etapas, pero hay otras que si bien no forman parte de cada una de esas etapas, sí pueden explicarse en función de ellas. Eso es lo que hace útil hablar de etapas en cuanto a las obras teatrales de Vallejo.

---

[1] Esas obras han sido reproducidas en el Anexo de este libro, pp. 163 y ss.

De modo general, puede decirse que la primera etapa está caracterizada por el predominio del realismo (diferentes variantes del realismo), mientras que la segunda es una recusación del realismo. Lo interesante del caso está en que Vallejo mantiene en ambos casos sus mismos principios políticos; por eso es que también puede decirse que en ambas etapas Vallejo se encuentra en la búsqueda de una estética del trabajo.

Vallejo maneja con frecuencia, en sus primeros escritos sobre teatro, la llamada "estética del trabajo". Este es un concepto tomado de los debates habidos en Rusia y que él presenció durante sus tres visitas, pero aquí interesa examinar, más que la historia del concepto cómo Vallejo reinterpretó dicha concepción.

A semejanza del concepto de cultura, el de estética era entendido en un sentido amplio y no restringido, sobrepasándose lo que tradicionalmente se había considerado arte y literatura. Para Vallejo se trata de incorpar nuevos problemas, temas, ligados directamente a la vida cotidiana de quienes trabajaban y especialmente del proletariado.

Las obras que no forman parte de estas llamadas etapas, pero que pueden explicarse en función de ellas son *Les Taupes* y *Colacho Hermanos:* con *Le Taupes* Vallejo inicia su producción teatral en una línea que no es realista, mientras que con *Colacho Hermanos* está en tránsito a superar el realismo.

Finalmente, se tiene *La piedra cansada* que es un caso de excepción que sólo puede explicarse hasta ahora por el testimonio ya citado de Georgette de Vallejo, ya que no tiene relación directa con ninguna de estas dos etapas, mucho menos con la última, a pesar de haber sido la última de sus obras.

Entre las dos orillas del río y *Lock-out* son obras realistas que se adaptan a la sala a la italiana; es más, sobre todo *Lock-out* es casi imposible de montar en un tipo de sala diferente, aunque se pueda prescindir del proscenio. Sin embargo, hay entre otras una bien marcada diferencia en la escenografía y en los personajes: en *Lock-out* se solicita una escenografía monumental, mientras que en *Entre las dos orillas* la escenografía es sólo sugerida (pero ambas requieren de escenografías fijas); por otro lado, los personajes tienen un carácter colectivo en una obra e individual en la otra.

Estas dos obras, al igual que *La Mort,* son tragedias donde no hay ni ironía ni parodia. *Lock-out* es documental mientras que *Entre las dos orillas* y *La Mort* no lo son. En cambio, tanto *Lock-out* como *Entre las dos orillas,* en menor medida *La Mort,* tienen un claro propósito didáctico. En *Entre las dos orillas* hay romanticismo heroico (si uno se atiene a la interpretación de Porras Barrenechea), mientras que en *Lock-out* hay verismo.

En cuanto a los personajes, la diferencia es, no obstante, menos marcada ya que en *Lock-out* los obreros se reconocen entre sí por sus nombres, mientras que el público los conoce por su status social (para eso se los enumera) o por sus nombres. Esta es la disyuntiva ante la cual es colocado el público que de no caer en la confusión podrá asumir el punto de vista administrativo del patrón –que los reconoce por su número y que, por eso mismo, no los conoce– o el de sus camaradas, para quienes la clase obrera está compuesta por una serie de nombres propios.

No debe llamar la atención que en todas estas obras siga presente el telón, pese a que Vallejo lo criticó a partir de sus viajes a Rusia, ya que en ninguna de estas primeras obras se encontrará una nítida influencia del constructivismo (sólo en su segunda etapa el telón pasará casi desapercibido).

Estas primeras obras son en extremo conservadoras, no desde el punto de vista político, sino en cuanto al sinnúmero de convenciones que respetan. Por esa misma razón hay poco que rescatar en ellas si se las compara con las tentativas de otros dramaturgos de la época, tan comunistas como él y que fundaron el teatro moderno. *Entre las dos orillas* responde claramente a las orientaciones del realismo socialista, mientras que en *Lock-out* se nota la influencia de Piscator.

Si se tuviesen que aplicar sus propias críticas a estas obras, se podría decir que eran obras "bolcheviques", útiles o no para la propaganda, eso es algo que nunca se sabrá, pero sin futuro. Algo muy diferente de lo que habría hecho un "poeta socialista" o comunista. Y este precario resultado se debió no a que estas obras hubiesen sido realistas, tampoco a que fuesen políticas, sino a ese enfatizar, a esa suerte de voluntarismo estético que lo llevó a pensar que el escritor revolucionario podía ser socialista o bolchevique. Vallejo, consecuente con esta premisa intentó realizar cada una de estas funciones, con el paradójico resultado de que acabó las bolcheviques y no las socialistas; *Entre las dos orillas* y *Lock-out* son claros ejemplos de las primeras.[2]

Colacho Hermanos y *Presidentes de América* están marcadas, como se ha dicho, por la necesidad de formular una nueva estética y ponerla a prueba, pero no representan aún todo lo nuevo sino sólo el tránsito.

---

[2] Como se vio en el capítulo segundo, Vallejo diferenciaba entre escritores "socialistas" y "bolcheviques".

El realismo y lo trágico son dejados de lado y aparece un nuevo aspecto que cumplía la "estética del trabajo" de Vallejo: en *Colacho Hermanos* hay proletarios o semiproletarios pero no hay héroes, no hay tragedia sino farsa y en ésta Vallejo hace uso de la parodia y la ironía. No hay tampoco el menor rastro de melodrama.

El hecho de ser una obra con tema peruano no quiere decir que Vallejo estuviese pensando en el público peruano (ésta es una interrogante que es pertinente formular en el caso de muchas de sus obras). Vallejo –sobre todo en su teatro– piensa en el público español (hasta la guerra civil por lo menos) y francés, como lo sugieren una serie de expresiones y algunos nombres que se mencionan en la "Primera versión del último acto".[3]

El que Vallejo decidiese producir una farsa es muy ilustrador ya que lo hizo por primera vez, todas sus obras anteriores eran, con sus diferencias, sólo tragedias. En *Colacho Hermanos* gracias a caricaturas y a situaciones absurdas Vallejo construyó una farsa, pero con propósitos muy claros (los mismos propósitos dieron lugar a otro tipo de acercamiento en *El Tungsteno,* cuya semejanza con *Colacho Hermanos* y *Presidentes de América* es evidente). Si se comparasen *Colacho Hermanos* y *El tungsteno,* no cabe duda de que la decisión de escribir una farsa y no una tragedia fue totalmente acertada. Tal vez a este tipo de conciencia se haya debido el que Vallejo se negase a que *El tungsteno* fuese considerada una novela.

Colacho Hermanos es una comedia que intenta hacerse pasar por farsa. Mejor dicho, es una comedia que utiliza la farsa, violentando convenciones entonces en boga. Esto se debe a que provoca la risa y la reflexión; la risa proviene no tanto del discurso gestual como del discurso textual, pese a que los gestos están presentes y activos. Sin embargo, hay exageración en el comportamiento de los personajes principales, cuya débil personalidad se explica no por su extracción social sino por su dependencia, su limitado margen de acción independiente.

Este teatro es un teatro de risa, pero del tipo de risa que trae consigo la reflexión; provoca, por tanto, una risa comprometida

---

[3] La misma redacción de sus obras en francés indica en qué tipo de público estaba pensando Vallejo. Eso plantea un problema que es claro en relación a Vallejo: su transculturación. Sus obras teatrales ponen esta tendencia de manifiesto. Asimismo es importante señalar que Vallejo insistió en que en el Perú la opinión pública era inexistente.

no con un nuevo credo sino con una nueva crítica. No hay sorpresas y el proceso es irreversible, sin ser repetitivo. Es un teatro que sanciona políticamente, apropiándose de la sabiduría popular (recuérdese la maldición de Don Rupe), sin tomar el poder o intentar asaltarlo.

Colacho hermanos pone de manifiesto la urgencia de Vallejo por superar el realismo (también a esto se debe que no considerase *El tungsteno* una novela) así como la tragedia, por lo menos como los había asumido en sus primeras obras teatrales. Vallejo logra cumplir exitosamente con ese objetivo en *Colacho Hermanos,* sin lugar a duda la mejor de las obras teatrales concluidas por Vallejo.

Al comienzo de este capítulo se mencionó la "estética del trabajo" y en *Colacho Hermanos* los principios de esa estética siguen en funcionamiento: anteriormente produjo algunas obras que giraban en torno a virtudes revolucionarias –*Lock-out* y *Entre las dos orillas corre el río*– en *Colacho Hermanos* giró en torno a la corrupción que atrasaba y obstaculizaba la revolución. En ambos casos, se trata de la misma clase social, aunque en sociedades diferentes, pero en *Colacho Hermanos* la atención se centra en miembros de esa clase y cómo éstos intentan prosperar a cambio de convertirse en una suerte de siervos políticos. En este sentido, su estética es también una estética de la vida cotidiana del pueblo, en la que intervienen otras clases sociales, otros intereses, imponiendo su propio curso a los acontecimientos. Por eso es también una estética del pueblo y quiérase o no reconocer, los hermanos Colacho provenían de ese pueblo y no se habían hecho ricos basándose en sus habilidades; una empresa norteamericana los había hecho ricos, nuevos ricos.

Como puede apreciarse, la "estética del trabajo" de Vallejo amplió con esta obra su horizonte, adquiriendo una obra más compleja, donde todo tipo de lógica formal se ha desvanecido completamente, sin que haya ido en detrimento de sus principios políticos marxistas. La incorporación de la ironía y la parodia en las obras de Vallejo será a partir de *Colacho Hermanos* algo definitivo e irreversible, excepción hecha de *La piedra cansada. Colacho Hermanos* presenta un rasgo que a partir de 1934 será recurrente: la crítica y no el culto del proletariado y del pueblo en su vida cotidiana, pero sin perderles simpatía, acompañándolos en sus victorias y también en sus derrotas, en sus virtudes y sus defectos.

La Mort es también una obra de excepción, si se resalta lo que la separa de otras obras de su primera época, ya que no coincide ni con el "realismo heroico" de *Entre las dos orillas corre el río,* ni con el "realismo documental" de *Lock-out;* pero no es un caso de excepción si se aprecia lo que guarda en común con las dos obras ya mencionadas: el realismo y la tregedia.

La Mort se acerca a las preocupaciones "cósmicas" de Vallejo y a ése preocuparse por las clases opuestas, por las clases que a criterio suyo intentaban detener la rueda de la historia. Pero las examina no en tanto clases sino en tanto individuos, en su vida cotidiana, pero luego de eventos históricos muy precisos: los inmediato posteriores a la revolución de Octubre. Esta obra corresponde también a ese criterio ya mencionado en *Suite et contrepoint:* "hacer al individuo que entre en el cuerpo del prójimo". *La Mort* forma parte de esta preocupación y atiende los problemas vitales de la aristocracia rusa en su derrota.

No puede confundirse el realismo y la tragedia características de *La Mort,* con las de *Lock-out* y *Entre las dos orillas corre el río,* pero tampoco con *Les Taupes.* Pero del mismo modo, el realismo trágico de esta obra la separa del planteado por su nueva estética y en muy poco o nada coincide con *Colacho Hermanos.* Por estas razones, *La Mort,* con su particularidad, pertenece a la etapa realista de César Vallejo.

En Vallejo destaca más su creatividad teórica que dramática, destacan más sus escritos teóricos sobre teatro que sus obras teatrales. Hubiese sido diferente si otra suerte hubiesen tenido obras como *Le songe d'une nuit de printemps, Dressing-room* y *Suite et contrepoint.*

Las obras que escribió hasta 1934, excepción hecha de *Les Taupes* y *La Mort,* constituyeron un paso obligado por esta tripartición de la que se ha hablado y con la cual Vallejo trató de conciliar la literatura con las necesidades más inmediatas de la lucha política (siguiendo el ejemplo de los escritores soviéticos). Pensando expresamente en representarlas, Vallejo escribió *Moscú contra Moscú* y *Lock-out;* la reestructuración de *Moscú contra Moscú,* hasta devenir en *Entre las dos orillas corre el río,* correspondió a lo siguiente: las dificultades para conseguir un teatro en España que la representase, a pesar del valioso apoyo de Federico García Lorca, si bien pudo ilustrar la mala voluntad –ideológica, se entiende– de empresarios y directores, también puso de manifiesto lo difícil que era tener acceso a las expectativas de un público cuyo horizonte no era el mismo del público en Rusia.[4]

---

[4] En una carta a Gerardo Diego Vallejo decía lo siguiente: "Lorca ha sido muy bueno conmigo y hemos visto a Camila Quiroga, para mi comedia, sin éxito. La encuentra fuera de su estilo. Vamos a ver en otro teatro. Además Lorca

La utilidad de estas obras de Vallejo, en países como Francia y España era algo que no podía darse por descontado; y la utilidad de obras parecidas en Rusia respondía más al carácter excepcional de esa sociedad en aquella época. Con la reestructuración de *Moscú contra Moscú* comenzó un proceso, parte del cual fueron *La Mort* y *Colacho Hermanos:* cada una de estas obras ilustra las dos direcciones en las que desarrolló Vallejo su producción teatral, en una segunda etapa. Esa nueva etapa reposó en una nueva concepción teórica que acabó con la dicotomía entre arte "bolchevique" y "socialista". No obstante, no es del todo claro que esa dicotomía acabase como concepción teórica aunque sí en la producción de sus obras. Es muy probable que, sobre todo a partir de 1934, Vallejo decidiese escribir obras únicamente "socialistas" y le restase valor a las que él llamó "bolcheviques".

Sus nuevas obras ilustran esta reorientación con entera claridad: los principios políticos no han cambiado, el interés por cierto tipo de situaciones humanas tampoco, lo único que ha cambiado es que pospuso lo que antes había parecido urgente y pasó a ser principal lo que antes se había pospuesto. Aumentó así la coherencia y la calidad de su trabajo. Sus *Notas sobre una nueva estética teatral* son la fundamentación de esa nueva perspectiva que intentaba saldar dos tipos de cuentas: la primera de ellas, con la crisis del teatro europeo y francés; la segunda, con las limitaciones del teatro realista y constructivista soviéticos. Eso hizo de su alternativa algo nuevo y novedoso. Sus *Notas* tienen, por eso, un origen doble: se originan en la crisis del teatro europeo –crisis de la que ya se ha hablado– y en la crisis que trajeron consigo sus propias obras. Las *Notas* retoman el camino iniciado con *Les Taupes,* pero en una nueva perspectiva, mientras que obras como *Lock-out, Entre las dos orillas corre el río* y *La Mort* reflejan una etapa caracterizada por una suerte de voluntarismo estético que Vallejo llegó a superar definitivamente.

Pese a la permanencia de ciertos rasgos comunes y hasta ejemplos, es evidente que también resalta la discontinuidad que existe entre las primeras obras de Vallejo (todas las escritas hasta 1934) y las últimas. Esto es algo de lo cual Vallejo fue totalmente consciente como se comprueba en sus *Notas sobre una nueva*

---

me dice, con mucha razón, que hay que corregir varios pasajes de la comedia, antes de ofrecerla a otro teatro. Yo no sirvo para hacer cosas para el público, está visto. Sólo la necesidad económica me obliga a ello. De otro modo, haría, naturalmente, otra clase de comedias" (en *Aula Vallejo,* Córdoba, años 1963-5, n.os 5-6-7, p. 370).

estética teatral: "Sin duda hay que escribir un texto diferente de las piezas que he escrito hasta aquí. Un texto nuevo, concebido según esta nueva concepción teatral. Las piezas que tengo no van en este sentido".[5]

Como si esto fuera poco, ahora en Vallejo se destaca también una mayor claridad con respecto al público y ya no se encuentra esa confusión entre públicos que tantos disgustos y frustraciones le causó, durante los primeros años de la década del 30. Cuando Vallejo dice que "Evidentemente, toda esta nueva estética sólo es posible con un capital financiero, para realizar las obras y luchar con el público. A éste hay que educarlo con tenacidad y paciencia"[6] precisa la profundidad del cambio operado: ya no hay esa concepción idealista acerca del público, pero lo que es más importante, tanto esto como el hecho de reconocer que tiene que contar con el apoyo de capital para poner en funcionamiento su nueva estética teatral, de ninguna manera pone en evidencia una renuncia a sus principios políticos sino una toma de conciencia sobre las condiciones en las cuales esa nueva estética tenía que bregar, para no correr la suerte de Piscator y tantos otros.

Los ejemplos que coloca Vallejo en sus *Notas,* cuando son sacados de sus propia producción, demuestran que la memoria de Vallejo no era frágil en cuanto a lo que había producido anteriormente y sus ejemplos ponen en evidencia que no reparaba en rescatar lo que a su criterio era rescatable, pero dentro del engranaje delineado por su nueva estética.

Georgette de Vallejo ha dejado un vívido testimonio de lo que ocurrió con muchas obras teatrales de Vallejo: "Cuando Vallejo ideaba una nueva obra, su estado de euforia lo llevaba a principiarla de inmediato, escribiendo el primer acto o capítulo de la obra acabada de concebir".[7]

Si se recuerda lo dicho por Vallejo en sus *Notas sobre una nueva estética teatral,* en lo tocante al texto, surgirá un problema que es sólo aparente: "Nada de texto impuesto por el autor" decía Vallejo y se preguntaba "¿Los personajes deben recitar lo que quieren?... ¿Nada de réplicas aprendidas sino, sobre todo, inventadas e improvisadas por el autor siguiendo solamente un

---

[5] Op. cit., p. 175 del Anexo.
[6] Op. cit., p. 176 del Anexo.
[7] Georgette de Vallejo, "Apuntes biográficos de César Vallejo", p. 173, nota n.º 8.

marco de diálogo, un límite, en profundidad y en extensión, propuesto por el autor? ¿Un esquema?"[8]

Como fácilmente puede comprobarse, sus últimas obras, excepción hecha de *La piedra cansada,* son esquemáticas pero no necesariamente corresponden al esquema que Vallejo tenía en mente y del cual escribió en sus *Notas;* por eso, es justificado referirse a estas obras como esbozos. De este modo,se evitará asociar fácilmente lo dicho por Georgette de Vallejo con el carácter de las nuevas obras de Vallejo.

Por otro lado, cabe dar otra explicación sobre el carácter inconcluso de esas obras: el nulo suceso de sus primeras obras –por las razones ya vistas–, ninguna de las cuales vio Vallejo representada, trajo consigo un sinsabor que también fue económico. Se sabe que Vallejo no escatimó esfuerzo alguno en intentar representarlas y la frustración no debe haber sido insignificante.

Le songe d'une nuit de printemps o *El sueño de una noche de primavera* es uno de los esbozos con los cuales Vallejo puso a prueba su nueva estética. Según la información que se proporciona en el escrito dactilográfico, fue escrita entre 1935 y 1936, en francés.[9]

Si se quisiese comparar esta obra con algunos de sus poemas, podría decirse que ese poema es "Parado en una piedra", ya que su tema gira alrededor de los parados o desocupados o despedidos, precisión que es muy difícil hacer.[10]

En esta obra a los personajes se los nombra por su ocupación y no por sus nombres: a los tres obreros se los enumera y ellos tampoco usan nombre alguno para hablar entre sí. Los únicos personajes que dialogan son los obreros y su diálogo se centra en

---

[8] Op. cit., p. 173 del Anexo.

[9] Op. cit., p. 213 del Anexo.

[10] Vallejo, *Obra poética completa,* pp. 253-4: "Parado en una piedra, / desocupado, / astroso, espeluznante, / a la orilla del Sena, va y viene. / Del río brota entonces la conciencia, / con peciolo y rasguños de árbol ávido; / del río sube y baja la ciudad, hecha de lobos abrazados. / El parado la ve yendo y viniendo, / monumental, llevando sus ayunos en la cabeza cóncava, / en el pecho sus piojos purísimos / y abajo / su pequeño sonido, el de su pelvis, / callado entre dos grandes decisiones, / y abajo, / un papelito, un clavo, una cerilla... /

¡Éste es, trabajadores, aquel / que en la labor sudaba para afuera, / que suda hoy para adentro su secresión de sangre rehusada! / Fundidor del cañón, que sabe cuántas zarpas son acero, / tejedor que conoce los hilos positivos de sus venas, / albañil de pirámides, / constructor de descensos por columnas, / serenas, por fracasos triunfales / parado individual entre treinta millones de parados, / andante en multitud, / ¡qué salto el retratado en su talón / y qué humo el de su boca ayuna, y cómo / su talle incide, canto a canto, en su herramienta atroz, parada, / y qué idea de dolores válvula en su pómulo!"

una serie de eventos que ocurren frente a ellos; paradójicamente, los que deberían estar en contacto con los medios de producción, produciendo, se encuentran sólo observando acontecimientos que son fortuitos y que se suceden en el barrio de Montparnasse. Los obreros no transforman sino que contemplan el lado moderno, comercial y ostentatorio, del capitalismo en París. Parecen no celebrar de esa manera el día, sino el mes del trabajador. Sobresale el hecho de que a diferencia –abismal diferencia– de los obreros de *Lock-out,* estos obreros dialogan confusa y entrecortadamente y deambulan más que caminan alrededor de una banca en un parque como podrían estar en una esquina apoyando los pies sobre la pared; además, no son obreros jóvenes sino adultos.

En cuanto a los demás personajes –el "artista", la "pareja", el "hombre joven"– se podría dudar hasta de que lo sean, ya que su accionar deja de ser casual sólo en la medida de que se convierten en el foco de atención para los obreros 1, 2 y 3. Por otro lado, en el diálogo surgen dos posibilidades que parecen complementarse: quienes por ahora hacen las tumbas en el cementerio de Mount-rouge preveen la promesa del comunismo, pero en el camino hacia esa utopía la única manera que tienen de defenderse es la de hacer uso de la ironía y el amedrentamiento.

El diálogo es –como se decía en el párrafo anterior– desordenado, pero no por ello los obreros tienen menos conciencia de clase; por vez primera, en lo que se refiere a sus obras teatrales, la confusión es permisible aún en un momento de crisis económica. La clase obrera aparece en este esbozo más en su vida cotidiana, en su repliegue, que en sus luchas y no por ello es menos revolucionaria.

Pese a las semejanzas que puedan haber entre *Lock-out* y *Le songe d'une nuit de printemps,* tales como la ausencia de una caracterización individual y de un protagonista, destaca lo que las diferencia: la ausencia de toda intención didáctica o documental, la confusión entre los demás personajes y la escenografía (podría hasta hablarse de una escenografía elaborada gracias al "artista", la "pareja" y el "joven"), la ironía frente a la seriedad trágica de la otra obra. En definitiva, en esta obra poco o nada se encontrará del realismo que caracterizó a sus primeras obras.

A diferencia de *Lock-out,* en *Le songe d'un nuit de printemps* ha primado otro tipo de pensamiento que puede encontrarse formulado en *El arte y la revolución:* "El escritor revolucionario cree erróneamente que hay que hacer arte proletario, considerando que el obrero es un obrero puro, lo que no es cierto, porque el obrero tiene también de burgués. El obrero respira el ambiente burgués y está impregnado de espíritu burgués más de lo que nos imaginamos. Esto importa mucho para concebir un arte proletario o de masas".[11]

En *Le songe...* el diálogo es el mejor indicio, ya que es un juego de impresiones casuales que no duran pero que ilustran el estado vivencial, más que emocional, de los personajes. En cierto sentido, el diálogo es un monólogo, en parte debido al mutismo de los demás presonajes, excepción hecha de los obreros pero no lo es si se toman en cuenta las contradicciones que hay entre los tres y que oscilan entre lo inmediato y lo estratégico. El lenguaje es arbitrario e incoherente debido también a que no se excluyen ni las preocupaciones ni las oportunidades más inmediatas de los obreros, ni tampoco su conciencia de lo político posible aunque no inmediato (no mejora ni empeora con ello ni la psicología ni el contenido humano de los personajes). Parte de ese diálogo son los gestos que se intercambian los obreros, gestos en los que las "muecas" son frecuentes.

Vallejo mismo precisa las caraterísticas de esos diálogos como "Conversaciones confusas, entremezcladas, intermitentes". Más adelante también dice: "Al levantarse el telón mirar al azar, boquiabiertos y en silencio".[12] El diálogo determina que son obreros que contemplan el mundo pero que no lo transforman, pese a que tienen conciencia de clase.

Por otro lado, coexisten escenas que cumplen diferentes funciones y que se entremezcan sin confundirse porque una se subordina a la otra. Esto es lo que ocurre con una serie de eventos cuya función es la de provocar comentarios por parte de los obreros (esos eventos son generalmente descritos en la indicaciones).

Esta es una obra en la que la caracterización de los personajes en términos psicológicos y la escenografía pasan desapercibidas, debido a la poca importancia que Vallejo les asigna.

Dressing-room es otra de sus nuevas obras y fue escrita, de manera especial, en 1936. Esto no descarta la posibilidad de que en parte haya sido escrita antes. Aún más si se tiene en cuenta que el interés de Vallejo por Chaplin se materializó también en artículos periodísticos como "La pasión de Charles Chaplin", donde no escatimó en elogiarlo con especial simpatía:

---

[11] *El arte y la revolución,* p. 156.
[12] Op. cit., p. 213 del Anexo.

> Así, pues, sin protesta barata contra subprefectos ni ministros; sin pronunciar siquiera las palabras 'burgués' y 'explotación'; sin adagios ni moralejas políticas, sin mesianismo para niños, Charles Chaplin, millonario y gentleman, ha creado una obra maravillosa de revolución. Tal es el papel del creador.[13]

Chaplin obsesionó a Vallejo durante una buena parte de su vida, con seguridad durante la década de los 30 (admiración comparable a la que tenía por Eisenstein). Por eso, no es raro encontrar comentarios suyos sobre Chaplin hasta en los lugares más inesperados; en *Presidentes de América,* por ejemplo, dice: "La primera parte del film acaba con la escena en que Acidal se viste de gala, ayudado por Mordel, para ir a la invitación. La sombra de Chaplin atraviesa entonces por la figura de Acidal, que nunca o rarísimas veces se ha puesto zapatos"[14] (como se recordará, esta intertextualidad en la representación teatral era uno de los elementos característicos de sus *Notas sobre una nueva estética teatral*).

Se había tenido información de esta obra por Georgette de Vallejo que la divulgó bajo un nombre diferente, *Charlot contra Chaplin.* Este sobrenombre no deja de tener su acierto, pese a no ser el original, porque da una idea de lo que constituye el conflicto central de esta obra.

Vallejo realiza en *Dressing-room* lo que ya había propuesto en su nueva estética: "hacer intervenir a los autores en las piezas ya escritas y montadas, haciéndoles enfrentar con sus personajes para hacer a éstos vivir y obrar de otro modo".[15] En esta obra, Vallejo ofrece una primera aproximación a este tipo de enfrentamiento en las personas-personajes de un director de cine y un actor, entre creador y creado.

Dressing-room es también un esbozo, así como un casi diario de ideas, sugerencias, claves y códigos, en torno a ese proyecto; de ahí las interrupciones que hay al interior de este texto (textos, podría decirse) y que indican alternativas que dejan pendiente una resolución definitiva. Vallejo pensó, en este caso, en una "bufonada" con prólogo y cuatro actos, en función de lo cual precisó diferentes posibilidades a fin de darle contenido al prólogo y a cada uno de los actos (también llegó a plantear entreactos).

---

[13] Op. cit.

[14] Op. cit., p. 232 del Anexo.

[15] Op. cit., p. 170 del Anexo.

El tema central de la obra es la "Explotación de Charlot por Chaplin", es decir del director de cine convertido en personaje y del personaje de cine convertido en actor y persona a un mismo tiempo. Vallejo caracteriza a Charlot como enamoradizo, sensible e ingenuo, casi una réplica del personaje cinematográfico; mientras que Chaplin es una casi completa invención. Los eventos ocurren todos en Hollywood, en los estudios de cine, al hacerse del proceso de producción de películas el objeto de escrutinio del teatro.

El personaje Charlot subsiste gracias a una equívoca combinación de salario y limosna; esto, unido a un idilio conflictivo y a despidos –que recuerdan lo ocurrido en Hollywood durante las décadas de los 20 y 30– fomentan la conciencia de clase en Charlot, quien llega a superar su propia admiración por Chaplin y toma conciencia de que éste había abusado de él porque nunca había podido decir nada. Pero la toma de conciencia de Charlot sigue su propio camino, es despedido por insubordinado y cuando sorprende a Chaplin "abrazando a la jovencita del guardarropa" lo asesina.

En la segunda alternativa, Vallejo incorpora nuevos elementos tales como un acto centrado "En el sindicato de actores" a la manera de *Allemagne* y *Lock-out,* como él mismo lo sugiere en un paréntesis, y se precisan más un conjunto de movimientos y sucesos al interior del estudio cinematográfico (Vallejo habla del "Número de atracción de un cabaret" y de que Charlot hipnotizado "toma la sensibilidad de un árbol y reacciona como un árbol"). Finalmente, para el último acto recurre a la misma técnica ya mencionada antes, la intertextualidad en la representación teatral, ahora con obras suyas presentadas a manera de ensayos en el estudio cinematográfico. "El hilo central –decía Vallejo– es la sed de dicha que posee a Charlot, dicha que no es posible sin el amor, y éste, sin el dinero".[16] A esto sólo queda agregar las orientaciones un poco más pormenorizadas que da Vallejo sobre el prólogo, el primer y segundo acto.

En una parte de este escrito, Vallejo enumera una serie de claves que son muy importantes. Para comenzar, tenía pensado hacer uso de una técnica ya usada por Piscator: películas mudas como parte de la escenografía. El solo hecho de hacer del proceso de producción fílmica el evento central de esta obra (proceso que implica la proyección de múltiples películas) facilita el cambio que está buscando Vallejo. Este recurso le permite traer el circo, el cabaret y la revista –al menos algunos

---

[16] Op. cit., p. 219 del Anexo.

de sus componentes– a la obra teatral. De esta manera pudo darle un nuevo sentido a la intertextualidad en la representación teatral: ya no se trata sólo de una intertextualidad basada en textos literarios diferentes sino que además comprende a otros géneros artísticos, como los ya mencionados, y otros como los "dibujos animados" y la "fotografía".

Por otro lado, Vallejo no sólo intertextualiza la representación teatral sino que además combina diferentes corrientes artísticas: piensa que las películas a usarse en la escenografía serán "realistas" pero "absurdas", en medio de un ambiente que podría ser visto como carnavalesco, de no mediar el conocimiento de que se trata de un estudio cinematográfico.

Del mismo modo, habla de "Dieciséis imágenes por segundo para la creación del movimiento" y del "Amasamiento de millones de imágenes", lo que recuerda también al constructivismo.

Esta obra es, por excelencia, su mejor prueba práctica de lo que formuló en sus *Notas sobre una nueva estética teatral.* Esta obra pone en evidencia una increíble destreza estructural, muy similar a la de todo buen montajista en el cine y ya se sabe cuán importante es el manejo "cinemático" de ese material teatral o cinematográfico.

Suite et Contrapoint es otra de esas obras, casi completamente desconocidas. Su suerte debería haber sido otra a raíz de que desde 1973 se cuenta con el esbozo de dicha obra, pese a lo cual en muy poco ha cambiado la crítica desde entonces.

De esta obra se conocía el nombre y un diagrama –esa serie entrecortada de rombos que terminaba en una flecha– que Georgette de Vallejo reprodujo en múltiples ocasiones. Precisamente, César Vallejo proporciona su propia interpretación de ese diagrama en el citado escrito:

> Las líneas verticales –dice Vallejo– son los contactos o matrimonios, mientras que los rombos representan las separaciones durante las cuales nacen y viven las ilusiones, las mismas que mueren y acaban con cada choque de las realidades o conocimiento material y total y mutuo de los enamorados.[17]

Si hablásemos de semejanzas con alguna de sus obras anteriores, no cabe duda de que *Les Taupes* sería la escogida. No es casual que Vallejo haya dicho también lo siguiente: "Podría partirse del caso de Lory y de Mampar, como pareja de discordia

---

[17] Op. cit., p. 224 del Anexo.

y desengañada". En este sentido, *Suite et contrepoint* sería la continuación de *Les Taupes,* pero con semejanzas o no, resalta en *Suite et contrepoint* una nueva concepción, de ahí que pese a no conocerse la fecha en la que fue escrita, se puede afirmar que corresponde a alguna fecha posterior a 1934, es decir posterior a *Colacho Hermanos.*

Esta obra es excepcional, en el sentido de que el conflicto parece ser muy cotidiano, pero no tiene una resolución definitiva ni mucho menos un *happy end;* el conflicto se repite una y otra vez, casi parece mítico sin dejar de ser moderno. En esta obra lo político no se manifiesta, ni siquiera a la manera de *Dressing-room* o *Le songe d'une nuit de printemps.*

"La farsa se convierte en realidad" dice Vallejo, para explicar la reacción de uno de los dos únicos personajes ante el desgaste y la desilusión de su recién inaugurado matrimonio. Pero el propósito no es menos simple:

> Una teoría teatral: para resolver la dificultad de la comprensión humana (toda la desgracia de los hombres viene de que no se comprenden), hacer al individuo que entre en el cuerpo del prójimo, para que vea lo que es ser el otro, es decir, hacerlo jugar el papel del vecino, en el gran teatro del mundo. Y sólo cuando haya visto lo que es vivir la vida y la naturaleza del prójimo, lo comprenderá, le tolerará y le amará. Más aún, se pondrá en su lugar y se identificará con él, consubstanciándose con su ser y con su destino. *¡Ponerse en su lugar!* Esa es la cosa: representarlo en sus placeres y en sus dolores.
> El teatro al servicio de la comprensión humana. Un pobre jugando el papel de un rico y así sucesivamente.[18]

La tentación es fuerte y se podría interpretar esta cita de Vallejo como un nuevo viraje, como una vuelta a los orígenes, incluso como una reconciliación (si de reconciliación se pudiese hablar) con su poesía. Sin embargo, no lo es. Se trata de un acercamiento diversificado, pluridimensional, a la vida cotidiana. El juego de reemplazos que propone Vallejo no anula las contradicciones que puedan haber y de hecho hay, las aclara, ganando experiencia y alcanzando la totalidad, superando no lo particular sino lo parcial, no lo individual sino lo excluyente. Lo que demuestra esta obra es que Vallejo descubrió o tomó conciencia de que para mantener su compromiso político no era imprescindible hacer obras como *Lock-out,* sino que también era

[18] Op. cit., p. 225 del Anexo.

posible lograrlo con obras cono *Les Taupes,* aunque desarrolladas en una perspectiva diferente.

De *Allemagne* es muy poco lo que puede decirse de nuevo, además de las informaciones que Georgette de Vallejo ha dado, salvo que está confirmada su existencia. Esto se debe a que ni siquiera se cuenta con el esbozo de esa obra; apenas con algunas indicaciones que se encuentran en los esbozos arriba mencionados, pero que son a todas luces insuficientes.

Algunos de los datos que esas indicaciones sugieren son los siguientes: en primer lugar, *Allemagne* y *Lock-out* deben haber tenido algunas características comunes ya que Vallejo sindica a estas dos obras, en *Dressing-room,* para dar una idea aproximada de lo que tenía pensado para el tercer acto, que debería desarrollarse en el sindicato de actores; en segundo lugar, en *Temas y notas teatrales* hay dos notas que podrían haber tenido relación con esta obra y que son los siguientes:

> Un marido que finge la neurastenia a su mujer. Otros personajes: el hermano que vende a su hermana o el esposo que vende a su mujer por miseria: crisis capitalista, como sucede hoy en Alemania.
>
> Un cuadro teatral: el interrogatorio con tortura de un militante revolucionario, en Alemania, Austria, España o China. Un heroísmo formidable.[19]

De tener relación con dicha obra, tendríamos una mejor idea, pero aún muy restringida de la misma: a los sindicatos se agregaría la crisis económica, la tortura, el nazismo probablemente, y el heroísmo. Estos nuevos datos mejoran su parecido con *Lock-out* pero no son concluyentes.

Finalmente, conviene prestarle atención a un problema que puede haber pasado inadvertido. Aún en el caso de *La piedra cansada* y *Colacho Hermanos,* mucho más en el caso de sus demás obras, antes y después de 1934, Vallejo no pensaba en un público que fuese latinoamericano. En una de sus cartas a Pablo Abril de Vivero, Vallejo decía lo siguiente, a propósito de un cineasta que quería hacer un film sobre el Perú: "Me interesaría ponerme en contacto con esa persona, para ver si algo se logra con la novela incaica que tengo hace tiempo preparada".[20] Otro dato de importancia es el que proporciona en *Presidentes de América,* donde decía que su propósito era introducir en Europa

---

[19] Op. cit., p. 177 del Anexo.

[20] Carta a Pablo Abril de Vivero del 16 de diciembre de 1929 en *Cartas. 114 cartas de César Vallejo a Pablo Abril de Vivero* (1975). Lima: Juan Mejía Baca, pp. 111-112.

un tema y un material inédito, diferente al cine mexicano.[21] Estas afirmaciones dan a entender que el público en el que estaba pensando era europeo, principalmente español y francés, y no latinoamericano o peruano.

El público en el que Vallejo tuvo puestas sus expectativas, difería del latinoamericano y sobre todo del peruano, por razones como las mencionadas en *Presidentes de América:* "el gran atraso del pueblo, que se traduce por una opinión pública casi inexistente o por una conciencia nacional incipiente y sofrenada, sanciona los más insólitos manejos del audaz triplicado del cobarde y del servil".[22] En Vallejo prima esa evaluación sobre el Perú en donde, acabada la década de los 20, no había espacio político y donde tanto la "opinión pública" como la "conciencia nacional" eran inexistentes. Como intelectual que apreciaba la utilidad de su trabajo, esas no eran condiciones atractivas, a diferencia de las que él encontraba en Europa (aún a pesar de lo difícil que era aprovecharlas).

Sus obras teatrales, al igual que sus escritos teóricos, aportan el mismo tipo de evidencia; Vallejo responde a la crisis del teatro europeo y no a la crisis del teatro en otra parte del mundo. Su estética, explícita e implícita, es una respuesta a las corrientes artísticas de vanguardia o realistas que predominaban en Europa durante la década de los 30. Las tareas políticas que se propuso, eran las mismas tareas que se propusieron cumplir Piscator y Brecht, aunque formulase cada uno su propia metodología y teoría.

Hasta donde se sabe, Vallejo no conoció a Brecht pero sí a Piscator. Pese a lo cual es indudable que Brecht está también presente en sus teorizaciones, ya que tanto Brecht como Vallejo elaboraron teorías que se propusieron superar el expresionismo sin acercarse al surrealismo. Por esta misma razón, ambos le deben al expresionismo una serie de concepciones, que transformadas ellos hicieron suyas. No obstante se diferencian en cuanto a lo que esperaban del público, al grado de sistematización de sus propuestas, y, sobre todo, a sus resultados. Además, Vallejo conserva mucho más del expresionismo de lo que conservó Brecht; pero ambos no son sino variantes de un mismo tipo de teatro que a falta de un mejor término podría llamarse teatro dialéctico.[23]

---

[21] Op. cit., p. 234 del Anexo.

[22] Op. cit., p. 229 del Anexo.

[23] Según se sabe, Brecht mismo prefirió llamar a su teatro "dialéctico" y no "épico" luego de su regreso a Alemania, después de la Segunda Guerra Mundial.

No es necesario, pues, recurrir a datos biográficos para probar qué tan profunda era esta transnacionalización cultural, en Vallejo, ya que sus obras teatrales y sus escritos teóricos sobre teatro, aportan información que es clara y muy valiosa. La transnacionalización cultural de Vallejo data, por lo menos, desde 1930. Esa transnacionalización se descubre, principalmente, por el tipo de público al cual quiso dirigirse. Su "nueva estética" así como la estética implícita en sus obras teatrales sería incomprensible si no la pusiésemos en el contexto al que pertenecen. Eso no niega todo lo apeovechable que puedan ser sus obras teatrales y sus propuestas teóricas en América Latina, como también lo han sido las obras de Bertolt Brecht.

CONCLUSIONES

El lector encontrará a continuación las conclusiones enumeradas de la investigación desarrollada a lo largo de los ocho capítulos de este libro.

El orden en el que son expuestas las conclusiones guarda estrecha relación con el orden en el cual fuerón expuestos los problemas tratatos, en relación con los escritos teóricos y obras teatrales de César Vallejo.

Hacerlo así, permitirá una mejor comprensión de lo que se ha venido sosteniendo; aún más necesario si se toma en cuenta que se trata de un tópico desatendido por la crítica.

Al mismo tiempo, se espera que facilite el debate sobre un tema que debería realizarse en profundidad, dada la importancia que tiene en sí mismo y también dada la importancia que tiene para una comprensión mucho más coherente y certera del trabajo intelectual de Vallejo.

Asimismo, estas conclusiones son una apretada información del contenido de este libro. Son, además, como toda investigación que toca un tópico nuevo, una interpretación que espera ser algo más que tentativa.

1. La primera muestra del interés de César Vallejo por el teatro es su labor periodística. Una considerable atención hacia la actividad teatral despliega durante los años que van de 1923 hasta 1931.
2. Su actitud hacia la actividad teatral es la del crítico que no se limita a opinar sobre la calidad de las representaciones sino que contribuye a la interpretación de la situación general de esta actividad cultural.

3. Es claro en señalar la crisis del teatro y mucho más claro aún en explicar lo esencial de la misma: que no consistía en la 'corrupción' que traía consigo el teatro comercial sino en el anquilosamiento de los medios expresivos y el tremendo poder de las convenciones.
4. Su crítica rechaza tales rezagos pero no se limita a la objeción inoperante; por el contrario, tomando como base ese balance, define una alternativa y una posición que lo coloca en una disposición abierta y positiva hacia los directores de teatro agrupados en *El Cartel de los cuatro,* definiendo con ello un criterio nada unilateral tanto frente al teatro clásico como frente a las corrientes de vanguardia.
5. Sin embargo, es sumamente lúcido al señalar que tentativas como las de *El Cartel* no prosperarán de no asimilar lo que de auténticamente renovador existía en el teatro de aquel entonces: el teatro ruso. Y en éste, lo que tuvo oportunidad de valorar con especial interés: los montajes fuertemente influenciados por el constructivismo.
6. Su actitud hacia el constructivismo ruso no es de una adhesión indiscriminada debido, sobre todo, a su actitud distante hacia el futurismo y las demás corrientes de vanguardia a las que, aunque no medularmente, estaba ligado el constructivismo.
7. Este factor le permite mostrarse especialmente asequible con el teatro ruso realista, que tuvo oportunidad de apreciar en sus viajes a la Unión Soviética, pese a lo cual no dejó de notar la poderosa influencia renovadora de directores como Meyerhold incluso en el teatro de tipo realista.
8. Su transformación en marxista le hace concebir de una manera mucho más amplia el trabajo cultural. En cuanto al teatro se asocia en él la concepción de que esta forma artística se adecúa mucho más a las necesidades de la propaganda política y la pedagogía revolucionaria.
9. El entusiasmo con que asume estas posiciones lo lleva a desarrollar ciertas concepciones que hoy nos parecerían falsas, por exageradas; sobre todo en el artículo "Duelo entre dos literaturas" en el que postuló la predominancia de la literatura proletaria, basado en que el proletariado era la clase social más numerosa en el mundo.
10. En el período que va de 1929 a 1931 se nota una preocupación constante por evaluar las posiciones que, sobre el teatro, desarrollaban corrientes realistas y vanguardistas.
11. La elaboración de las *Notas sobre una nueva estética teatral* significa un importante salto cualitativo y una

síntesis que le permitirá elevar a un nuevo nivel de unidad las opiniones que de manera continua había venido planteando.

12. Este trabajo es un interesante intento de sistematizar una concepción, que lamentablemente quedó inconclusa. Se caracteriza por su oposición tanto a la presencia de rasgos típicos como al abuso de la emotividad. Es una reafirmación de la espontaneidad en el seno de la obra, pero se trata de una espontaneidad que tiene, en potencia, la capacidad de ordenarse.
13. El responsable de ordenarlo no es el director del montaje, ni siquiera el dramaturgo, ni tampoco los actores, sino el público. De ahí la necesidad de "educarlo" Y en esta tarea deberán intervenir todos aquellos que de una u otra forma estén ligados a la actividad teatral.
14. Sin lugar a dudas esta concepción entra en contradicción con el teatro político pero no con la política en el teatro. Vallejo no se divorcia de su afinidad política comunista pero sí de aquella concepción que implícitamente limitaba la actividad teatral al asociarla con la agitación y la propaganda en sentido estricto. Vallejo decide superar el realismo.
15. Esta nueva concepción permitirá, desde 1934 en adelante, poner a prueba los nuevos planteamientos en una serie de obras que no prosperaron, pero en las cuales no se perdió la intención política que continuó animando el trabajo cultural y teatral de César Vallejo.
16. *Les Taupes* es la primera obra teatral de Vallejo. Esta obra, que permaneció inédita y desconocida por la crítica y el público, había sido llamada anteriormente *Mampar,* por quienes tuvieron noticias de ella, al confundirse su título con el personaje central de la obra.
17. Hasta donde los datos lo permiten afirmar, fue escrita a comienzos de 1930. Sin embargo, no se descarta la posibilidad de que haya sido escrita en una fecha anterior, tomando en cuenta el tema que contiene. Fue escrita en francés.
18. De esta obra compuesta inicialmente en tres actos, sólo quedan, hasta la fecha, fragmentos correspondientes a la primera, tercera y quinta escenas que, al parecer, pertenecieron al primer acto de la versión original de esta obra. Aquella que Jouvet caracterizó como el drama de la franqueza.
19. *Lock-out* es la segunda obra de Vallejo, escrita originalmente en francés siguiendo los principios de los cuales

partía el teatro político de Piscator, tanto en lo referido al diseño de la escenografía como a la contextura desindividualizada del personaje central: la masa.

20. Esta obra no sufrió mayores cambios y no hay razón alguna para no reconocer en la versión aparecida en *Teatro Completo* de la Universidad Católica, una traducción del original. Es una obra que refleja los defectos y virtudes propias del teatro político de principios de siglo.
21. *Moscú contra Moscú* fue una obra que sufrió una reestructuración muy profunda, a tal punto que sería improcedente identificar su relación con *Entre las dos orillas corre el río* como un mero cambio de título. La mencionada reestructuración debe de haber ocasionado la separación de varias partes que la integraron originalmente.
22. Éste parece haber sido el caso de aquel escrito editado con el nombre de "El juicio final" en la revista *Amaru* y que apareció como Prólogo de "Entre las dos orillas corre el río" en *Teatro Completo.* Pero en relación con "El juicio final" existe el problema derivado de que las dos versiones publicadas son diferentes entre sí, con incongruencias que plantean entre otras posibilidades, la existencia de cambios efectuados con posterioridad a la muerte de César Vallejo.
23. *Entre las dos orillas corre el río,* nombre a que dio lugar la profunda transformación de *Moscú contra Moscú,* es una obra que supera las debilidades de *Lock-out,* sobre todo, en lo relacionado con la caracterización de los personajes.
24. Algunos testimonios, como el de Raúl Porras Barrenechea, y la existencia de notables diferencias entre aquellos cuadros publicados en la revista *Tiempo* y sus respectivos en TC plantean nuevamente un problema de veracidad textual a dilucidar.
25. *La Mort* escrita en francés, y publicada con datos equivocados en la revista *Letras Peruanas,* que la hacían aparecer sólo como un extracto descartado de *Moscú contra Moscú,* es en realidad una tragedia independiente, estructurada en base a un sólo acto y relacionada temáticamente, aunque no de manera directa, con la obra antes señalada.
26. *Colacho Hermanos* es una obra teatral escrita en 1934 y cuyo texto original y definitivo, archivado en la Biblioteca Nacional del Perú, no corresponde con el publicado en el segundo tomo de *Teatro Completo,* al haberse efectuado en dicha publicación profundas transformaciones.
27. La existencia en la Biblioteca Nacional de una "Primera Versión del último acto", que fue descartada por el propio

Vallejo, ha permitido saber que la versión aparecida en *Teatro Completo* es, en realidad, una recomposición de la versión original que no se debería a César Vallejo.

28. Tal recomposición se ha efectuado mediante la adaptación de una serie de escenas pero, principalmente, mediante cambios incorporados en el cuadro cuarto de la versión original, la elaboración casi completa del cuadro quinto y la imposición de la "Primera versión" como cuadro sexto de la obra.
29. *Presidentes de América* es el título que tiene el guión literario cinematográfico elaborado por Vallejo y que guarda relación temática con la obra teatral titulada en realidad *Colacho Hermanos.*
30. *El sueño de una noche de primavera* es el esbozo de una obra de teatro escrita en francés en 1935-36 y que ya refleja embrionariamente las nuevas concepciones que animaban a Vallejo.
31. *Dressing-Room* es el esbozo de una obra teatral trabajada entre 1932 y 1937. Es una bufonada en un prólogo y cuatro actos, escrita en francés y español, que tiene como personajes centrales a Charlot y a Chaplin, por separado.
32. *Suite et Contrepoint* es el proyecto de una obra escrita en español y estructurada en tres actos. No se ha podido precisar la fecha en que fue escrita, pero guarda relación con su nueva estética.
33. *¡Alemania Despierta!* es un esbozo escrito por Vallejo con la finalidad de desarrollar una obra de teatro, pero que permaneció inconcluso y no ha sido encontrado. Se le conoce sólo por menciones suyas y de Georgette de Vallejo.
34. *La piedra cansada* es, al parecer, la última obra teatral de Vallejo. Pese a no haber razones que lo justifiquen existen numerosos y profundos problemas textuales que desautorizan la versión aparecida en *Teatro Completo* y plantean el problema de cuál es la versión original (y definitiva, en este caso).
35. La versión completa aparecida en *Visión del Perú,* puede ser considerada el reflejo más cercano y fiel de la obra tal y como fue escrita por su autor, pero no hay datos suficientes, como para señalar que es, en términos absolutos, la versión original.
36. Todo el trabajo de cotejo textual realizado permite afirmar que cualquier estudio que se haga sobre su valor estético tiene que ser precedido necesariamente por una investigación que, así lo esperamos, restaure los textos originales.

37. El cotejo textual realizado, pese a no ser exhaustivo y completo, permite afirmar que en algunas de las obras teatrales éditas de César Vallejo hay incompatibilidades que no se deben a la existencia de versiones diferentes (que a su vez se hubiesen debido a correcciones realizadas por el autor). En este sentido, los escritos y obras teatrales que hasta la fecha se encontraban inéditos y archivados en la Biblioteca Nacional del Perú, constituyen la fuente más segura, para una resolución definitiva de este asunto.
38. Pese al mencionado problema, es posible distinguir en el teatro de Vallejo dos momentos, bastante bien delimitados y a los que responden tanto sus obras como sus escritos teóricos. Hay un primer momento, en el cual Vallejo produce obras teatrales realistas (político-documentales y social-realistas), y hay un segundo momento en el cual produce obras que son una superación más que un abandono del realismo.
39. En función de estas dos etapas, hay obras teatrales que hacen de preámbulo, iniciación o de tránsito. Ese es el caso de *Les Taupes, La Mort* y *Colacho Hermanos.* Esta última es una obra clave para entender el tránsito de Vallejo desde el realismo y la tragedia hacia su nueva estética.
40. Vallejo elaboró una teoría estética que diferenció funciones en la escritura artística y en la literatura. Diferenció así la llamada función "bolchevique" –agitativa, propagandística y educativa– de la "socialista" –cuya preocupación esencial, según Vallejo, radicaba en el que vivía una vida personal y cotidianamente socialista, personal y no individual. Esta teoría le permitió mantener en ambas etapas el mismo tipo de compromiso con el marxismo y le permitió también conciliar, durante la primera etapa, su producción teatral realista con sus simpatías por el constructivismo; mientras que durante su segunda etapa, gracias a esa misma concepción, pudo emprender una nueva estética que se acercaba, sin confundirse, al expresionismo, aunque sin estigmatizar al realismo por lo que tenía de criticable. Esa nueva estética no sólo quedó incompleta en su formulación sino que se puso a prueba sólo tentativa e inconclusamente. No obstante, es indudable que en esta segunda etapa se encuentra lo más logrado e interesante del teatro de Vallejo.

BIBLIOGRAFÍA

1. Obras, ensayos y artículos de César Vallejo:

1924 "El pájaro azul", en *El Norte,* Trujillo, 1.º de febrero.

1925
- a "La exposición de artes decorativas de París", en *Mundial,* Lima, 17 de julio, n.º 266.
- b "La nueva generación de Francia", en *Mundial,* Lima, 4 de septiembre, n.º 273.
- c "El verano en París", en *Mundial,* Lima, 11 de septiembre, n.º 274.
- d "La conquista de París por los negros", en *Mundial,* Lima, 11 de diciembre, n.º 287.

1926
- a "Un gran libro de Clemenceau", en *Mundial,* Lima, 5 de marzo, n.º 299.
- b "Influencia del Vesubio en Mussolini", en *Mundial,* Lima, 19 de marzo, n.º 301.
- c "El asesino Barrés", en *Variedades,* Lima, 10 de julio, n.º 958.
- d "La visita de los Reyes de España a París", en *Mundial,* Lima, 27 de agosto, n.º 324.
- e "El bautista de Vinci", en *Variedades,* Lima, 18 de septiembre, n.º 968.

1927
- a "Ginebra y las pequeñas naciones", en *Mundial,* Lima, 14 de enero, n.º 344.

b "Una importante encuesta parisién", en *Mundial,* Lima, 25 de noviembre, n.º 389.

c "Contribución al estudio del cinema", en *Mundial,* Lima, 9 de diciembre, n.º 391.

1928

a "D'Annunzio en la Comedia Francesa", en *Variedades,* Lima, 4 de febrero, n.º 1040.

b "La pasión de Charles Chaplin", en *Mundial,* Lima, 9 de marzo, n.º 404.

1929

a "Las lecciones del marxismo", en *Variedades,* Lima, 19 de enero, n.º 1090.

b "Los creadores de la pintura indoamericana", en *Mundial,* Lima, 24 de mayo, n.º 466.

c "El decorado teatral moderno", en *El Comercio,* Lima, 9 de junio.

1930 "Últimas novedades teatrales de París", en *El Comercio,* 15 de junio.

1931

a "El nuevo teatro ruso", en *Nosotros,* Buenos Aires, julio, n.º 266.

b "Duelo entre dos literaturas", en *Universidad Nacional Mayor de San Marcos,* Lima, 1.º de octubre, n.º 2.

1939 *Poemas Humanos.* París, Editions des presses modernes au Palais-Royal, 158 pp.

1951 "La piedra cansada" (primer cuadro), en *Trilice,* Lima, 20 de mayo, n.º 1.

1952 "Una tragedia inédita", en *Letras Peruanas,* n.os 6 y 7, Lima, abril-junio y agosto.

1954 *El romanticismo en la poesía castellana.* Lima, Juan Mejía Baca y P. L. Villanueva editores, 65 pp.

1956 "Colacho Hermanos. Cuadro primero y segundo", en *Letras,* revista de la Facultad de Letras de la Universidad Nacional Mayor de San Marcos, Lima, n.os 56-7.

1958 “Entre las dos orillas corre el río”, en *Tiempo,* Lima, enero, año I, n.º 1.

1965
a *Rusia en 1931. Reflexiones al pie del Kremlin,* 3.ª ed. Lima, Editorial Gráfica Labor, 258 pp.
b *Rusia ante el segundo plan quincenal,* 3.ª ed. Lima, Editorial Gráfica Labor, 252 pp.

1967
a “El juicio final”, en *Amaru,* Lima, enero, n.º 1.
b *Novelas y cuentos completos.* Lima, Francisco Moncloa Editores, 325 pp. Contiene: “Escalas Melografiadas”, “Fabla salvaje”, “Sabiduría”, “Hacia el reino de los Sciris”, “El tungsteno”, “Paco Yunque”.
c “Carta a Gerardo Diego del 27 de enero de 1932”, en *Aula Vallejo,* Córdoba, años 1963-1965, n.ºs 5-6-7, pp. 369-370.

1969
a “Colacho Hermanos (cuadro segundo)”, en *Visión del Perú,* Lima, julio, n.º 4.
b “La piedra cansada”, en *Visión del Perú,* Lima, julio, n.º 4.

1973
a *El arte y la revolución.* Lima, Mosca Azul Editores, 167 páginas.
b *Contra el secreto profesional.* Lima, Mosca Azul Editores, 101 pp.

1974 *Obra poética completa.* Lima, Mosca Azul Editores, 475 páginas.

1975 *Cartas. 114 cartas de César Vallejo a Pablo Abril de Vivero.* Lima, Juan Mejía Baca, 173 pp. (Incluye cartas de Pablo Abril de Vivero a Vallejo.)

1979 *Teatro completo.* Lima, Pontificia Universidad Católica del Perú, 2 tomos. Contiene: a) Lock-out; b) Entre las dos orillas corre el río; c) Colacho Hermanos o Presidentes de América; y d) La piedra cansada.

2. Obras y escritos teatrales inéditos de César Vallejo:

Les Taupes; cinq scenes et un épilogue. Escrito dactilográfico. Lima. Biblioteca Nacional, 17 pp.
Le Mort; tragédie en un acte. Escrito dactilográfico. Lima. Biblioteca Nacional, 18 pp.
Colacho Hermanos; farsa en tres actos y cinco cuadros. Escrito dactilográfico. Lima. Biblioteca Nacional, 85 pp.
"Primera versión del último acto", anexo de *Colacho Hermanos.* Escrito dactilográfico. Lima. Biblioteca Nacional, 23 pp.
Le songe d'une nuit de printemps. Escrito dactilográfico. Lima. Biblioteca Nacional, 4 pp.
Suite et contrepoint. Escrito dactilográfico. Lima. Biblioteca Nacional, 2 pp.
Presidentes de América; escenario. Escrito dactilográfico. Lima. Biblioteca Nacional, (10) pp.
Dressing-Room; bufonada en un prólogo y cuatro actos. Escrito dactilográfico. Lima. Biblioteca Nacional, 7 pp.
Temas y notas teatrales. Escrito dactilográfico. Lima. Biblioteca Nacional, 3 pp.
Notes sur une nouvelle esthétique theatrale. Escrito dactilográfico. Lima. Biblioteca Nacional, 7 pp.

3. Críticas, notas y reseñas sobre la obra teatral de César Vallejo:

Abril, Xavier.
1958 Vallejo, ensayo de aproximación crítica. Buenos Aires, Ed. Front.
Ballón Aguirre, Enrique.
1979
a "La escritura escénica de Vallejo", en *Teatro completo* de César Vallejo. Lima. Pontificia Universidad Católica del Perú, t. I, pp. 9-25.
b "Lock-out", en *Teatro completo* de César Vallejo. Lima. Pontificia Universidad Católica del Perú, t. I, pp. 29-30.
c "Entre las dos orillas corre el río", en *Teatro completo* de César Vallejo. Lima. Pontificia Universidad Católica del Perú, t. I, pp. 95-97.
d "Colacho Hermanos o Presidentes de América", en *Teatro completo* de César Vallejo. Lima. Pontificia Universidad Católica del Perú, t. II, p. 11.

CABEZA OLÍAS, Emilio.
1972 "Prosa creativa y prosa crítica de César Vallejo". Tesis Doctoral. New York University.
COYNE, André.
1968 *César Vallejo.* Buenos Aires, Ediciones Nueva Visión. 315 pp.
1969 "César Vallejo, vida y obra", en *Visión del Perú.* Lima, julio, n.º 4, pp. 44-57.
DELGADO WASHINGTON.
1969 "La piedra cansada", en *Visión del Perú.* Lima, julio, n.º 4. Nota que aparece en la primera página de esta obra.
EH.
1979 "Vallejo, César: Teatro completo", en *Garcilaso;* la palabra cultural de Ojo. Lima, 10 de junio, n.º 165, p. (3).
GONZÁLEZ VIGIL, Ricardo.
1979 "Teatro completo de Vallejo", en *El Comercio;* suplemento dominical. Lima, 15 de abril, p. 17.
JOUVET, Louis.
1979 ("Carta a César Vallejo"), en *Teatro completo* de César Vallejo. Lima. Pontificia Universidad Católica del Perú, pp. 14-15. Copia facsm. en pp. 16-17. Fechada en 1930.
OVIEDO, José Miguel.
1974 "Vallejo entre la vanguardia y la revolución", en Julio Ortega (ed.), *César Vallejo.* Madrid: Taurus, pp. 405-416.
P(ORRÁS) B(ARRENECHEA), R(aúl).
1939 "Notas Bio-Bibliográficas", en *Poemas Humanos* de César Vallejo. París. Les Editions des Presses modernes au Palais-Royal, pp. 155-158.
1961 "Notas Bio-Bibliográficas", en *Poemas Humanos* de César Vallejo. Lima, Perú Nuevo, pp. 18-19.
SOBREVILLA, David.
1981 "Las ediciones y estudios vallejianos: 1971-1979. Un estado de la cuestión", en *César Vallejo.* Tubingen: Max Niemeyer Verlag, pp. 64-94 (Actas del Coloquio Internacional en la Freie Universität Berlin, 7-9 de junio de 1979).
VALLEJO, Georgette de.
1965 "Unas palabras a la primera edición", en *Rusia ante el segundo plan quincenal* de César Vallejo. Lima, Editorial Gráfica Labor, 3.ª ed., pp. (1-3).
1969 "Apuntes biográficos sobre 'Poemas humanos' y 'Poemas en prosa' ", en *Visión del Perú,* Lima, julio, n.º 4, pp. 169-192.

1973 ("Nota introductoria"), en *El arte y la revolución* de César Vallejo. Lima, Mosca Azul Editores, pp. (7-8).

1974

a "Apuntes biográficos sobre César Vallejo", en *Obra poética completa* de César Vallejo. Lima, Mosca Azul Editores, pp. (351)-457.

b ("Carta de Georgette de Vallejo"), en la revista *Oiga,* Lima, 16 de agosto.

1978 *Vallejo: allá ellos, allá ellos, allá ellos!* Lima: Zalvac, 170 páginas.

1979 "La piedra cansada", en *Teatro completo* de César Vallejo. Lima: Pontificia Universidad Católica del Perú, t. II, pp. 147-148.

VILLANUEVA DE PUCCINELLI, Elsa.

1969 "Bibliografía selectiva de César Vallejo", en *Visión del Perú,* Lima, julio, n.º 4.

4. ENSAYOS Y ESTUDIOS CRÍTICOS SOBRE TEATRO EN GENERAL:

ALTHUSSER, Louis.

1969 *La revolución teórica de Marx.* México, Siglo XXI Editores, 4.ª ed., 206 pp.

BARTHES, Roland.

1967 *Ensayos críticos.* Barcelona, Editorial Seix Barral, S. A., 330 pp.

BEHAR, Henri.

1971 *Sobre el Teatro Dada y surrealista.* Barcelona, Barral editores, 250 pp.

BROOK, Peter.

1973 *El espacio vacío.* Arte y técnica del teatro. Barcelona, Ediciones Península, (201) pp.

CASTAGNINO, Raúl H.

1956 *Teoría del teatro.* Buenos Aires, Editorial Nova, 163 pp.

DELLA VOLPE, Galvano.

1964 *Crisis de la estética romántica.* Buenos Aires, Jorge Álvarez editor, 157 pp.

1966 *Crítica del gusto.* Barcelona, Editorial Seix Barral, S. A., 304 pp.

DORT, Bernard.

1969 "Condición sociológica de la puesta en escena teatral", en *Literatura y Sociedad.* Problemas de metodología en sociología de la literatura. Barcelona, Ediciones Martínez Roca, pp. 174-190.

GRAMSCI, Antonio.
1972 *Cultura y Literatura.* Barcelona, Ediciones Península, 2.ª ed., 356 pp.
GORKI, M.; A. A. ZHDANOV.
1968 *Literatura, Filosofía y Marxismo.* México, Editorial Grijalbo, 158 pp.
HAUSER, Arnold.
1969 *Historia social de la literatura y el arte.* Madrid, Ediciones Guadarrama, 3 tomos.
JOTTERAND, Franck.
1971 *El nuevo teatro norteamericano.* Barcelona, Barral editores, 284 pp.
MARX, Carlos.
1967 "En torno a la crítica de la filosofía del derecho de Hegel y otros ensayos", en *La sagrada familia* de Carlos Marx y Federico Engels. México, Editorial Grijalbo, 2.ª ed., pp. (1)-15.
MEYERHOLD, (Vsevolod Emilievic).
1970 *Textos teóricos.* Madrid, Alberto Corazón editor, 2 tomos.
PANDOLFI, Vito.
1968 *Histoire du théatre.* Turin, Marabout Université, 4 tomos.
Posada, Francisco.
1969 *Lukács, Brecht y la situación actual del realismo socialista.* Buenos Aires, Editorial Galerna, 307 pp.
SÁNCHEZ VÁSQUEZ, Adolfo.
1970 "Introducción general. Los problemas de la estética marxista", en *Estética y Marxismo* de Sánchez Vásquez (compilador). México, Editorial Era, 2 tomos.
SIMON, Alfred.
1970 *Dictionaire du Théatre français contemporain.* Paris, Libraire Larousse, 255 pp.
USCATESCU, George.
1968 *Teatro occidental conteporáneo.* Madrid, Ediciones Guadarrama, 202 pp.
VAN TIEGHEM, Paul.
1958 *El romanticismo en la literatura europea.* México, UTHEA, 429 pp.
WRIGHT, Edward A.
1962 *Para comprender el teatro actual; cine, teatro y televisión.* México-Buenos Aires, Fondo de Cultura Económica, 250 páginas.

A N E X O

PIEZAS Y ESCRITOS SOBRE TEATRO DE CÉSAR VALLEJO

La publicación de las piezas y escritos sobre teatro de César Vallejo que a continuación se hace, es solamente un complemento. Ese es el motivo por el que no se los menciona en la portada de este libro. Complemento indispensable, a fin de hacer inteligible la investigación que los precede.

En algunos casos se los ha reproducido íntegramente, dada su extensión y naturaleza, o su carácter fragmentario. En cuanto a *La Mort,* habiendo sido ya publicada en español, en la revista *Letras Peruanas* (1952), aunque como un texto descartado de *Moscú contra Moscú,* se ha optado por reproducirla en su versión original, en francés. Una mención especial merece *Colacho Hermanos.* El texto que aquí se publica es el resultado de una selección y no es la versión completa que está archivada en la Sala de Investigaciones de la Biblioteca Nacional del Perú. Dado que el principal interés de la investigación fue el de introducir al lector en la escritura teatral de Vallejo, al mismo tiempo que exponer algunos problemas que se derivan de la comparación de textos publicados o inéditos, la reproducción que en este apartado se ha hecho responde a dicha necesidad.

En ningún caso, se pretende entregarle al lector una edición crítica de ninguna de las obras que aquí se publican. Como se ha mencionado antes, esa tarea es urgente pero no ha estado dentro de los alcances de la presente investigación. Los resultados alcanzados hasta la fecha, sólo proporcionan ciertos hechos e interpretaciones que deberán ser tomados en cuenta cuando dicha edición crítica se emprenda.

Los trabajos inéditos de César Vallejo que forman parte de este anexo, son escritos suyos conocidos hasta la fecha solamente por unas cuantas personas. Tienen en común el ser escritos sobre teatro u obras teatrales.

En muchos casos –excepción hecha de *Colacho Hermanos, Presidentes de América* y partes de *Dressing-room*– son obras que fueron escritas en francés, total o parcialmente por César Vallejo. La traducción y notas corresponden a Carlos Garayar en gran parte, mientras que Françoise Cassé se hizo cargo de la traducción al castellano de la "Primera versión del último acto".

La reproducción de estos escritos se ha hecho en base a unos escritos dactilográficos que se encuentran en la Sala de Investigaciones de la Biblioteca Nacional del Perú, en Lima.

Son escritos que han tenido una vida accidentada que se remonta hasta las vísperas de la segunda guerra mundial, en Francia. Estos trabajos fueron entregados por Georgette de Vallejo a la legación peruana.

Al precisar esto, debemos señalar que dichos escritos corresponden a uno de los dos ejemplares que fueron entregados por Georgette de Vallejo a la Legación Peruana en París, cuando era inminente la invasión de las fuerzas nazis sobre aquella ciudad, durante la segunda guerra mundial.

Se trataba, asimismo, de copias que habían sido dactilografiadas por ella misma poco tiempo después de ocurrir la muerte de Vallejo.[1] Aunque en el caso de *Colacho Hermanos* parece ser que César Vallejo mismo la escribió.

Quien recepcionó los documentos, que incluían la prosa completa e inédita de C. Vallejo, fue el diplomático peruano Federico Mould Távara, quien por entonces se encontraba desempeñando funciones en la mencionada Legación.[2]

La finalidad de dicha entrega fue el resguardo de los documentos, que corrían peligro debido a la situación política de aquel entonces, hasta terminada la guerra, momento en el cual deberían haber sido devueltos a Georgette de Vallejo, tal y conforme ella lo ha afirmado.[3]

No nos ha sido posible encontrar un testimonio directo de Federico Mould Távara sobre estos hechos y su muerte impidió que pudiéramos contar con tal declaración que hubiese

---

[1] Para una información más completa sobre este punto cf. "Apuntes biográficos sobre César Vallejo", en *Obra Poética Completa* de César Vallejo, Lima, Mosca Azul, 1974.

[2] Éste y otros episodios relacionados con este punto han sido dados a conocer por la Sra. de Vallejo en un artículo aparecido en el suplemento del diario *El Comercio,* Lima, 11 de noviembre de 1973.

[3] Cf. "Apuntes...", pp. 396-397.

sido en extremo importante, debido precisamente a que fue su viuda la persona que entregó notarialmente dichos escritos, a través de una tercera persona, a la Biblioteca Nacional del Perú, el 18 de enero de 1972.[4]

Hay una serie de datos y hechos que deberán ser examinados con sumo cuidado, el primero de ellos es que la Sra. Georgette de Vallejo reconoció en ellos a las copias que ella misma había elaborado en las circunstancias ya mencionadas; rectificando así una afirmación vertida en 1974 en donde afirmaba que ella había logrado recuperar, luego de un incalificable incidente, las dos copias entregadas a la Legación Peruana. El segundo es que en su artículo aparecido en el diario *El Comercio,* indicaba a Federico Mould T. como la persona que recepcionó tales copias. El Tercero se refiere al discutible testimonio transmitido por el intermediario de la entrega,[5] a nombre de Elodie Barras Garcín de Mould, en el sentido de que tales documentos habrían sido entregados por César Vallejo, en persona, al diplomático peruano. El cuarto es que de acuerdo a lo escrito por Georgette de Vallejo en sus "Apuntes..." los documentos que ella había entregado a la Legación Peruana habrían comprendido la obra en prosa inédita y completa de César Vallejo; lo cual daría a entender el extravío de una parte considerable e importante de dichos escritos.[6]

Como se ha podido apreciar, hasta la fecha hemos logrado precisar con claridad la fuente de estos escritos y su autenticidad. Resta, sin embargo, realizar un seguimiento de los mismos durante más de treinta años, con la finalidad de poder conocer el destino que podrían haber tenido las copias que unidas a las que actualmente se encuentran en la Biblioteca Nacional harían la obra en prosa completa de César Vallejo.

Las posibilidades abiertas con lo ya encontrado, ahora en cuidadoso resguardo de la Biblioteca Nacional del Perú, nos permiten intuir justificadamente, el importante significado que tendría hallar los escritos restantes; ya que contribuirían, sin lugar a dudas, a completar la nueva perspectiva en la cual deberá estudiarse el trabajo intelectual de César Vallejo.

---

[4] De acuerdo al Acta de Presencia con la que se oficializó la entrega a la Biblioteca Nacional, el intermediario fue el sacerdote Gerardo Alarco Larrabure.

[5] Cf. Art. de *El Comercio.*

[6] Los escritos que se encuentran actualmente en la Sala de Investigaciones de la Biblioteca Nacional del Perú comprenden: *Hacia el reino de los Sciris, El arte y la revolución, Contra el secreto Profesional, Les Taupes, La Mort, Colacho Hermanos, Escenario, Dressing Room, Le songe d'une nuit de printemps, Suite et contrepoint, Notes sur nouvelle esthétique théatrale, Temas* y *Notas Teatrales.*

Finalmente, es necesario precisar que a pie de página se transcribirán anotaciones que aparecen en los documentos originales, a fin de que se las tenga en cuenta, ya que con frecuencia dichas notas han sido mencionadas a lo largo de la presente investigación.

NOTAS SOBRE UNA NUEVA ESTÉTICA TEATRAL *

–El teatro es un sueño.

–Las leyes del sueño aplicadas a la escena con esa arbitrariedad y esa libertad del sueño.

–La incoherencia de las metamorfosis, las contradicciones aparentes, la lógica profunda, la dialéctica subterránea, el orden esencial en el desorden de superficie.

–El autor y aún su mujer y su familia intervienen en las peripecias del sueño, es decir, del drama que él sueña.

–Un actor debe advertir al público de lo que se trata, de que va a asistir a un sueño en forma de pieza y que no hace falta que los espectadores se sorprendan de lo que van a ver.

–El juego escénico así concebido debe apoyarse en un juego de luces y sombras.

–En el fondo la vida no es más que eso: una combinación de sombras y luces. Ella no es conocible, agarrable y descubierta y creada sino atrapándola en los rincones y fisuras, orificios y claros de ese juego.

–Así son también, en general, las leyes del pensamiento: leyes de espontaneidad, de libertad. Yendo por una calle el pensamiento funciona de un modo incoherente y contradictorio. Se ordena encadenándose tontamente sólo cuando aparece en un discurso o novela o conversación.

–Es la vivisección de la creación en el teatro. Ahí se descubre la génesis de los elementos de la creación, su montaje, todos sus procesos, vacilaciones caóticas, etc., exactamente igual que en la naturaleza.

---

* *En la portada: París-1934 (diciembre).*

Las frases que en el original están en español, van de cursivas y llevan asterisco.

–A eso he llegado, empujado y exasperado por las dificultades propias de la manera actual de considerar el teatro.

–No se trata de ser original ni de asombrar al mundo sino de deducir objetivamente las consecuencias del estado actual del teatro, de sus actuales recursos y dificultades, de su atolladero y de las causas de ese atolladero.

–Eso se relaciona con la locura y el teatro primitivo, chino, misterios medievales, tragedia griega, etc., no se burlaron poco de la verosimilitud y el sentido común.

–Así, pues, hay que derribar esta frontera entre subjetivo y objetivo, entre lírica y épica, entre autor y obra creada. Se subjetiviza, así, la obra escénica que debe ser obra de poeta, en la cual aquél pueda contemplarse él mismo y no solamente a través de sus personajes.

–Es la liberación del teatro de los yugos y trabas actuales, estrechos y que condenan a la escena a un anquilosamiento de momia.

–Otra cosa, hacer intervenir a los autores en las piezas ya escritas y montadas, haciéndoles enfrentar con sus personajes para hacer a éstos vivir y obrar de otro modo. La eterna elaboración artística. Ese es otro asunto, diferente del teatro es un sueño.

–La teoría, evidentemente, supone cambiar mucho el decorado. Por el momento, uno se puede resignar a no servirse más que de reflectores y escenas cambiantes.

–Los personajes del teatro deben dar la apariencia de no restituir la realidad extra teatral sino que deben actuar una comedia independiente del mundo real, la cual es posible sola.

–Habrá que hacer intervenir a los espectadores en la escena y, viceversa, los actores retirarse a las galerías. Es, quizá, el único juego propiamente teatral que puede diferenciar el écran cinematográfico –en el cual el espectador no puede intervenir– del tablado en el que sí puede entrar y participar. *Esto también semejaría la escena a los treteaux de las ferias, en que el público es llamado y admitido a realizar o constatar la verdad, autenticidad y belleza de la hazaña.**

–Pero en todo esto, ¿cuál sería la meta de conjunto de este teatro? Interpretada la pieza, ¿cuál sería la emoción final que se desprendería de la representación? Respuesta: esa emoción sería una emoción caótica debiendo organizarse y sintetizarse en el espíritu de cada espectador.

–Pero, se objetará, la impresión del espectador ante la escena *debe ser*[1] instantánea, producto de un solo golpe, igual que el

[1] Subrayado en el original.

relámpago, en tanto que la impresión del lector de una novela, o un poema se desprende y se hace poco a poco, a medida que los lee.

–Respondo: ¿Por qué ese *debe ser*? ¿Quién ha impuesto ese *debe ser* al teatro? ¿Y por qué no romper esa ley caduca, es *debe ser* derogado y en plena quiebra en nuestra época? Evidentemente, esa derogación final y definitiva es cuestión de coraje que hay que realizar. Hay que romper ese *debe ser:* he ahí la tarea que cumplir. Nada más.

–... sobre el escenario, con sus leyes, sus instintos, intereses y destinos de naturaleza diferente a aquellos de la vida corriente. El teatro no es más el espejo de la realidad, es el reverso de ella. No hay que buscar verificar o identificar ésta en aquél.

–Una cierta coherencia arbitraria, confusión aparente. Una suerte de sinfonía tupida y densa. Pero el espectador sale lleno de emoción, pleno de un sentimiento de síntesis cósmica.

–Introducir, si es posible, personajes divertidos –fantoches y marionetas que cruzan la escena sin lazo aparente con las vedettes.

Uno dice: Y bien, no estoy para hacer teatro sino para vivir, beber, buscar a alguien o algo que haga mientras dice aquello.

Otro dice: hagamos teatro para mejorar.

Etc., etc.

–Sembrar aquí y allá la acción principal de escenas-relámpago, fugaces, que sin ligarse visiblemente al tema, sin embargo formen parte integral de él. Ejemplo: pequeño pionero que rinde una especie de examen con su padre y ante un periodista extranjero. U otra cosa.

–Servirse, quizás, del concurso del cinema (Piscator).

–Es una manera de mostrar el organismo actual del teatro, pieza por pieza, para hacer un nuevo engranaje; así se practica en él, un montón de huecos, ventanas, puertas; se le da nuevas articulaciones, se le suaviza, se le da nuevas arterias que desembocan en nuevas formas. En resumen, es un renacimiento, una renovación esencial de la escena.

–Las artes plásticas, la música, el cinema gozan de grandes libertades para organizarse y para ofrecer formas complejas, creadas completamente –Lipchitz, Picasso, Schöemberg, Hindemith, Stravinsky, Prokofief, los negros, los salvajes, Tziga Vertof (El Operador), el empleo de lo vago, de imágenes intercaladas, la inserción de las imágenes entre ellas mismas, la superposición de unas sobre las otras, la película *Niza* en las Ursulinas, en fin, los dibujos animados–. ¿Y el teatro? ¿Qué hace él en este dominio? ¿Chanteclair? ¿El pájaro azul? ¿Los pájaros, de Aristófanes? ¿Las escenas múltiples y simultáneas de Brückner? ¿La ficción bonachona de los telones de fondo móviles de los decorados? ¿Los juegos de luces a la manera del Pigalle? ¿El empleo de monigotes o *muñecos* * (peleles) a lo Meyerhold? ¿La puesta en escena automática e instantánea del teatro de la revolución, en Moscú? ¿Qué más? El mismo music-hall tiene libertades formidables que le permiten lograr efectos fantásticos de coreografía. ¿Pero el teatro...?

–Mi teoría apunta hacia una revolución a fondo de la materia teatral y no de la sustancia sicológica o del contenido humano de las piezas. Jamás se podrá renovar ese contenido en tanto que la máquina teatral, es decir, su molde, quede como es desde hace siglos. Pirandello ha tocado uno solo de los aspectos de este escollo, el menos movedizo, el menos cambiable y con el que no hay nada que hacer; pues se trata de una dificultad original del teatro naturalista o realista. Fuera de ese teatro –teatro fatástico, antiguo, moderno (teatro chino, misterios de la Edad Media, guiñol de niños, etc.)– el problema que él plantea desaparece.

–No es exactamente un teatro fantástico o *deshumanizado* lo que quiero sino, por el contrario, deseo introducir en escena la mayor cantidad posible de vida y realidad. Solamente hay que teatralizar ese material, darle una existencia expansiva, elástica, ágil e infinita: la existencia escénica, las necesidades de la cual se burlan de las leyes y convenciones del mundo corriente.

–La gran dificultad, como en toda empresa creadora, es saber tener éxito en ella. Aquí también hay muchas posibilidades para el trucaje, lo falso, el artificio. En resumen, se puede perder el ideal. ¡No importa! Eso es asunto de las cualidades del creador o de la nulidad del impostor. Es todo. También en el teatro de hoy se marra el ideal y hay buenos y malos dramaturgos.

–¿Y los Giradoux, los Evreinoff, los Paul Raynal, los Cocteau, los Berstein, los Passeur y Cia.? ¿Y los autores soviéticos? ¿Y los americanos –O'Neill, Sutton Vane, Edición Especial, 145 Wall Street, Mary Dugan, Periferia–? ¿Y Piscator? Este ha hecho, a fin de cuentas, algo verdaderamente renovador, pero sobre todo en el campo del decorado y nada más. ¿Y qué aportan los surrealistas al teatro? ¡Nada!

–La poesía, la novela, el cuento, la novela corta disponen de enormes libertades! Sobre todo el poema y la novela.

–Derogar para siempre los eternos *tres actos* y 20 cuadros.

–Inventar un personaje destinado a coordinar las diversas escenas, algo así como el coro antiguo, el rol del cual queda fuera de la pieza.

–Acondicionar al costado de la escena una segunda escena o cuadro en la que ocurran todos los acontecimientos ligados al estado espiritual y a las fuerzas activas de los personajes: sería una especie de laboratorio o de cerebro o de motor de la acción principal, reaccionando sobre aquélla por intermedio de otros personajes y fuerzas desplegadas sobre la segunda escena. En ese caso, el comienzo y el fin de cada pequeño cuadro en la segunda escena sería una alusión directa o indirecta a la acción principal para encadenarse bien orgánicamente a ella.

–En otras palabras, ¿habría que crear cuadros accesorios que no tuviesen otro encadenamiento visible con la acción principal ni otra razón de existir que aquella de adecuarse plásticamente o de realizar el equilibrio o la armonía de ideas, pasión o hechos con los otros cuadros anteriores o ulteriores? ¿Como en Piscator? En ese caso todos los cuadros deben ser cortos, rápidos, elípticos, zigzagueantes como el relámpago: algunas réplicas o acontecimientos o pausas condensarían el sentido y el contenido.

–El tema o la unidad de conjunto resultaría de la síntesis mental que cada espectador haría basándose sobre las diversas escenas vistas. Cada uno tendría, así, una impresión diferente.

–Ejemplo de asunto: lo que sucede en una casa particular (la de Varona) en Moscú, en 1931, durante una tarde, una semana o un año, es decir, durante el tiempo que sea necesario para redondear y definir un drama o comedia cualquiera. ¿La película de Niza?

–O, igualmente como asunto lo que hace la gente que tiene que arreglar cuestiones entre ella, hasta el desenlace o liquidación de esas cuestiones. En ese caso los lazos de la acción pueden ser numerosos.

–El actor debe llegar a representar a su personaje mejor que éste (El hombre llamado Jueves, Chesterton). Es que la verdad teatral es independiente de la verdad real y, en un sentido cósmico e intemporal, más verdadera que la verdad real.

–¿Los personajes deben recitar lo que quieren? Nada de texto impuesto por el autor. ¿Nada de réplicas aprendidas sino, sobre todo inventadas e improvisadas por el actor, siguiendo solamente un marco de diálogo, un límite, en profundidad y en extensión, propuesto por el autor? ¿Un esquema? 1932: un grupo teatral intentó ya la experiencia.

–Escenas invisibles de las cuales solamente las palabras son percibidas aferrándose a la acción visible. Palabras sueltas, ruidos, silencios, gemidos o suspiros, jadeos, ronquidos o gargajos, pasos, aplausos, escaleras que uno sube o baja, saltos, chirridos de carros o de zuecos, relinchos de jumentos, ladridos de perros. Portazos, tic-tacs de péndulos, bofetadas, cosas que crujen o se rompen, puñetazos sobre la mesa, máquinas de escribir, telefonazos. Lecturas o trozos de lectura (El ruido de un fuste o un anillo, en Rilke). El clacson de un carro de bomberos. Gentes que se suenan las narices o que vomitan. Un final de discurso. Un comentario sobre un cuadro. Trozos de música. Papeles que uno desgarra. Chirridos de cama donde se duerme o se hace el amor. Ruido de gentes que se pelean o que hacen juntas un trabajo material o intelectual. Un tren que pasa. Un desfile de soldados a pie. Paso de un cortejo fúnebre. Un gramófono. Voces que cantan. Gentes que lloran. Alguien que grita: *¡Está muerto! ¡Acaba de morir!* Una mujer que da a luz un niño. Una operación quirúrgica. Ruido de un carpintero, de un zapatero, de un herrero, de un hombre que dicta, de un grupo que juega a las cartas. Palabras de un borracho o de un mozo de café. Un portero que da vuelta y media a alguien. Un tiro de revólver. Se corta las hojas de un libro. Se lee un poema. Se cuchichea cosas incomprensibles. Se escobilla el suelo. Se corta la carne y se oye venderla, pesarla. Voces en un mercado. El viento que sopla. Alguien que toca a una puerta. Un médico que cura una herida o hace un diagnóstico. Un niño que ríe a carcajadas y un final.

–Hay que educar al público, exigirle mucha atención, mucho silencio y vista, mucha paciencia.

–Los hechos o fragmentos de acontecimientos que atraviesan la escena aferrándose también en la acción principal –alguien espía, un terno sobre un portabrigos llevado por dos personas, un libro abierto, se conduce a un herido, se pasa llorando o riendo, se transporta un cordero, pasa un señor alto, dos personas pasan discutiendo o peleándose, una gruesa cuerda pasa, una silla que se eleva ella sola hasta el techo, se lleva una bandera al hombro, un árbol crece y se va solo, unos pies –pies solos– pasan por la calle alta de la escena, una cabeza o muchas atraviesan sin cuerpos, una grúa funciona un instante levantando unas medias o unos zapatos o unas palabras talladas en madera o en piedra, dos actores pasan. En fin, cualquier cosa de los dibujos animados, pero ¡cuidado! No tocar los dibujos animados...

¿Es posible hacer convivir y mezclar personajes con otros personajes sin que lo perciban ni los unos ni los otros?

Establecer una suerte de escenas capilares, cerradas, impermeables entre ellas y en las cuales los personajes de una escena, estando sobre el mismo escenario y al costado de la otra escena, no vean, no oigan a los personajes de la escena vecina? ¿Por qué no? Esto no es posible en el mundo real pero sí en el teatro. El problema está en lograrlo.

–Toda la cuestión consiste en descomponer el teatro actual, sus escenas, sus actos, sus cuadros, sus entreactos, en sus elementos más simples para después recomponer el conjunto de una manera totalmente diferente: ordenarlos, cortarlos, combinarlos, dorarlos, hacerlos alternar y encadenar (engranar) según otro sentido estético y otra orquestación escénica. He ahí la cuestión. ¿Cuál es el elemento más simple, el electrón teatral? ¿Una réplica? ¿La entrada o la salida de un personaje? ¿Un golpe de luz o de sombra del reflector? ¿Un paso? ¿Aún una sola palabra? ¿Incluso un silencio? ¿El levantar el telón? ¿Una pausa? ¿Un gesto? ¿El decorado?

–El pirandelismo o el freudismo de *Fabla salvaje* y de *Más allá de la vida y de la muerte.*

Un personaje habla solo en el escenario cuando se queda solo. Él habla para sí, aparte, delante de otros personajes. ¿Por qué, entonces, no hacer obrar a los personajes delante de otros personajes como si nadie estuviera ahí, es decir, por qué no concebir personajes invisibles los unos de los otros, estando todos juntos en la escena y visibles para el público?

–No habrá que exagerar o llevar muy lejos el impulso renovador del sistema que propongo. ¡Cuidado!

–Sin duda hay que escribir un texto diferente de aquel de las piezas que he escrito hasta aquí. Un texto nuevo, concebido según esta nueva concepción teatral. Las piezas que tengo no van en ese sentido.

–Tomar una pieza teatral de otro autor (Karamazav, por ejemplo) y dar, a partir de cierto pasaje, una direción o sesgo teatral diferente. Rehacer esta pieza del modo como un sabio edifica sobre la obra de un sabio precedente.

–Mezclar un acto de una pieza con aquel de otra. ¿Qué puede resultar de ello?

–Pirandello se empecina en crear un teatro con personajes y peripecias no reales ni naturales, tomados de la realidad pero abstractos, inventados por el autor. Muy bien. ¡Y qué! La cosa no cambia nada porque los personajes del teatro consciente, realista, tomado de la realidad, toman, apenas aparecen sobre el escenario, también una existencia precisamente abstracta, irreal, inventada. Por lo tanto, Pirandello no ha inventado nada. Sus 6 personajes son, vistos en escenas, personajes reales, provistos de todas las características de cualquier transeúnte o de cualquier personaje de Pagnol o de Guitry, abstracta, irreal, inventada. Por lo tanto, Pirandello no ha inventado nada. Sus 6 personajes son, vistos en escenas, personajes reales, provistos de todas las características de cualquier transeúnte o de cualquier personaje de Pagnol o de Guitry. En pocas palabras, *se ha orinado fuera de la bacinica.* *

–Diálogo de un sordo con cualquiera que no lo sea. Cómico por las respuestas que se cruzan.

¿Por qué no hacer intervenir en el teatro a los ciegos, los mudos, sordos, etc.? ¿Por piedad? ¿Para no reírse o llorar de ellos? ¡La bella hipocresía!

–Crear enanos, *con chicos con barbas, etc. Un grupo de enanos en escena, muy cómico!* *

–Evidentemente, toda esta nueva estética sólo es posible con un capital financiero, para realizar las obras y luchar con el público. A éste hay que educarlo con tenacidad y paciencia. *

–Artaud ha intentado, por lo que dicen, renovar el teatro, pero ¿qué ha hecho? Se contenta con atacar la puesta en escena y eso es todo. Retoma, en efecto, una pieza, *Les Cenci* (?) de Schiller,[2] concebida de modo clásico, y la realiza (?) en el escenario de una manera grandilocuente, mórbida, a golpe de *monstruosidades,* de sangre, de gritos, de campanas al vuelo, de verdugos, en fin, de personajes y hechos degenerados, de pesadilla. Ha querido *asustar a la gente* * y eso es todo. ¿Qué ha hecho, a fin de cuentas? Nada.

(inacabado)

París, diciembre de 1934

[2] Posible error mecanográfico. La tragedia *Les Cenci* fue escrita en 1819 por el poeta inglés Percy B. Shelley (1792-1822).

TEMAS Y NOTAS TEATRALES *

(hacia) 1931-32

–*Agencia telegráfica demontada (sic)* como Vient de paraître. *(Acaba de aparecer)* (para los fines consiguientes).

–*(Una serie de escenas burlescas y bufonescas, como los dibujos animados, libres e imaginativos, quizás renovarían el teatro moderno.)*

–Un marido que finge la neurastenia a su mujer. Otros personajes: el hermano que vende a su hermana o el esposo que vende a su mujer por miseria: crisis capitalista, como sucede hoy en Alemania.

–Una tienda de armas, para ver a los suicidas.

–*(Agencia de empleos, serie de cuadros con el mismo personaje: aquél que da los empleos.)*

–Una pieza que comienza: un personaje que entra y dice: *(Tengo ganas de hacer pipí...)* Un nuevo sistema de motivos psicológicos: ponerse triste porque, verbigracia, se desdobla muy bien un papel, etc., etc.[1]

–Los criados, en una pieza, deben hacer cosas que no es menester escribir en el texto del drama.

–Tres personajes: Larrea (que las peores cosas están bien), P. Abril (que se queja de saborear mucho y grandes placeres), M. Tiphaine (que se queja de no tenerlos).

---

* El texto que aparece en cursivas y entre paréntesis es traducción del francés.

[1] *Tengo ganas de hacer pipí:* caso más o menos semejante visto después en *Razas,* en l'ouvre, de Bruckner.

(hacia) 1933-34

–*(Un médico encargado de matar, por prescripción médica, a un gran político (caso Herriot).)*

–Una mujer esterilizada o un hombre castrado por los nazis.

–Diez hombres gordos y zoquetes sentados, dando el culo al público.

–Una estética teatral nueva: una pieza en que el autor convive, él y su familia y relaciones, con los personajes que él ha creado, que toman parte en su vida diaria, sus intereses y pasiones. No se sabe o se confunden los personajes teatrales con las personas vivas de la realidad.

(hacia) 1933-36-37

Un personaje teatral: médico Guevara. Se encuentra, sin saberlo, con Mussolini incógnito y le habla con *sans façons,* desparpajo y pedantería del propio Mussolini. Este le oye humildemente como quien no conoce a Mussolini.

Éxito cómico formidable!

–Una mujer que debe hablar a su marido por escrito: los *(hastiados)* de la burguesía.

Una situación. Rivalidad de superioridades. Cómico.

–Un hombre recuerda su pasado feliz y relata, paso a paso, sus éxitos, delante de otro que recuerda un pasado doloroso y relata, paso a paso, sus fracasos. Contrastes en diálogo teatral terrible!

–El marido y la mujer disputan porque cuando estuvieran en el paraíso; él le quitaría a ella la buena plaza que le corresponde y ella le quitaría a él la suya. (Mme. Jhal). Cómico.

–Una escena: construcción de una casa –los muros, la altura, los obreros.

–Otra escena: diálogo en una noche oscura. Los personajes no se ven y sólo se oyen. (Radioteatro).

–Otra escena: una pareja, su vida de *(pequeño burgués)* y su desacuerdo. Él escribe su vida en una obra teatral, ella le dice que no es así. (Pirandelismo).

–Personaje (Lora): de pureza absoluta: decir a quien va a asesinarle. Ser novio para siempre. (Trilce).

–Una mujer que debe hablar a su marido por escrito: los *blasés* de la burguesía.

–Dos individuos que, recíprocamente, creen tomarse el pelo uno al otro: los *(hastiados)* de la burguesía.

–Un círculo de mendigos secreto: su organización, sus intereses, su psicología.

–Personajes de fidelidad metafísica y fatal, que deja llorar o reír y no quiere contrariar a las personas a quienes es fiel.

–Dos tipos de artistas (Uno sobra. El otro le dice: "si yo estoy aquí, tú estás de más").

–El personaje pobre que pasa por millonario. Círculo secreto de millonarios.

–Un cuadro en el Instituto Central del Trabajo: Música rítmica, producción técnica.

–Introducir o renovar la materia teatral con nuevos elementos de acción y de conducta humana: el viento, la lluvia, el sol, las plantas, los animales y las máquinas, pasando o haciéndose sentir por la escena. El destino y la conducta y los actos del hombre influidos y modificados por todos estos nuevos elementos.

Un hombre que va a asesinar, siente pasar un viento que le trae una voz lejana. Ya no va a ver a su víctima. Ya no la mata. Y así en los demás casos.

Acordarse de la atmósfera tropical y andina de aquella mi novela *El cóndor de la tierra.* Acordarse de la escena de las máquinas en *Lock-out.*

–Uno lee poemas a otro y éste le oye cabeceando mientras el primero se enardece leyendo. *(Muy gracioso.)*

–*(Un ambulante vende su mercadería: la elocuencia popular y el espíritu de la feria.)*[2]

–Una pieza teatral que se hará toda entera en una pieza al lado de la escena visible, con telón levantado. Se oye sólo las palabras o texto de la pieza.

–Un cuadro teatral: el interrogatorio con tortura de un militante revolucionario, en Alemania, Austria, España o China. Un heroísmo formidable.

–Un ciego que dice y siente cosas formidables para los que tienen sus ojos.

–El que mató de un grito.

---

[2] Debía ser tratado en *Vestiaire* (Nota del texto).

LOS TOPOS *

ESCENA PRIMERA

Un pequeño salón en casa de Lory, por la tarde. Una puerta al fondo y otra a la derecha. Revistas, periódicos y libros sobre las mesas, los divanes y en el suelo. Atmósfera intelectual. Una cierta elegancia aunque sin lujo.

Mampar, porte esmerado, aspecto tímido y neurótico, lee a Tolstoi, Lory y Tralves le escuchan atentamente. Lory, de aspecto impresionable y nervioso, está vestida con coquetería y sensualidad.

Tralves es de una corrección formalista en su vestimenta y maneras.

MAMPAR, *leyendo: ...pero ese día, silencioso, lúgubre y abatido, él miraba a su alrededor como si no entendiera nada. Viéndole tan preocupado, sus amigos comprendieron sin esfuerzo que estaba absorbido por un asunto penoso e insoluble...*

LORY, *interrumpiendo:* Tolstoi, en resumidas cuentas, me aburre, tú sabes. No me agrada como antes, cuando recien salí del Liceo... ¡Cómo se cambia con los años!

TRALVES: Tolstoi, evidentemente, no es de nuestra época. Estaba bien hace treinta años o cuarenta o aún más, y en Rusia; pero ahora, después de la guerra, después de la revolución rusa, con el progreso de la técnica y el nuevo espíritu surgido de la máquina, el misticismo de Tolstoi ha caducado hasta para los rusos.

MAMPAR: A mí no me gusta sino en parte. La única cosa que me interesa de él es sus sistema moral, su racionalismo...

---

* En la portada del documento que se encuentra en la Biblioteca Nacional del Perú, folio 312, se dice lo siguiente: "La premiére piece de César Vallejo".

TRALVES: Eso es justamente lo que menos me interesa. No concibo, no puedo conciliar su racionalismo con su misticismo religioso. Todo racionalismo religioso es, en mi opinión, un absurdo, algo contradictorio, híbrido. Me explico...

LORY, *interrumpiendo:* Yo prefiero a Dostoievski, por ejemplo.

MAMPAR: Sin embargo, hay en Tolstoi un camino, una orientación. En Dostoievski todo es caótico.

LORY: ¡Por supuesto! No podía ser de otro modo. ¡Es caótico como la vida!

TRALVES: Por otra parte, Tolstoi es el peor de los cristianos: el cristiano vegetariano, y ese género de cristianos me asquea.

LORY: ¡Ahí está! ¡Eso me gusta! Estoy completamente de acuerdo con su opinión, Tralvès.

MAMPAR: ¿Cómo que *completamente de acuerdo con su parecer?* Tú me habías dicho que en cuestiones literarias Tralvès tiene las ideas más chuscas y hasta bobas. En pocas palabras, que es más bien estúpido...

LORY, *atónita:* ¡Oh!... ¡Mampar!... ¡Qué estás diciendo!...

MAMPAR: Y no pienso que hayas cambiado tan rápidamente de parecer. Hay ciertamente un error en este acuerdo improvisado sobre Tolstoi.

LORY: ¡Nunca he formulado semejante injuria! ¿Podría acaso expresarme en esos términos de Tralvès?

TRALVÈS, *riéndose a carcajadas:* pongamos que usted haya dicho aquello. Y bueno, por dios... cada uno con sus ideas.

LORY: Pero no, en absoluto. *(A Mampar)* ¡Te has vuelto completamente loco!

MAMPAR: No, no. Acuérdate. ¿Por qué ocultar la verdad?

LORY: ¡Pero qué te pasa! ¡Esto es inaudito!

TRALVÈS: Señorita, él simplemente repite lo que usted piensa. Eso es todo.

LORY: Miente como un loco, se lo digo. Tú me calumnias. *(Reprime un sollozo)* Tú mientes.

MAMPAR: Sin embargo, tú sabes bien que jamás miento.

LORY: No le crea nada, Tralvés, se lo juro. Mampar es un enfermo. *(A Mampar)* No es la primera vez que haces revelaciones semejantes a los amigos. Sin embargo, me habías prometido no volver a empezar. El señor Tralvès apenas me conoce. ¡Qué va a pensar de mí de ahora en adelante!

MAMPAR, *inalterable:* Mi franqueza te incomoda, lo sabes bien. Pero no puedo ir contra mi carácter, qué quieres...

TRALVÈS, *disponiéndose a partir:* Bueno, amigos míos, me escapo. Tengo que hacer, excúsenme. *(Tiende la mano a Lory)*

Hasta la vista, señorita. Hasta muy pronto, espero. Y no se aflija.

LORY: ¿Parte usted, Tralvès? Me ve usted abrumada. ¡Tengo tanta vergüenza! ¡Cómo poder excusarme!

MAMPAR, *a Tralvès:* ¿Parte usted, amigo mío? Pero no, quédese todavía un poco más, se lo ruego.

TRALVÈS: Lo lamento, amigo mío, pero es imposible. Tengo una reunión urgente. *(Mampar acompaña a Tralvès hasta la puerta)* Hasta la vista, señorita. *(Desaparece)*

LORY: Hasta la vista, señor Tralvès. *(Pausa. Después, con un rencor terrible, a Mampar)* Y bien... ¿estás contento ahora?

MAMPAR: ¿Contento de qué?

LORY: ¡Contento de qué! ¿Y me preguntas que contento de qué?

MAMPAR: Pero, querida, no hice más que decir lo que piensas de él. No he inventado nada.

LORY, *con desesperación:* ¡A dónde iremos a este paso, Dios mío! Has ofendido a Lysa y a su tía. Has insultado a los médicos que atienden a tu madre. Nadie quiere tener intimidad contigo porque eres incapaz de guardarte nada, ni siquiera lo que te concierne. ¡Es el colmo! *(Tocan a la puerta)* ¡Entre!

UNA CRIADA, *abriendo la puerta del fondo:* El señor Martel, señorita.

LORY: Hazle entrar.

MAMPAR, *a Martel, que aparece:* Me parece, señor, que haría usted bien en no volver a poner los pies en este lugar. *(Martel, estupefacto, se detiene en seco.)*

LORY, *confundida:* ¡Mampar! ¡Te vas a callar! Se lo ruego, Martel, entre.

MAMPAR: No entre, señor, se lo ruego. Además, me es usted perfectamente antipático. Usted me da... usted me dio desde el primer momento la impresión de ser un canalla. No puedo soportar su presencia...

LORY: ¡Dios mío, se ha vuelto completamente loco! ¡Qué cosas dice ahora! Entre, Martel, se lo pido. No haga caso. Entre, Martel.

MAMPAR: ¡Ah, no, señor, permítame! Le he rogado que salga. Salga, por favor. Salga.

MARTEL: ¡Pero no es posible! No entiendo nada de esto. ¿Yo un canalla? ¿Por qué un canalla?

MAMPAR, *a Lory:* Este no es un amigo. Lo siento claramente. *(A Martel)* Por su rostro y sus maneras me doy cuenta de quién es usted. Y no me equivoco a menudo.

LORY, *tomando a Mampar del brazo:* ¡Basta! Pasemos al otro salón. Salgamos *(A Martel)* Espéreme, Martel. Un minuto, se lo ruego. Siéntese, por favor.

MARTEL, *librándose y saliendo rápidamente:* Lo lamento infinitamente pero, francamente, no *(A Mampar)* Y a usted le pediré explicaciones otro día. *(Desaparece)*

MAMPAR: Cuando usted guste, señor.

LORY, *trémula de cólera:* ¡Pero esto es insoportable!... ¡Es idiota!... ¡Es... grotesco!... ¡Lo que te hace falta es un médico!

MAMPAR: Pero, Lory, lo que hice no es contra ti.

LORY, *solloza:* ¡Dios mío, cómo lamento haberte conocido!... ¡Como si no fueran poco tu conducta y tus manías!... ¡Y además está el odio de tu madre...!

MAMPAR: Tú sabes que está enferma. No seas injusta.

LORY: ¡Enferma! ¿Soy acaso responsable de que esté enferma? ¿Por qué quieren ustedes dos hacer de mí una víctima de sus males?

LA CRIADA, *abriendo la puerta del fondo:* El doctor Lafranc, señorita.

MAMPAR, *listo para partir:* ¡Hombre! A propósito, mientras recibes a Lafranc voy a la farmacia a hacer preparar la receta para mamá y regreso en seguida. *(Sale por la puerta de la derecha)*

LORY, *a la criada:* Hazle entrar.

LA CRIADA: Sí, señorita.

EL DOCTOR LAFRANC, *muy viejo, entrando:* Buenas tardes, mi querida Lory. ¿Cómo está usted, mi pequeña? *(Le tiende la mano)*

LORY, *con amabilidad:* Pero pase, doctor. Muy bien, ¿y usted? ¿Qué milagro es éste?

EL DOCTOR: Discúlpeme, no vengo sino por un momento. ¿No ha venido Mampar?

LORY, *vacilante:* No. Quiero decir sí. Ha venido esta mañana.

EL DOCTOR: ¡Ah, ah! ¿Y no ha vuelto esta tarde?

LORY: No, doctor. No ha vuelto esta tarde. ¿Por qué? ¿Tenía usted algo que decirle? ¿Cómo está su madre?

EL DOCTOR: Vengo justamente de su casa. Siempre igual. Me pidió pasar por aquí a decirle a su hijo que le lleve los medicamentos que deben estar listos desde esta mañana. Pero... entonces, ¿no podría decirme dónde está Mampar en este momento?

LORY: Quizás esté en la biblioteca.

EL DOCTOR, *consultando su reloj:* Tres horas...

LORY: Pobre señora. Usted no sabe cuánto me preocupa su enfermedad. Mampar sufre mucho. Y yo también, naturalmente.

EL DOCTOR: Me lo figuro, mi pobre amiga.

LORY: Pero, doctor, ¿de qué enfermedad se trata? ¿Sigue usted pensando que es cardíaca?

EL DOCTOR: En verdad, el caso es muy difícil de definir. Apenas la he observado... tres visitas... eso no es suficiente para formular un diagnóstico seguro, definitivo. Sin embargo, por los síntomas, la cosa vendría del corazón...

LORY: Usted sabe que le doctor Fadoux cree que es una simple fatiga dispépsica. Laurent, por su parte, es un poco de esa opinión.

EL DOCTOR: Es posible... es muy posible... En cuanto a mí, no me sorprendería que se produjesen, dentro de poco, los desórdenes y accidentes que demostrarían más claramente lo que sostengo. Por ejemplo, desvanecimientos, vértigos, asfixias momentáneas, enfriamientos parciales. Cualquier emoción puede provocar esos accidentes: una cólera, una fuerte impresión, un dolor moral.

LORY: Espantoso.

EL DOCTOR: Oh, sí... espantoso.

LORY: De suerte que las penas... las contrariedades pueden serle funestas...

EL DOCTOR: Funestas y hasta fatales. Mampar, por lo demás, lo sabe bien.

LORY: Qué horrible. ¡Pobre señora!

EL DOCTOR: Tampoco tengo necesidad de insistir sobre los cuidados de los que debe estar rodeada. Hay que poner mucha atención...

LORY, *interrumpiendo:* Ah, doctor, en lo que a mí concierne, hago todo lo que está a mi alcance... *(Tocan a la puerta)* Sí. Entre. Créame, todo lo que está a mi alcance para...

LA CRIADA, *entrando con un expreso:* Una carta urgente, señorita.

LORY: Gracias. Si me permite, doctor.

EL DOCTOR: Se lo ruego. *(Lory lee la carta y la deposita sobre el escritorio)*

LORY: Como usted imagina, doctor, Mampar y yo hacemos todo lo que podemos para rodearla de calma y tranquilidad.

EL DOCTOR, *con satisfacción:* Hace bien, mi pobre amiga. Hace bien, más que nunca. *(Se levanta disponiédose a partir)* Excúseme por retirarme tan rápido. Es la profesión: los enfermos me esperan.

LORY: ¿No tomaría una copita, doctor?

EL DOCTOR: Imposible, mi querida niña. Tengo un enfermo grave y ya estoy retrasado. Será para otra vez. *(Le tiende la mano a Lory)* Hasta la vista, Lory. Hasta muy pronto.

LORY: Hasta la vista, amigo mío. Y espero también que muy pronto.

EL DOCTOR: Si Mampar viene...

LORY: No se preocupe, doctor; irá donde su madre en seguida.

EL DOCTOR, *desde afuera:* Perfecto, perfecto. Hasta la vista.

LORY, *sola, se deja caer sobre una silla y se sume en profundas reflexiones. Vuelve a leer la carta. Da algunos pasos, sombría. Pausa.*

MAMPAR, *entrando por la puerta de la derecha:* ¿Y el doctor? ¿Se ha ido?

LORY, *firme:* Sí.

MAMPAR: ¿Qué quería contigo ese buen hombre?

LORY, *con la misma actitud:* Nada... nada... Pasaba por ahí y entró a saludarme como lo hace habitualmente. No es nada nuevo. Y ya se ha ido.

MAMPAR, *después de reflexionar:* ¿No le has preguntado cómo encuentra a mamá?

LORY, *alcanzándole la carta:* Una carta urgente de Solé. Hay que esperarle.

MAMPAR, *después de la lectura de la carta, contento:* ¿Crees que eso pueda marchar?

LORY: No se sabe. ¿Por qué no? Ya se verá lo que él proponga.

MAMPAR: Tienes razón. Hay que ver bien lo que proponga. Pero, ¿Crees que es absolutamente necesario que yo esté allá? Porque debo ir donde mamá llevándole sus remedios.

LORY: ¡Otra vez! Entonces, ¿es que no puedes prescindir de tu madre un instante? En cuanto a mí, te prevengo que sola no puedo arreglar nada con Solé. Si tú no estás allá, no hay que contar con que el asunto resulte.

MAMPAR: Pero, además, tengo tiempo de darme un salto a casa antes de que él llegue.

LORY: Amigo mío, haz como quieras. Vete a ver a tu madre. Lo demás se arregla solo. Tu madre hará todo desde su cama.

MAMPAR, *se agita, impaciente:* Pero esos remedios son urgentes. Además, regreso al instante. ¡Sangre de dios! ¡Sin embargo, Solé bien pudo haber dicho en qué momento iba a venir!

LORY: Ahora, si eso no te interesa, vete. Me encargaré de disculparte ante él. Puedes irte.

MAMPAR: No se trata de eso. Estoy seguro que estaré de regreso mucho antes de que él llegue.

LORY: Te he dicho que hagas lo que mejor te parezca.

MAMPAR: Es cosa de una media hora a lo más.

LORY: Además, ¡qué vaina! ¡Vete! En fin, tengo bastante. Ya encontraré el medio de salir de apuros con Solé ¡Lárgate!

MAMPAR, *afectuoso:* ¡Toma! ¡Me quedo! ¡Ya no voy! *(Va a tomarle las manos)* ¡No te molestes, querida!

LORY, *apartándose:* ¡No me toques! ¡Me repugnas! No eres bueno más que para hijo *(sarcástica),* para un buen hijo de mamá, pero no para marido. No eres más que un gallina de hijo. Quédate pegado a tu madre.

MAMPAR, *en una decisión desesperada:* Pues bien, ya que la cosa está así, no le llevo los remedios a mamá. ¡Ya! ¡Ya! Espero a Solé. Vamos a ver a qué hora se le ocurre venir al señor Solé. *(Bruscamente da un salto hacia la puerta, para salir, pero Lory, más rápida que él, se interpone cerrando firmemente la puerta. Los dos intercambian miradas feroces, centelleantes. Después Mampar se precipita hacia la puerta de la derecha y trata en vano de abrirla. Lory la ha cerrado con llave. Mampar se vuelve entonces hacia Lory y le lanza una larga mirada de odio).*

LORY, *trémula:* ¡Pues bien!... ¡Sal!... ¡Ensáyalo de nuevo!... *(Pero Mampar regresa a la puerta del fondo y la sacude con todas sus fuerzas, en tanto que Lory le sostiene con el hombro con una rabia feroz. En un abrir y cerrar de ojos ella ha conseguido hacer girar la llave dentro de la cerradura y esta puerta queda igualmente cerrada. Mampar se derrumba sobre el diván, presa de una cólera sofocante)* ¡Pedazo de cobarde! Quieres cuidar a tu madre, ¿no es verdad? ¿Mientras te espero, no? Hace dos años que te espero. ¡Tu madre es más interesante que yo, eh? ¡Y encima se permite odiarme!

MAMPAR, *ya arrepentido:* Perdóname, querida.

LORY: Estoy segura que hoy día nuevamente te ha llenado la cabeza de cosas para que seas tan grosero.

MAMPAR: ¡Perdón, Lory! ¡Perdóname! *(Se arrodilla a los pies de Lory)*

LORY: ¡Te pregunto qué más te ha dicho tu madre!

MAMPAR: Te lo suplico, no me preguntes.

LORY: Quiero saberlo. ¡Cómo! ¿Vas a ocultar ahora la verdad?

MAMPAR, *tan natural como un niño:* Me dijo que no había podido dormir durante la noche pensando en ti y en nuestro matrimonio y que esta misma mañana iba a escribir a algunos allegados tuyos para saber a qué atenerse respecto a tus antecedentes...

LORY: ¿Ves el amor que me tiene esa hiena?

MAMPAR: Nunca la he visto tan desagradable en medio de su alegría.

LORY: Lo que no me has dicho es qué efecto le han producido los progresos que he logrado en la oficina.

MAMPAR: Pero sí, Lory, te lo he dicho. Los ha lamentado durante todo el día.

LORY: No... No me habías dicho eso...

MAMPAR: ¡Pobre mamá! ¡En qué estado se ha puesto! ¡La desdichada! Pero está enferma, Lory. Muy enferma, te lo aseguro. Y me destroza el corazón ser un poco la causa.

LORY: Pero no, mi amigo, eso no está en discusión: te he dicho que escojas o ella o yo. Quédate con tu madre, ya que la prefieres. ¡Vete con ella! Y déjame, pero para siempre, ¡para siempre! ¡Vete ahora mismo! *(Se levanta, impetuosa, y abre completamente la puerta)* La salida está libre. No quiero hijos de mamá conmigo.

MAMPAR, *deshecho pero calmo, cierra suavemente la puerta y muy cerca, cara a cara con Lory:* ¡Lory! ¡Te amo a pesar de todo, a pesar de mamá! ¿Hay algo que se interponga entre ustedes y que dependa de mí? Si te repito lo que mamá piensa de ti es porque no puedo esconder la verdad...

LORY: ¡No eres más que un loco! Sé que también le repites a tu madre lo que digo de ella. Así siembras la discordia y agravas la situación entre nosotras dos. ¡Pelele! Además, y nunca dejaré de decirlo, ya estoy harta, ¡harta!

ESCENA III

De tarde. Un salón modestamente amoblado en casa de la señora Mampar. Cuando se alza el telón la señora Mampar y su hijo están sentados en unos amplios sillones y guardan silencio.

MAMPAR: Tres médicos y ninguno de los tres acierta con lo que tienes. ¡Es verdaderamente increíble! O no saben nada o se burlan de nosotros.

LA MADRE: ¡Qué carácter el tuyo, hijo mío! Los médicos van a terminar por abandonarme y la culpa de ello será tuya.

MAMPAR: No hice más que decirles la verdad.

LA MADRE, *bruscamente:* Es esa loca de Lory la que te incita a la violencia, lo sé. ¿Qué más te ha dicho de mí hoy día?

MAMPAR: ¡Qué quieres que me diga! Sabes muy bien que no hace más que hablar mal de ti todos los días...

LA MADRE: Sí, sí, pero, ¿qué te ha dicho hoy día de particular?

MAMPAR: Me ha dicho que es necesario que escoja entre ella y tú... que no puede soportar más tiempo que yo me divida así entre ustedes dos.

LA MADRE: ¿Ves? ¡Ah, esa loba!

MAMPAR: Encima me ha repetido: *¡al fin y al cabo no es tu madre la que se va a acostar contigo! Entonces, ¿por qué se le ha metido en la cabeza oponerse a nuestro matrimonio?*

LA MADRE: ¡Se atreve!... ¡Se atreve!... Y tú...

MAMPAR: Ya no sé qué hacer. Estoy crucificado entre ustedes dos. ¡Estoy harto! ¡Harto!

LA MADRE: Debes abandonar a esa mujer. ¡Eso es lo que debes hacer, desdichado!

MAMPAR: No tengo fuerzas para ello, lo sabes bien.

LA MADRE: Recuerda que si te casas con ella será tu ruina. Y pensar que sobre eso tampoco puedo hacer nada.

MAMPAR: Ya he intentado romper. ¡Imposible! No puedo.

LA MADRE: ¡No vuelvas más donde ella, hijo! Jamás vuelvas allá.

MAMPAR: ¡No puedo! ¡No puedo! Debes comprender que aquello no se arregla tan fácilmente.

LA MADRE: En resumidas cuentas, vas a morir bajo sus garras. ¿Y ya te has resignado?

MAMPAR: ¡Shitt!... ¡Es ella!...

LA MADRE: ¿Quién...? *(Los pasos se aproximan)*

MAMPAR: ¡Lory!

LA MADRE: Pues bien, que venga *(Trata de ponerse de pie)*

MAMPAR, *temblando de miedo y cuchicheando:* ¡Shitt! ¡Cállate, te lo suplico! Vuelve a sentarte.

LA MADRE, *alzando la voz:* ¡Que venga, he dicho! ¡Que solamente la vea aquí! *(Los pasos se desvanecen)*

MAMPAR: ¡No era ella! ¡Felizmente!

LA MADRE: ¿Qué? ¿Querías que me callase porque ella estaba allá? ¿No tengo acaso el derecho de hablar en mi casa?

MAMPAR: ¡Querida mamá! ¡Para evitar una escena! Tú sabes de lo que es capaz. Justamente ella me dijo el otro día que una vez había venido hasta la puerta...

LA MADRE: ¿Qué ya ha venido? Pues bien, si tú le tienes miedo, yo no la temo. De ningún modo. Que venga y tendrá que habérselas conmigo, aun enferma como estoy.

MAMPAR, *recorre a trancos la habitación, muy nervioso:* ¡Pensar que a pesar de todo la amo! La amo aun sabiendo que debería odiarla. El odio que te tiene soy yo quien lo paga con mi amor y mi pasión por ella. Es criminal.

LA MADRE: ¡Criminal! Esa es la palabra. Prefieres conservar un ogro que me mata poco a poco. Consérvala, hijo mío. Despósala. Yo me iré donde Dios me guíe. Me iré lejos de los dos. Nunca más oirán hablar de mí... Me iré a un asilo... a la provincia... *(Llora)*

MAMPAR: No te dejaré partir. Quiero conservarlas a las dos. *(De repente, en un arranque)* A propósito, sabes lo que Lory me ha dicho esta tarde. Me ha dicho que mañana mismo en la mañana nos iríamos a la alcaldía... quiere que nos casemos en seguida.

LA MADRE, *saltando:* ¡Qué dices! ¡Casarse en seguida! ¿Mañana a la alcaldía? ¿Ustedes?

MAMPAR: Sí. Exige que nos casemos en seguida, aun si tú no lo consientes.

LA MADRE: Pero, ¿Qué piensas hacer? ¿Tú...? *(Tocan a la puerta. La madre, con fuerza)* Abre. Ve a ver quién es.

MAMPAR, *acercándose; muy cerca a su madre, en voz baja:* ?Y si es ella? *(Tocan de nuevo)*

LA MADRE, *en voz muy alta:* Sí. En seguida. *(A Mampar)* Pero, vamos, abre. *(Mampar duda. Al fin se decide a abrir)*

LORY, *en la puerta un poco jadeante:* Soy yo. *(La madre está turbada. Lory, entrando)* ¿Cómo te va? ¿Dónde está tu madre?

MAMPAR, *petrificado:* ¡Ah, eres tú! Nos sorprendes... Entra. *(Vuelve a cerrar la puerta. La madre es presa de una viva agitación y espera, siempre sentada).*

LORY: Buenas tardes, señora.

LA MADRE: Buenas tardes, señorita; entre, se lo ruego.

LORY: ¿Está usted mejor?

LA MADRE: Sí, mucho mejor. Estoy bien ahora.

LORY: Bueno, entonces hay de qué alegrarse.

MAMPAR, *a Lory:* Siéntate, te lo ruego.

LA MADRE: Pero por supuesto, señorita. Tenga, aquí tiene una silla.

LORY: Gracias, señora. *(Se sienta)* Gracias. *(Mampar observa alternativamente a su madre y a Lory, angustiado. La madre observa a Lory con recelo. Lory vacila en hablar. Un corto silencio bochornoso. Luego, con un nerviosismo mal contenido, a la madre)* Sin duda Mampar ya le ha dicho, señora, que esta tarde al fin hemos arreglado la cuestión de su empleo.

LA MADRE: Sí, en efecto.

LORY: Solé se tomó la molestia de venir a mi casa. Al principio no quiso prometer nada, pretextando la obligación de consultar a los otros administradores, pero tanto le hemos insistido, tanto le hemos rogado, que nos ha prometido hacer todo lo que sea posible para dar la preferencia a Mampar en el empleo vacante. Luego, al retirarse, finalmente nos dijo que podíamos contar con el empleo. La cuestión, entonces, está zanjada: Mampar tendrá una posición a más tardar dentro de quince días. Así, pues, el obstáculo a nuestro matrimonio ha sido superado.

LA MADRE: Sí, hasta cierto punto, porque le ruego no olvidar que de una parte está su matrimonio y de la otra yo.

LORY: Desde luego, señora, de ningún modo lo he olvidado. Pero me parece que el empleo de Mampar resuelve de un solo golpe nuestra situación y la de usted. Para el mantenimiento de nuestra casa tengo mi empleo en el ministerio. Por esto Mampar podría fácilmente disponer de la mitad de su salario para atender la salud de usted...

LA MADRE: Le ruego, señorita, no tocar el aspecto económico de mi vida. Aquí se trata de otros asuntos muy graves que no se resuelven con centavos. Usted sabe cuánto quiero a Mampar y que él me hace falta por su cariño de hijo y de ningún modo para lograr un provecho sórdido y, por lo demás, inexistente.

LORY: Permítame hacerle notar, señora, que sería muy difícil saber hasta qué punto su afirmación corresponde a la realidad.

LA MADRE: ¿Qué quiere decir, señorita? ¿Quisiera usted explicarse, por favor?

LORY: Quiero decir, señora, que aunque no lo piense así su caso es básicamente económico.

LA MADRE: Señorita, se lo repito...

LORY, *interrumpiendo:* Se entiende que usted tiene necesidad del afecto de su hijo, pero estoy segura que también tiene necesidad de su ayuda económica. Ahora bien, ya que el lado pecuniario viene hoy a solucionarse, no nos queda más que ponernos de acuerdo sobre el lado afectivo que, *(con ironía)* por lo que entiendo, para usted resulta decisivo en este asunto. Pues bien, señora, ¿cree usted que su afecto de madre por Mampar se opone al mío de mujer? ¿Que no nos podemos casar porque usted ama a Mampar?

LA MADRE: Yo nunca le dije: *Mampar no se puede casar mientras yo le ame.* No. Evidentemente, Mampar puede casarse. Su mujer es una cosa y su madre otra. Todo está fuera de discusión. Lo que digo y sostengo es que él no debe casarse en tanto yo esté enferma.

LORY: Pero si no me equivoco, señora, usted está restablecida. ¿No acaba de decirme que está mejor y hasta que está del todo restablecida...?

LA MADRE: Estoy mejor pero sigo enferma. De acuerdo, me curo rápidamente. Por lo demás, usted puede verlo.

LORY: Ah, lo veo, señora, como usted por su parte puede ver mi vida de constante incertidumbre ante este matrimonio que día a día se aleja. Es a mí a quien su enfermedad hace sufrir el dolor, ¡el dolor más duro e inmerecido! ¡Por qué consintió nuestro noviazgo para enseguida oponerse a él!

LA MADRE: Eso es evidente, no debería haberlo consentido. Es muy justo.

LORY: Lo que es cierto es que hace cerca de dos años que somos novios y desde entonces usted nunca dejó de oponerse a nuestro matrimonio recurriendo a todos los pretextos posibles e imaginables: *(agitación de la madre)* Unas veces su miseria, otras veces su soledad... ¡Claro que sí!

LA MADRE: ¡Usted miente! ¡Miente cínicamente!

LORY: En el fondo, usted impide nuestro matrimonio sólo por maldad...

LA MADRE, *a Mampar:* Mampar, ayúdame...

LORY: Nuestro noviazgo no ha hecho más que alargarse demasiado y soy yo sola la que sufre las consecuencias. Mi honor empieza a ser mancillado. Usted me odia. Usted es una madre extraña, una mujer sin corazón.

LA MADRE: ¡Intrigante!... ¡Aventurera...!

MAMPAR: ¡Mamá, te lo ruego! ¡Lory! ¡Cálmense!

LORY: ¿Quiere que se lo diga? Hay algo inconfesable en su oposición a nuestro matrimonio...

LA MADRE: ¿Cómo? ¡Hable! ¿Qué insinúa?

LORY, *con un risa mordaz:* Supongo que lo sabe mejor que yo.

MAMPAR, *en un grito:* ¡Lory! *(La madre llora)*

LORY, *volviéndose hacia Mampar:* ¡Y tú! ¡Qué quieres! *(Mampar acude donde su madre)* ¡Mampar! ¡Mañana a la alcaldía, me oyes? ¡Fíjate bien!

LA MADRE: No irá. ¡Jamás! *(Rodea a Mampar con sus brazos)* Él no irá.

LORY: ¡No irá! ¿Usted me lo asegura...?

LA MADRE: Le digo que no irá.

LORY: ¿Qué respondes, Mampar? *(Mampar baja los ojos)* ¿No vendrás mañana a la alcaldía?

LA MADRE: ¡No!

LORY: ¡Mampar! ¡Mírame!

LA MADRE: No irá, pues él nunca la desposará.

LORY: ¿No respondes, Mampar? ¿Dí...? ¿No vendrás mañana...? ¿Nunca más me verás...?

MAMPAR, *bajo, sin timbre:* ¡Lory!... *(La madre se derrumba en lágrimas y Lory sonríe, triunfante)*

LORY: Hasta luego, señora. Mampar, hasta mañana. *(Sale paso a paso, retrocediendo. Muy cerca de la puerta)* Hasta mañana... *(Desaparece)*

MAMPAR, *toma en sus brazos a su madre y la conduce dulcemente hacia la habitación de la izquierda:* Ven... estás cansada... ¿Quieres acostarte...? Vamos... Ven, mamá... *(La madre, el rostro entre las manos, abrumada o como extraviada por el dolor, avanza con paso inseguro. Desaparecen. Largo silencio. Se oyen pasos en la escalera. Tocan suavemente a la puerta. Pausa. Tocan de nuevo. Mampar, de puntillas, sale de la habitación de la izquierda y va a ver quién toca. Abre y enciende la luz de la entrada y luego la puerta que da al descansillo)*

LA VOZ DE SOLE, *que llega:* ¿Entonces estás listo, querido amigo?

LA VOZ DE MAMPAR, *baja:* ¡Shitt! Mamá acaba de dormirse. Salgamos. *(Se oye que Mampar toma su abrigo y su sombrero. Después vuelve al salón, apaga y sale. Todo queda sumergido en la oscuridad. Se oye a Sole y Mampar que bajan las escaleras. Sus pasos se pierden. Largo silencio. Después se oyen pasos precipitados que suben. Tocan nerviosamente a la puerta del descansillo. Se oye abrir esa puerta, después la del salón. Una sombra penetra y atraviesa el salón hacia la habitación de la izquierda, con pasos afelpados)*

TELÓN

ESCENA V

MAMPAR: El amor, querida, no es más que el deseo, nada más que el deseo. En todas partes y en la base de todo se encuentra el deseo. El universo vive del deseo. El número surge y crece por parejas de dos en dos. La progresión aritmética no existe o sólo es una abstracción vacía, humo, nada. La vida y la muerte se encadenan y desarrollan en progresión geométrica, es decir, por cantidades en parejas, por calidades en parejas. De todas las cifras, la cifra 2 –es decir, la pareja– es la más importante porque ella es la raíz de la duración, la fuente de la extensión, la creadora de todas las dimensiones. Porque el deseo supone siempre dos seres o dos polos, de los cuales la fórmula de relación cósmica es el deseo... Sí, el deseo está en el origen de la vida y en el origen de la muerte. La cuna y la tumba no hacen sino seguir, en su arquitectura, el estilo de lecho nupcial. *(De repente se pone de rodillas delante de Lory y la toma en sus brazos estrechándola apasionadamente contra sí)* ¡Lory! ¡Lory! ¡Lory!

LORY, *trata de liberarse:* ¡Pero qué es lo que quieres! ¡No!

MAMPAR: ¡Tu cuerpo! ¡Tu cuerpo irresistible!

LORY, *sin conseguir librarse, más y más angustiada:* ¿Quieres terminar, Mampar? ¡Déjame! *(Con una mano Mampar la toma por el talle y con la otra el rostro, abrazándola con un fuego animal, mientras Lory se defiende vanamente. Lory, enderezando la cabeza hacia atrás, severa y amenazante)* ¡Mampar!

MAMPAR: ¡Tus labios! ¡Tus labios palpitantes y maduros! *(La mira muy cerca, jadeante, el rostro enrojecido, con una ternura bestial y casi furiosa)* Sí, pequeña. Claro que sí. *(Lory está espantada. Mampar, con un quejido ávido)* ¡Ardo en deseos de ti! *(La besa brutalmente)*

LA MORT

Tragédie en un acte

Moscou. Un réduit faisant partie d'un local moitié monastère, moitié hospice. Pour tous meubles, quelques tabourets, un pupitre, un grabat. Sur le mur du fond, une porte ouverte sur le noir. Une cour ou couloir, parallèle à la rampe, passe, premier plan, devant le réduit et se perd à droite et à gauche du plateau.

Au lever du rideau, la scène est vide. Une cloche sonne, lente et paisible, dans un après-midi d'hiver.

Les prêtres Sovarch et Sakrov entrent en scène par le côté gauche du couloir.

SAKROV: Devant cette situation, quel est, je me demande, le devoir de l'Eglise?

SOVARCH: Le devoir de l'Eglise? Envers qui?

SAKROV: Mais envers toute la famille. Envers tous les Polianov. Quelles que soient leurs tendances politiques.

SOVARCH: Vous me le demandez? Je n'en sais rien.

SAKROV: Les enfants se battent pour et contre le Soviet. La mère, devant la perspective de voir ses cadets passer définitivement au bolchevisme, perd la tête. Le cas du père ne fait que s'agraver. Vous connaissez sa haine sourde et mystérieuse pour son fils Volni.

SOVARCH: Mais il la nie. Il dit que c'est encore une idée à vous, complètement gratuite. Quant à moi, je ne m'explique pas cette haine. Quelle peut bien en être la cause? Quand il a abandonné les siens, cet enfant n'avait que cinq ou six ans...

SAKROV: Père Sovarch, j'ignore la cause de cette haine, mais, croyez-moi: elle existe.

SOVARCH: Je crois plutôt qu'il hait tout le monde; voilà tout.

SAKROV: Sans doute. Cependant; il dissimule, tout particulièrement à l'egard de son fils, des sentiments qu'il faudra surveiller, car ce qui est grave, précisément, dans cette aversion c'est qu'il la cache, malgré que son regard, quand il en parle parfois le trahisse.

SOVARCH: Il a, par moments, des gestes qui font peur, c'est tout ce que je peux dire.

SAKROV: Et ne parlons pas de l'obstination de Varona Iourakevna de rejoindre et suivre son mari, même jusque dans la rice...

SOVARCH: Père Sakrov, il n'y a qu'un seul chemin pour arriver à Dieu, vous le savez.

SAKROV: Ce n'est pas mon avis...

SOVARCH: Autrement dit, il n'y a qu'une seule mort, et c'est la mort de l'âme. Il faut sauver les gens de cette mort, voilà le seul devoir de l'Eglise.

SAKROV: Père Sovarch, il y a la mort de la vie et il y a la mort de la mort.

ROLANSKI, *entrant par le côté droit:* Messieurs! Il y a surtout malheur! Osip Doschine Polianov vient de manger sa chemise!

SOVARCH: De la boire, voulez-vous dire.

ROLANSKI: Le Supérieur est en train de le gronder. Il paraitrait que le nepman d'en face, Rulkof, lui aurait donné en échange quelques goutes de vodka. Une chemise presque neuve! Il est en chemisette..

SAKROV: Que répond-il au Supérieur?

ROLANSKI: Il pleure comme un enfant. Il fait valoir qu'il en a assez du monastère et qu'il va déguerpir un de ces quatre matins. Vous entendez la voix du Supérieur?...

SOVARCH: Le Supérieur a tort... *(des voix dans le fond de la maison:* "Père Rolanski! Dépêchez-vous! Où est l'antiphonaire?..."

ROLANSKI, *sortant sur la pointe des pieds du côté gauche:* Excusez-moi. L'antiphonaire!... *(Sakrov sort aussi, par le côté droit. Sovarch s'asseoit devant le pupitre et avec une aiguille qu'il tire du col de sa soutane, se met à raccommoder une de ses poches)*

ZURGUES, *entrant avec Polenko, par le côté gauche:* Tout de même! Le monastère n'est pas un asile. Il a beau être le neveu du métropolite, il exagère.

SOVARCH, *sans lever les yeux:* Eh bien, le Supérieur s'est-il enfin apaisé?

POLENKO: Votre habit, Père Sovarch, est le plus miteux du monastère. Que faites-vous de vos aumônes personnelles?

SOVARCH: Il n'y a pas d'aumônes personnelles, mon ami.

POLENKO: Vous mendiez sur le meilleur endroit de la ville: le boulevard Pouchkine.

ZURGUES: Sa poche est constamment défoncée et pour cause...

SOVARCH: Je ramasse à gauche et je donne à droite.

ZURGUES: Toujours est-il que vous avez l'obsession de votre poche et cela est suspect. C'est cupide. On a qu'à voir cet air que vous prenez en vous raccommodant: c'est bien là l'air d'un usurier.

POLENKO: L'idée de poche est contraire à l'idée de ciel. La tunique du Seigneur n'a pas de poches.

SAVARCH, *toujours à son raccommodage:* Bavards. La paix... *(De nouveau, son de cloches)*

ZURGUES: Père Polenko, voilà l'office. *(Zurgues s'en va, suivi de Polenko)*

SOVARCH: Pharisiens! Observez la soutane du Supérieur: elle en est étoilée de poches, la sienne! *(Zurgues et Polenko ont disparu. Temps)*

SAKROV, *revient:* Tout le monde se rue à l'Office...

SOVARCH: Et le prince? On l'y a mené aussi?

SAKROV: Mais oui, on l'y a mené. Il empeste l'alcool de loin et dans cet état il va prier Dieu. Il s'y est trainé en sanglotant, accroché au bras du Supérieur. C'est insensé. Depuis des années, nous travaillons ici à faire du prince un homme bon. Et où en sommes-nous? Avons-nous même un espoir d'y réussir?

SOVARCH: Il est au contraire de pis en pis, tout au moins du côté de la raison.

SAKROV: Pas plus tard que cette nuit, il a été à moins une d'enlever la femme du nepman.

SOVARCH: Je sais. Et c'est vous qui l'en avez emêché.

SAKROV: Je l'en ai empêché et je lui ai, par la même occasion, épargné una fameuse correction dont le mari allait lui faire connaître le secret.

SOVARCH: Ah, il ne l'aurait pas volée, le bonhomme.

SAKROV: Folie érotique. Bien connu...

SOVARCH: Il a la folie courte. Ilmaginez-vous, mon ami, qu'hier matin, au moment de la prière de l'Angélus, il a eu soudain un accès de rire qui mettait mal à l'aise; je vous assure.

SAKROV: Mais pour en finir, père Sovarch, que faut-il en penser, sinon que l'action de l'Eglise sur lui est impuissante, et, disons le tout net, nocive.

SOVARCH: Cela est peut-être beaucoup dire.

SAKROV: Mais si! Nos conseils, nos raisonnements, nos prêches lui sont fatals. Ces exercices de pensée épuisent sa cervelle déjà fort ébranlée par l'alcool et tout le reste.

SOVARCH: Mon ami, j'ai exposé à plusieurs reprises, au Cloître, mon avis sur la nécessité d'introduire dans son régime quelques heures de travail matériel, qui donnerait un repos à sa vie introspective.

SAKROV: Eh bien, père Sovarch, vous êtes sur la piste.

SOVARCH: Je crois; Cet homme se trouve soumis à un effort d'abstraction incompatible avec son état de nerfs. Je l'ai bien observé: quand il prie, son visage s'assombrit visiblement et son regard fixe le sol étrangement...

SAKROV: Savez-vous, Père Sovarch, comment il m'est venu à l'idée de tenter d'amener le prince dans un kolkhoz?

SOVARCH: Dans la prière?

SAKROV: Vous allez voir... Le matin, il se promène avec moi le long de la Moscova. Nous bavardons, nous regardons les eaux sous le ponts, les toitures lointaines des maisons, les dômes des temples byzantins, le ciel, les arbres, les passants...

SOVARCH: Mauvaises promenades, à mon avis. La vie contemplative, en général, la rêverie... mauvais!

SAKROV: Je ne dis pas le contraire. Seulement, pendant ces promenades, de trés curieux symptômes se sont révélés chez lui. Depuis quelques semaines, on construit sur la rive gauche de la Moscova, en face du Kremlin, des pâtés de maisons collectives. Des ouvriers y travaillent à toute heure. Les chantiers forment un seul et vaste fourmillement. Or, Père Sovarch, savez-vous ce que fait Osip Polianov, aussitôt arrivé devant les chantiers? D'un mouvement spontané et vif, il s'approche des manoeuvres et se met a les aide dans leur travail...

SOVARCH: Cela ne m'étonne pas du tout.

SAKROV: Et pas une seule fois! L'enthousiasme qu'il y met est, je vous assure, réconfortant à voir chez un être comme lui, rongé par toutes sortes de vices. Résultat: un bien moral énorme et immédiat.

SOVARCH: C'est trés normal. Je l'avais toujours pensé.

SAKROV: Une heure de cet exercise lui suffit. Au retour, c'est un tout autre homme que vous avez devant vous: moins instable, moins bouffon, moins cynique, plus sérieux, plus tranquille et plus raisonnable...

SOVARCH: Et quelle conclusion, en somme?

SAKROV: Elémentaire. Très simple: la seule chose qui puisse le guérir de sa déchéance morale et intellectuelle, c'est le travail, et le travail physique.

SOVARCH: C'est bien possible. Je ne dis pas non. Mais poursuivez.

SAKROV: Le travail, père Sovarch, est un sommet, un tremplin, ne l'oubliez pas. Un tremplin formidable. En se lançant de là, tout est possible...

SOVARCH: Même la chute!

SAKROV: Même la plus désespérée des envolées et le salut. Le prince, au bout d'une bonne période de travail matériel organisé, peut en sortir plus souple, plus humain, compréhensif et tolérant, sans compter qu'il aura cessé de boire et de penser aux jupes. Il peut, dès lors, jouer, auprès de ses enfants, un rôle conciliateur, d'apaisement.

SOVARCH: Eh bien, il n'y a qu'à le mettre dans la ferme d'un koulak ou de n'importe quel paysan, mais pas chez les bolcheviques. Savez-vous qu'on commence à colporter dans tout le cloître que votre entêtement à vouloir livrer le prince aux bolcheviques, n'est ni plus ni moins qu'une déviation de votre ministère...

SAKROV: Aveuglement! Mais quel aveuglement! Je suis parfaitement convaincu qu'en agissant ainsi, je reste rigoureusement dans le cadre de l'Eglise.

SOVARCH: Méfiez-vous! J'ai entendu ceci: "Ce manège de jeter les gens dans des kolkhozs, n'est au fond qu'une propagande soviétique indirecte".

SAKROV: La charité, ce principe cardinal de la doctrine de Jésus, doit être faite, de n'importe quelle façon et par n'importe quel moyen...

SOVRACH: Il n'y a qu'un seul chemin pour arriver à Dieu, père Sakrov! Je vous le répète!

SAKROV, *avec fermeté:* Il faut sauver le prince! Il faut sauver sa femme et ses enfants! Un jour de plus de cet état de choses, et le pire est à craindre. Je vois, je sens approcher le désastre...

SOVARCH: Enmenez-le chez un paysan, vous dis-je.

SAKROV: Il a une horreur insurmontable du moujik. Il hait la vie rurale primitive. Son penchant pour le travail mécanique moderne, par contre, est indéniable. Une délectation particulière le secoue au milieu des machines, des échafaudages et des équipes de travailleurs. *(Ici, silencieusement, comme une ombre, Osip Polianov entre en scène, venant du côté gauche. Il a une expression pénible, absente, somnambule. Il paraît chercher quelqu'un. Sakrov lui dit, affectueux)* Vous cherchez quelque chose, prince? *(Osip ne répond pas. Il s'affale sur un siège. Sakrov et Sovarch l'observent. Sakrov, même jeu)* Vous venez de l'office?... *(Osip garde silence)* Il est déjà fini?... Qu'avez-vous? Vous n'êtes pas bien?...

OSIP, *le regard perdu:* J'ai rêvé cette nuit, d'un tombeau d'enchantement, d'un tombeau singulier, extraordinaire. Mais ai-je rêvé seulement?... Ou l'ai-je plutôt connu pendant l'état de veille? Peu importe... Et ce tombeau, tout en étant celui de Lénine, était un tombeau à moi...

SOVARCH: C'est bizarre.

SAKROV: Et puis? Racontez-nous le reste.

OSIP: Mais le style de mon tombeau était plutôt gothique. Connaissez-vous les sarcophages chrétiens du moyen-âge? Eh bien, transposez leur style sculptural dans le domaine de l'architecture, et c'était cela. *(S'animant)* Une faucille et un marteau d'or, entrecroisés, couronnaient la façade de l'entrée... Mais voilà, lorsque je me suis penché sur le fond de mon cercueil, qu'est-ce que j'y ai vu?... Mes deux bras, seuls, séparés, absents du reste de mon corps, étaient là, rigides, morts...

SOVARCH: C'est un symbole étrange.

ROLANSKI, *revenant en scène:* Mes frères, une nouvelle toute fraîche: ils veulent extirper le coeur aux hommes...

SOVARCH: Qui veut extirper le coeur aux hommes?

ROLANSKI: Les bolcheviks, parbleu! C'est prouvé, archi prouvé!

OSIP: Les braves gens!

ROLANSKI: On a déjà tenté de mettre une semblable machine à raisonner entre les mains de la bourgeoisie, pendant la Révolution Française!

OSIP: Eh bien, père Rolanski, je reviens toujours à ma question: la raison aurait-elle, à certaines périodes de l'histoire, le monopole de la lumière? Pourquoi recourir à elle, chaque fois que le monde trébuche et se débat dans les ténèbres? Et le coeur? Pour quand, le coeur?

ROLANSKI: Puis, sous la Restauration, un romantisme déchaîné s'initia, le plus sentimental peut-être que l'histoire ait jamais connu.

SAKROV: L'histoire, mes frères, ne se répète jamais.

ROLANSKI: Mais elle monte en spirale, cher ami. La preuve: nous assistons déjà, nous aussi, en Russie soviétique, à une pareille revanche du sentiment humain, contre le rationalisme marxiste...

OSIP, *soudain, dans un sursaut:* Attendez... Une seconde... C'est bizarre... Une ombre, plutôt un souffle étrange, vient de descendre du plafond à terre. Il s'est éteint à mes pieds, parmi les tabourets...

ROLANSKI, *cherchant par terre, parmi les tabourets:* Ah, vous plaisantez. Un souffle? Une ombre?

OSIP: Non. Ce n'est pas un souffle. Je me trompe. C'est bien ce que j'ai dit: c'etait nettement une ombre.

ROLANSKI: Ne serait-elle pas tombée dans votre poche? Ou même, ne l'auriez-vous pas écrasée sous vos galoches?

OSIP: Depuis quelques temps, dans mes nuits de doute et de peur, de vide et d'anxiété, j'aime à m'asseoir ici, à ce pupitre. J'y demeure des heures sans commencement ni fin. Et là, mes yeux voient tomber du ciel, des ombres... des ombres... des ombres...

ROLANSKI: La pluie théologale, ma parole!

SAKROV, *à Osip:* Prince, vous êtes malade, il faut guérir.

OSIP, *halluciné:* le noir contient le blanc; la nuit contient le jour. Le chaos, c'est le scepticisme à rebours, la confusion des doigts, le vertige... *(Il trébuche, comme aveugle)* Soutenez-moi, mes amis... *(On le soutient, on le fait asseoir. Il murmure, douloureux)* Me voilà... Je ne pense à rien. Ma tête sonne creux. Pas de pensée sans sensation.

ROLANSLI, *rectifiant:* Pas de sensation sans pensée, voyons, Polianov.

OSIP: C'est la même chose. A qui la primauté? A l'oeuf? A la poule? A la couveuse?

ROLANSKI: Puis-je vous dire un mot? Vous m'écoutez?

OSIP: Hum!... Non... J'ai les oreilles fermées de peur du néant.

ROLANSKI: Et pourtant, vous pensez que vous pouvez m'écouter?

OSIP: Dieu, non! J'écoute que je pense. *(Brusquement)* Etes-vous là? Tous les trois? Eh bien, illustres pères de l'Eglise, je suis vraiment désolé de vous l'avouer, mais vous n'êtes pas là. Non. Vous n'êtes pas là. *(Rolanski et Sovarch se regardent)*

ROLANSKI: Quoi donc!

SOVARCH: Que nous ne sommes pas là! Mais... prince, quoique vous en disiez, j'ose soutenir –et je l'espère bien, mes chers collègues affirmeront de même– que nous sommes, tous trois, en face de vous, en chair et en soutane. Regardez-nous, s'il vous plait.

OSIP, *scandalisé:* Que vous êtes ici, dites-vous? Devant moi? Vous?

ROLANSKI: Mais parfaitement. Ici, devant vous. Nous trois.

OSIP, *même jeu:* Oh, quel aveuglement! Quelle myopie! C'est le comble de l'arbitraire!

SAKROV: C'est bon. Assez de polémiques byzantines! Dites, prince, sérieusement, il me faut vous parler d'une affaire de grande urgence...

OSIP, *interrompant, s'approche de Rolanski, lui offrant le bras:* Père Rolanski, saisissez-moi le bras, je vous en supplie. Serrez-moi fort. Faites, je vous y autorise. *(Rolanski obéit machinalement)*

ROLANSKI: Comme cela?... Plus fort?...

OSIP: Plus! Plus fort!

ROLANSKI: Voilà!... Sapristi!

OSIP, *stupéfait:* Eh bien, je ne sens rien, je vous jure!

ROLANSKI: Comment! Vous ne sentez rien?

OSIP: Rien du tout. J'ai perdu toute sensibilité. Je nage dans le vide. *(Sakrov fait signe à Rolanski de lâcher le bras d'Osip, qui a alors une détente)* Ah!... Ce n'est pas vrai... Dieu merci. Je la sens bien maintenant votre main. A présent, oui...

ROLANSKI: Osip Polianov, tout ce que vous voudrez, mon ami, mais permettez-moi de vous dire que vous êtes, à l'heure qui sonne, tout à-fait pénétré de dialectique matérialiste.

OSIP: Et pourtant, père Rolanski, je ne marche ni à droite ni à gauche: ni avec vous, pour renverser le gouvernement soviétique, ni avec Sakrov, pour m'en aller dans le kolkhoz. Je demeure planté dans le juste milieu métaphysique. Laissez-moi tranquille. J'ai besoin de solitude...

ZURGUES, *venant du côté gauche:* Messieurs, cinq heures moins le quart. Vous ne sortez pas?

ROLANSKI: Sortir? Pour quoi faire?

ZURGUES: C'est l'heure de mendier. Tout le monde se précipite dans les rues.

ROLANSKI: Le Supérieur aussi est sorti?

ZURGUES: Mais naturellement! Dépêchez-vous. Vous venez?

ROLANSKI, *prêt à partir:* Allons, Sovarch, Sakrov! Cher prince, sortons un peu. *(Sovarch sort en silence)*

SAKROV, *pendant qu'Osip, sombre, demeure assis, silencieux:* Moi pas. Merci. Vous le savez, ce métier n'est pas le mien.

ROLANSKI, *sort avec Zurgues:* Il fut pourtant celui des douze apôtres et du Seigneur lui-même. *(Ils ont disparu. Osip et Sakrov restent un moment, pensifs. Au loin, un bruit de portes. Puis, un silence absolu)*

SAKROV, *avec autorité, mais doux et fraternel:* Bref, Osip, faisons à la volée une mise au point. Nous avons convenu que vous n'aimez plus Varona Iourakevna... *(Osip garde silence, ab-*

sent. Sakrov se dirige du côté gauche du couloir) Attendez que je voie... *(Il sort et Osip marche nerveusement. Sakrov revenant aussitôt)* Tout le monde est bien parti...

OSIP, *agite:* C'est une sainte! Moi, un salaud! Le bien habite en elle; en moi, le mal. Misérable! Bouc sinistre! Puanteur de méphisto!... *(Il s'applique de formidables giffles et s'arrache les cheveux, en sanglotant)* Vara! Petite Vara! Méprise-moi mais pardonne-moi!...

SAKROV, *dur:* Je sais, vous finirez par retourner chez votre femme... Chargé par le Supérieur de vous aider à vous remonter et à vous détourner de vos égarements et vos folies, vous ne faites que me tromper. *(Osip pleure, la tête enfoncée entre les mains)* Vous m'aviez promis que vous ne reverriez plus votre femme et, en sous-amin, vous continuez à l'aimer et à la chercher. Vous la poursuivez, ne dites pas le contraire...

OSIP, *cesse de pleurer et, la figure toujours cachée, grommelle comme un enfant faché:* Vieux lapin!... C'est la première fois que je pêche, en appelant lapin un prêtre, excusez-moi.

SAKROV, *médecin qui tolère les trépillements de son malade:* Osip! Prenez garde, petit frère?

OSIP, *même jeu:* A quoi voulez-vous que je prenne garde?

SAKROV: Autant que je puisse en juger, vous nous donnez un peu la comédie et c'est très grave.

OSIP, *même jeu:* Mettons. Et puis!

SAKROV: Vous ne vénérez guère la soi-disant sainteté de Varona Iourakevna. Vous ne l'aimez même pas: vous la désirez et voilà tout.

OSIP, *même jeu:* Vous faites marcher à rebours votre pendule...

SAKROV: Récidiviste! Connaît-elle votre adresse? Qui sait même si vous ne l'assiégez pas chez elle, à l'insu de vos enfants?

OSIP, *même jeu:* Ce n'est pas vrai.

SAKROV: Encore la fourberie? Vous mentez.

OSIP, *dans une invocation douloureuse et passionnée:* Epouse unique! Femme singulière! Coeur unité! Crois-moi, je n'ai aimé qu'une fois dans la vie! Je n'ai aimé que toi! Et toi, ma grande, je ne t'ai aimé qu'une fois! Une fois sommet! (Sakrov, la considère, éxédé) Oh!... que j'ai pleuré au pied de ce sommet de notre amour!... Une fois seule on aime! Pas avant, pas après!...

SAKROV: Vous avez aimé aprés. Vous avez aimé beaucoup de fois.

OSIP, *toujours dans son invocation:* Dès le lendemain de ce zénit inégalé, jamais plus je n'ai pu retrouver en toi l'amour perdu!...

SAKROV: Vous l'avez retrouvé chez d'autres femmes.

OSIP, *même jeu:* J'ai eu beau errer de femme en femme, une tristesse d'exilé m'acompagne.

SAKROV, *indulgent:* Baissez, la voix...

OSIP: Telle est la pauvreté du coeur humain!

SAKROV: On peut nous écouter! Le Supérieur peut revenir...

OSIP: Je suis ivre de tristesse! Et la richesse est gaie et tous mes vins sont tristes! Comme a dit le poète romantique. *(D'un air léger, dégagé)* Eh bien, petit frère, pour en finir, soyez tranquille: Varona Iourakevna me dégoûte, elle m'est mortelle... *(Il s'est approché tout prés de Sakrov)*

SAKROV: Pouf!... Encore? Vous avez encore bu le vin de l'archevêque?

OSIP: Nettement et positivement, Sakrov, Dieu m'apparaît comme ma seule raison de vivre...

SAKROV: C'est juste. C'est très juste, mon ami. Seulement, il y a le problème de savoir s'en approcher.

O: Je me suis rendu à l'évidence, il n'y a pas longtemps, un jour que l'idée du suicide m'était venue, à la suite d'un bilan consciencieux de mon destin et de mon coeur. Au fond de tout, de tout, le vide. Mais soudain, plus au fond, au tréfond du vide, je l'ai vu s'animer cet Etre des Etres et me rappeler à la vie, d'une voix toute puissante, magnétique...

SAKROB, *qui suit avec une attention concentrée les réactions d'Osip:* Ad majoren del gloriam! C'est cela!

OSIP: Puis, je me fais cette idée: j'ai trop de sang mujik dans mes veines, pour être sceptique ou simplement un salaud. Au plus, je peux être nihiliste, mais pas sceptique, qui n'est pas du tout la même chose.

SAKROV, *avec force:* Enfin, prince, soyons précis. Je vous ai dit: il n'est pas donné à l'homme de monter vers Dieu que s'il s'appuie sur les épaule des hommes. Il nous faut communier avec eux. Ce qui veut dire: allons vers eux, mêlons-nous à leurs efforts, à leurs luttes, à leurs douleurs, à leurs joies, à leur vie. L'isolation des ermites du moyen-âge ne s'adapte plus à notre époque. Un homme n'a pas assez de forces pour l'ascension suprême. Et c'est acquis: dieu, on ne saurait plus le découvrir qu'au milieu des grands rassemblements humains, dans les foules. Voilà l'énoncé religieux de notre temps!

OSIP: Père, je vous vois revenir, faucille et marteau en main; je vous arrête. Non! Vous vous trompez d'étage, encore une fois! *(Il se promène, s'assied, se met debout, il est nerveux)*

SAKROF: Mais encore, loin de moi l'intention de vous jeter dans les bras des bolcheviks!

OSIP: Ca m'en a pourtant tout l'air.

SAKROV: Je ne veux que vous régénérer par le travail.

OSIP: Je vous en sais gré.

SAKROV: Sans ironie! Vous devenez de plus en plus intolérable. *(Osip demeure tête basse)* Vous portez un très vif intérêt aux travaux des masses, et même, vous trouvez du plaisir à y participer.

OSIP: Cela, oui. Le travail en multitude, le travail physique; la marche des grandes machines, me plaisent, me captivent.

SAKROV: Alors?... N'est-ce pas que le travail est plus beau que l'amour et même que la prière? Avouez-le!

OSIP: Je l'avoue. Je l'avoue volontiers. Et quant au plaisir, n'en parlons pas: il m'est affreux.

SAKROV: Parfaitement. Et Varona Iourakevna?...

OSIP: Pauvre Vara! Il ne reste rien entre nous. Mais, pour être franc, quelque chose pourtant m'attire en elle, c'est vrai, et m'y ramène, quand je m'y attends, le moins. C'est plus fort que moi, Père Sakrov. Est-ce l'amour de nos enfants? Est-ce le passé? Est-ce elle-même, sans que je m'en rende compte?

SAKROV: Vous le savez pourtant. Confessez-le.

OSIP: Et c'est curieux, et il faut bien le contaster: je ne me sens jamais porté vers elle, que lorsque j'ai quelques verres de vodka dans le sang. C'est amer d'en convenir.

SAKROV, *le saisissant par les épaules:* Voyons, Osip, écoutez-moi: pourquoi vous est-il nécessaire de vous détourner de Varona? Répondez!

OSIP, *bas, machinalement, comme un enfant qui récite sa leçon:* Parce que j'en suis indigne.

SAKROV: Et pourquoi encore?

OSIP, *même jeu:* Parce qu'elle aussi en est indigne.

SAKROV: Pourquoi êtes-vous indignes tous deux de vous refaire une vie commune?

OSIP, *même jeu:* Nous ne pensons qu'à nous, à nous chérir, et nous nous fichons de nos enfants.

SAKROV: Soyez encore plus concret. Si vous parveniez à vivre...

OSIP, *même jeu:* Si nous parvenions un jour à vivre ensemble, je continuerais bel bien à salir le foyer avec mon inconduite.

SAKROV: Et elle, Varona Polianov?

OSIP, *même jeu:* Et elle, cela lui serait bien égal que je macule le coeur de nos enfants, pourvu que je couche avec...

SAKROV, *complète aussitôt sévèrement:* Et parce qu'à elle, aussi sans doute, la vodka l'intéresse comme stimulant de vos ardeurs. *(Et comme Osip a quelque chose à objecter)* Quoi? Qu'avez-vous à repondre?

OSIP, *bas:* Rien du tout, père Sakrov.

SAKROV, *péremptoire:* Allez! Dites!

OSIP, *simplement:* Seulement, vous ne me ferez jamais marcher dans votre histoire d'évasion du monastère...

SAKROV, *sursaute:* On a ouvert une porte, je crois!... *(Il écoute. Des pas se font entendre. Il s'enfuit par la porte du fond. Osip écoute aussi. Temps. Varona Ioukakevna apparaît timidement du côté gauche de la scène. Le prince, en l'apercevant, tressaille. Il hésite. Il veut fuir. Enfin, il lui fait signe de s'arrêter et de garder silence. Il se dirige vers la porte du fond, veut suivre ou arrêter Sakrov, mais revient. Une grande agitation le possède. A la fin, il se décide et va au devant de sa femme)*

OSIP, *posément: Dieu soit avec vous, Varona Ourakevna!... (Il lui serre la main)* Entrez, je vous en prie.

VARONA, *craintive et à voix basse:* Bonjour, prince. Etes-vous seul? Je ne vous dérange pas?

OSIP, *durant cette scène, ne cessera de surveiller la porte par laquelle est sorti Sakrov:* Du tout, chère amie.

VARONA: Je suis entrée sans frapper. J'avais d'avance veillé à ce que vous soyez seul...

OSIP: C'est-à-dire, seul... Le Père Sakrov est à côté. Mais, bien entendu, l'entrée du monastère est libre pour tout le monde. C'est la maison de Dieu.

VARONA: Il ne fallait peut-être pas que j'entre.

OSIP: Mais pourquoi donc, madame? Qu'est-ce qui se passe? Asseyez-vous. Parlez en toute confiance.

VARONA, *encore plus bas:* D'abord, je vous prie de m'excuser de ne pas vous avoir reçu la dernière fois...

OSIP: De ne pas m'avoir reçu? La dernière fois?...

VARONA: J'étais comme folle, pardonnez-moi, à la suite d'une terrible discussion avec Zuray. Je ne savais guère au juste ce que me disait cet homme...

OSIP: Mais que voulez-vous dire, madame? *(Il épie vers la porte du fond)*

VARONA: Et puis, les enfants devaient rentrer...

OSIP: Je ne me rappelle pas d'avoir jamais frappé à votre porte. *(Il épie toujours)*

VARONA, *brusquement:* Il y a eu un malheur dans notre maison, Osip. Volni et Zuray nous ont quittés. Ils ont fini par adhérer aux Jeunesses Communistes.

OSIP, *indifférent:* Ils se sont faits komsomolks? Depuis quand?

VARONA: Depuis un mois. Je ne les ai pas revus...

OSIP, *simple spectateur:* C'est embêtant! Et vous êtes, bien entendu, au désespoir?

VARONA, *éclate en sanglots:* Zuray pouvait me consoler de toi, de ta cruauté, de ton absence...

OSIP, *épie vers la porte du fond:* Oh... ne recommencez pas, je vous en prie.

VARONA: Ma vie sans toi ne m'était supportable que par sa seule présence à elle, qui de tous nos enfants, me rappelait le plus notre bonheur défunt, notre destin brisé...

OSIP: Ça y est. Je vous sens revenir...

VARONA: Ces derniers temps, sa voix révélait les inflexions de la tienne.

OSIP, *les yeux toujours vers la porte:* Allez, bon! Et le front? Quelle resemblance?

VARONA: Le front? Voyez-vous, il s'est plutôt écarté des lignes paternelles.

OSIP: Dommage! C'est dommage. Terminez.

VARONA: Mais depuis qu'elle n'est plus là, je ne peux plus vivre...

OSIP, *dans un sursaut facétieux ou halluciné:* Taisez-vous! *(Il épie encore)*

VARONA, *inquiète:* Qu'y a-t-il?

OSIP: Approchez-vous. *(S'approchant de la porte)* Dans cette chambre obscure, venez le voir, si vous voulez...

VARONA, *anxieuse, s'approchant de la porte sur la pointe des pieds:* Voir quoi? Hein?

OSIP: Mon cadavre. Regardez-le, s'il vous plait.

VARONA, *frappé:* ...?

OSIP: Tenez. Ici. Placez vous ici. Le voyez-vous?

VARONA, *regardant, consternée, bouleversée:* Prince...

OSIP, *grave:* C'est lui-même qui s'est couché là. Autant dire que je suis tombé sous le poids de ma propre pesanteur.

VARONA:J'ai peur. Tu n'es pas bien.

OSIP, *lui coupant la parole, le regard fixé sur la porte:* Le froid de ma vie est descendu à tel point dans l'échelle du thermomètre, qu'au milieu de la détresse demon âme et de ma chair, je ne souffre même plus, je ne me désespère même plus. Je suis moins qu'un cadavre: le cadavre d'un cadavre.

VARONA: Tes yeux s'éloignent, mon aimé! J'ai eu tort de venir... *(Elle tremble, prise à la fois de peur et de déchirement)*

OSIP, *tout près d'elle, sévère:* Je ne crois pas me tromper, tu les as torturés de ta haine des bolcheviks. Tu les as traqués, chassés de la maison. Confesse! Je veux que tu me dises tout.

VARONA, *dans une plainte:* Ah, quel remords! Ce n'est pas leur absence qui me tourmente le plus, c'est le remords.

OSIP: Allons. Explique-moi. Qu'as-tu fait de mes enfants?

VARONA, *en larmes:* Zuray avait l'habitude, le soir, de s'asseoir sur le bord du lit, pour lire ses brochures. Je la verrai toujours. L'hiver dernier, un jour que nous étions seules, toutes les deux, dans notre chambre, elle feuilletait un gros volume d'hitoire sur le coup d'Etat bochevique, je crois. Comme elle était restée soudain songeuse et me considérait d'un oeil profond et grave, je me suis approchée d'elle avec tendresse. Car de la voir la proie d'idées révolutionnaires me faisait souffrir l'indicible...

OSIP: Varona, par pitié, mes remords dorment tranquilles, ne les réveillez pas.

VARONA: Elle était ce jour là plus jolie que jamais. Mais d'un joli triste et nuageux, qui, je ne saurais pourquoi, plaisait à mon coeur et le navrait en même temps. *(Osip fait quelques pas, crispé)* Pourquoi m'a-t-elle parlé ainsi? Je ne lé saurai pas. Elle m'a demandé tout-à-coup: "Dis-moi, maman, si papa n'était pas mort?" La conversation s'est ainsi engagée et nous avons causé toute l'après-midi. Puis, comme Volni montait l'escalier, elle s'est hâtée de poser sur mon front un baiser convulsif et étourdi. *(Varona sanglote)* Jamais je n'ai su pourquoi elle m'avait embrasśe comme cela. Pourquoi m'a-t-elle parlé ainsi de toi... Je sais seulement que ce baiser, je ne peux pas l'oublier, maintenant qu'elle est loin et que les rouges me l'ont volée, peut-être pour toujours...

OSIP, *renfrogné, déchiré:* Je ne lui parlerai jamais, à ma fille! Moi, qui ne l'ai jamais approchée, qui ne lui ai jamais parlé, jamais entendue...

VARONA: Elle n'est pas du tout méchante! Non! Elle est bolchevique, voilà son défaut, son erreur, sa seule faute. Je ne peux plus vivre sans elle. J'ai essayé, je ne peux pas. J'ai soif d'elle! Faim d'elle! Osip! Accueille ma peine! Je viens vers toi, me réfugier.

OSIP, *profond, pénétré:* Non! La Révolution, ce n'est pas la chute du tzar, ni la prise du pouvoir par les ouvriers. Ce qui se passe à prèsent dans le coeur des familles et des gens, c'est à la Révolution.

VARONA: Ça me déchire le coeur de penser où on peut en arriver avec la politique! Elle est plus forte que tout! Elle sépare les êtres les plus unis, créant la haine, là où il n'y avait que de l'amour. Je me souviens de Volni et de Zuray petits. Ça me donne envie de pleurer et de crier à Dieu... *(Elle sanglote)* S'arracher de ses enfants!... Pourquoi?... Pourquoi?...

OSIP, *la prend dans ses bras:* Domine-toi, chère! Nous ne sommes pas les seuls dans ce cas. Il ne se passe pas de jours qu'on n'entende parler d'enfants bourgeois ou même de la noblesse, qui ont rompu avec leurs parents pour se faire révolutionnaires.

VARONA, *les yeux dans les yeux, dans un souffle:* Osip! Mon grand!

OSIP, *regarde vers la porte et lâche Varona:* Le fils cadet des Wolf lui aussi a fait cela.

VARONA, *le suit et soudain suppliante:* Ecoute! Rentre à la maison!

OSIP, *surpris:* Plaît-il? *(Il s'éloigne)*

VARONA: Si! Reviens à la maison!

OSIP, *coup d'oeil sur la porte et haussant la voix:* Madame, vous vous égarez. Rentrer, moi! chez nos enfants?

VARONA: J'ai besoin de toi! Je me sens seule! Depuis qu'elle n'est plus là, notre Zuray, une solitude affreuse me gagne et me pénètre et me serre les entrailles...

OSIP, *même jeu:* Mais, madame, vous oubliez ma boue, mes infamies.

VARONA: Qu'importe! Ma solitude, mon abandon, toi seul, tu peux les consoler. Osip! mon compagnon! Epoux de ma vie! Reviens avec nous.

OSIP, *même jeu:* Madame, je regrette. Tout en m'inclinant très respectueusement devant votre détresse maternelle, permettez-moi de m'effacer une fois de plus. Ma souillure, ma charogne...

VARONA: Je t'en absous. Je te pardonne...

OSIP: Ma conscience déborde de ténèbres...

VARONA: Reviens.

OSIP, *épie la porte:* Il me faudra au moins prendre conseil auprès du Supérieur, obtenir son autorisation...

VARONA, *se redressant avec un sombre dessein:* Préfèrerais-tu que j'aille les chercher chez les rouges et les ramène de force?

OSIP: Voilà! C'est une idée! Va les chercher.

VARONA: Je ne réponds de rien. Tu m'y autorises?

OSIP: D'ailleurs, vous pouvez aller dans une église demander le refuge du seigneur...

VARONA, *décidée:* Très bien. Je vais aller les chercher chez les bolcheviks, même s'ils ne consentent pas à me voir et me refusent et m'éconduisent. *(Elle va pour sortir)*

OSIP, *imperturbable:* C'est cela; va les chercher. Et fais-moi savoir dès qu'ils seront rentrés auprès de toi. Ça me fera plaisir. *(Il la congédie. Varona prise d'une orageuse agitation, se précipite dehors. Osip fait un geste de mortel épuisement et chancelle, en s'appuyant sur un coin du pupitre, au moment où Sakrov rentre en scène par la porte du fond)*

SAKROV: Elle est partie... *(Apercevant Osip, défaillant)* Mais qu'avez-vous, mon ami, vous aurait-elle battu? *(Il le soutient)*

OSIP, *faible:* C'est l'effort accompli. Oh, quelle bataille! Quelle tentation!

SAKROV: Je sais. La tentation. Mais le Tout Puissant est avec vous!

OSIP, *se redresse péniblement:* Et puis, cet accident...

SAKROV: Quel accident?

OSIP: Cet accident moral. Sentimental, plutôt. Dans un accès de sincérité, mon coeur s'est arrêté un moment.

SAKROV: Ne bougez pas, ne bougez pas. *(Le soutenant)* Vous avez mal? Est-ce vrai?

OSIP, *se reposant:* Non. Fini. Arrêt momentané. La sincérité, voyez-vous, sert à quelque chose, notamment en régime socialiste: elle m'a fiché la paix, l'ennuyeuse.

SAKROV: Et elle ne vous reverra plus. C'est l'important. *(Soudain, pressant, à voix basse)* Prince, prenez, une fois pour toutes, une décision.

OSIP, *la pensée ailleurs:* Mais, au fond, elle ne veut plus de moi, quoiqu'elle en dise.

SAKROV: Partons pour le kolkhoz.

OSIP, *même jeu:* Les enfants! Les bolcheviques! Qu'est-ce que ça peut bien me faire?

SAKROV: Partons pour Wirk, si possible dès demain matin!

OSIP, *avec une douloureuse lassitude:* Ce sont plutôt les popes qui sont mon cauchemar. Oh!... Quelle barbe!... Ils ne cessent pas de me semonner: Dieu! Ame! Eternité! Et que sais-je encore!... *(Il s'assied et s'accoude au pupitre, la tête échouée dans ses mains)* Et l'on appelle cela refuge et consolation!

SAKROV, *le saisit par les poignets, avec feu:* Osip Dvochine Polianov, allons-nous en! Partons tout de suite! Sur l'heure! Allons! Le travail dans les champs nous attend! *(Osip ne répond pas, la tête toujours inclinée)* Les grosses machines! Les tracteurs! Le vacarme formidable des moteurs! Le remous haletant des ouvriers! L'horizon vert et bleu, des emblavures, au printemps! Le soleil abondant! L'air fort et salubre! La fin de toute pensée! La fin de cette vie étouffante dans le monastère!... *(Osip relève le front et regarde Sakrov, absent)*

Venez! Oui! Depêchons-nous! Déjà mes mains s'impatientent de bouger, de se crisper sur la besogne musculaire! Un potentiel inconnu mord son frein dans chacune de mes cellules!... *(Osip marche, hésitant, vers le centre de la scène. Sakrov, avec une exaltation grandissante)* Oh, quel tourbillon de forces agissantes que la vie! Cela vous arrive de tous les points de l'univers! Ça vous empoigne et vous soulève et vous transporte! *(Tout en parlant ainsi, il entraine Osip par le bras du côté gauche du couloir)* Alègre et mouvant et harmonieux est le monde de la matière! Mais avant tout, mouvant!... Hâtons-nous! Venez! A la bonne heure.

OSIP, *se détournant brusquement:* Sakrov! Jusqu'à la fin des siècles, l'homme sera toujours le fils de l'homme! Je m'assieds! *(Il s'asseoit)* Je suis assis. Je pense. Vous pensez. Vous êtes debout...

SAKROV: Au kolkhoz, Polianov!

OSIP: Vous tenez à me sauver et cela est très mal de votre part, mon pauvre ami.

SAKROV: Vous m'agacez. Partons!

OSIP: Sortir? Jamais! Je suis déjà assez malheureux comme cela! Si encore, par dessus le marché, vous me sauvez, quelle situation! Non! Non, mon ami! Cela non!

* * *

rideau

* * *

SUEÑO DE UNA NOCHE DE PRIMAVERA *

París. En el cruce de Montparnasse. A las once de una noche de mayo abrigada y diáfana. Plátanos y castaños en flor. Algunos establecimientos –cafés, restaurantes, hoteles, una farmacia– abiertos. Avisos luminosos en color. Transeúntes, automóviles elegantes. En las bancas, aquí y allá, hombres y mujeres sentados. Conversaciones confusas, entremezcladas, intermitentes.

En primer plano, ya sentados sobre una de esas bancas, ya moviéndose, tres obreros de unos cuarenta años, de aspecto miserable, con la barba y los cabellos largos. Son desempleados. Están un poco borrachos. Al levantarse el telón miran al azar, boquiabiertos y en silencio. Un señor, también de unos cuarenta, vestido sin elegancia pero con corrección, viene a sentarse en la misma banca. Los obreros le observan insistentemente.

OBRERO 1: Buens nochs, ñor *(el señor no responde y se queda quieto, sin esbozar el menor gesto. Mueca del Obrero 1. A sus compañeros)* Artista pintor. Se le ve en los ojos. Retratos en azul, mancha en medio del ombligo, un cuarto de jeta medio cuadrada. Museo de la Orangerie. El señor ministro de educación tiene el honor... *(Mueca alusiva al recién venido y chasquido de lengua)* Inauguración postergada ocho días... *(El Obrero 2 salta hacia un automóvil que acaba de detenerse junto a la acera y se apresura a abrir la puerta mientras de quita la gorra)*

---

* En la portada, en francés: en París hacia 1935-1936, y, al final de texto: inacabada.

OBRERO 3, *mirando a un nivel superior de enfrente:* ¡Hombre! Van a hacer el amor allá arriba. *(El Obrero 2 sigue a los que bajaron del automóvil y desaparece por la derecha.)*

OBRERO 1: ¡Qué tales crápulas! ¡Hacer el amor cuando hay pobres que ni siquiera han papeado!

OBRERO 3: Pero tú, por tu cuenta, ¿qué quisieras hacer esta noche? ¿Hacer el amor o tener una comilona?

OBRERO 1, *saltando hacia otro automóvil que acaba de llegar:* ¡Ahí va el cónsul de Calvados! ¡Hispano-suizo! ¡Mis papeles! *(Busca en su bolsillo. Un joven –18 años–, sin duda un dependiente de Potin, viene a ocupar un lugar en la banca en medio de los desocupados. El Obrero 3 le pega una mirada de pies a cabeza.)*

OBRERO 3, *al joven:* Buens nochs, jovencit. ¿Ta mejor la salú? *(El joven intenta irse. El Obrero 3 le detiene por la manga.)* Y bien, chico, no te me vas. ¿Tienes miedo? El hombre no debe llorar, hombre. ¡Nunca! ¿Eres belga? ¿Eres tu hermano? ¿Eres tonkinés? ¿Eres mi hermano en tonkinés? ¡Pero habla, hombre! ¿Todo va mejor?

EL JOVEN, *tímido:* No estoy enfermo, no.

OBRERO 3: ¡No! ¡No! ¡Particularmente tú no! ¡No! ¡Todos! ¡Todos nosotros estamos enfermos! ¡Muy enfermos!

OBRERO 2, *regresando por la derecha:* ¡19.75! ¡Por la Parca me ha escupido 25 centavos! *(El Obrero 1 vuelve a sentarse, mudo y taciturno.)*

OBRERO 3, *al Obrero 2:* ¿Y ahora?

OBRERO 2: ¡Por atesorar 20 morlacos ahora no me quedan más que 19.75!

OBRERO 3: ¿Y qué te falta para tener en las tripas una marmita para digerir y dos porquerías superfluas?

OBRERO 2, *dirigiéndose al joven:* ¡Sí, claro! Ahí tienes, mi amigo, la vida de los trabajadores. En rigor, uno recibe todavía el golpe pero ya no el mendrugo. ¡Ni modo! ¿Qué es lo que haces en la vida? ¿Con qué fin has metido las narices en el mundo?

OBRERO 1: ¡Para sentirle el perfume...!

OBRERO 3, *mirando a un paseante:* Capitán de buque. Calle Real. Donde Maxime.

OBRERO 1: ¡Vete ahí! ¡Corre tras él! ¡Tuércele el cuello!

OBRERO 2, *al Obrero 3:* ¿Qué te hace pensar que sea marino? Más bien tiene el aire de un ministro de guerra y no de la marina.

OBRERO 3, *al joven:* ¡Tú, muchacho! ¡Nosotros veremos el comunismo!

OBRERO 1: ¡Nombre de dios! ¡Esto terminará de la misma manera algún día!

OBRERO 3: ¿Por qué pones mala cara? ¿Eres burgués? ¿Perteneces quizás a una de las 200 familias, eh?

OBRERO 1: Soy el griego, el inglés, el rumano y me muero de hambre. ¡A mi salud!

OBRERO 2: Y yo soy albañil. Tengo un tío que se estableció como contratista de *grandes obras*. Él es quien ha hecho todas las tumbas del cementerio de Montrouge. ¡Todo el que se muere de este lado es la gran suerte para él! La gran suerte sin lotería.

DRESSING-ROOM

BUFONADA EN UN PRÓLOGO Y CUATRO ACTOS

VESTUARIO

1.er ACTO

Estudio – Bastidores del estudio – Se filma una historia de amor. Charlot – Chaplin – Stars – Explotación de Charlot por Chaplin – Escenas cómicas – Charlot es un ser ansioso de ternura y sensible – Cada star le inspira amor – Pero las stars se burlan de él – Horrible realidad.

ENTREACTO

En una calle de Hollywood, de noche – Charlot pide limosna en medio del frío – Pasa Chaplin – Se le aclama – Charlot también le aplaude – Charlot busca dinero para casarse con la star – Le pide limosna hasta a Chaplin.

2.º ACTO

Bastidores del estudio – Una película sobre Jesús – Simpatía entre la jovencita del guardarropa y Charlot – Se entabla el idilio – Los dos se ponen los trajes de los artistas; sueños de un porvenir dichoso – Pero Charlot es pobre – Y se da cuenta de que Chaplin, su patrón, también está enamorado de la joven.

ENTREACTO

Una reunión obrera clandestina de los trabajadores y despedidos de los estudios de Los Ángeles, para protestar – Charlot asiste – Concibe un odio de clase contra Chaplin y todos los patrones y políticos – Pronuncia un discurso – (Jamás he dicho nada *(¡Cine mudo!)** –dice Charlot– y por eso han abusado de mí.)

3.er Acto

Estudio. Se filma una película política: un presidente del Consejo de ministros ante el Parlamento – Se ha pagado a extras para aplaudirlo – Charlot no quiere aplaudir – Luego, al final del trabajo, Chaplin le despide – Charlot sorprende a Chaplin abrazando a la jovencita del guardarropa – Duda pero luego se decide a matarle.

DRESSING-ROOM

Piso – Exterior – Extras.
Interior – Gabinete – Prueba.
Ejercicio – Payaso – Hollywood.
Estrella – Vedette – Director.
Montaje – Recorte.
Administrador – Película muda.
Rodar – Operador – Estudio.
Interpretar – Filmar – Versión.
Producción – Sala – Atracciones diversas.
Decorado – Guardarropa – Maquillaje.
Falta de animación – Invención.
Humorístico – Acrobacia.
Espíritu – Pirueta – Parodiar.
Ingenio – Invención.
Imaginación – Ligereza.
Euforia – Consentimiento.
Números de music-hall.
Director de escena – Sonorizar.
Rol – Gesto – Mueca.
Guionista (que hace el argumento).
Maniobra – Funámbulo.
Rimmel – Lágrimas de glicerina.
Bufones – Subtítulos – Escenario.
La mujer 5 – Ejercicio peligroso.
El documental – El actor.
El intérprete – Decoración interior.
Fotografía – Dibujos animados.
Cuento de hadas – técnica – vista de perfil.

---

* Subrayado en el original.

Fantasía encantadora – En traje negro.
Bigote estirado y engomado.
Bastidores – Espectador – Sesión.
Cine realista, absurdo – película.
Escenario – pancarta – entreacto.
Período preparatorio – *realizar.*
El ojo registrador – el objetivo.
Una serie de escenas.
Dieciséis imágenes por segundo para la recreación del movimiento.
Amasamiento de millares de imágenes.
Un número de acrobacia.
Escenario – rampa.

DRESSING-ROOM

PRÓLOGO: Chaplin pasa en su lujoso carro por la calle y Charlot, mendigo, le aplaude.

ACTO I: En el estudio – *Oficina* de Chaplin – Puertas – (Según el plan ya trazado). Algo muy sutil e inteligente.

ACTO II: En el estudio – Ensayo – (Número de atracción de un gran cabaret) – Un hombre hipnotizado (Charlot) toma la sensibilidad de un árbol y reacciona como un árbol.

ACTO III: En el sindicato de actores. *(Allemagne* y *Lock-out).*

ACTO IV: Estudio del acto segundo, ensayo – Diversos films sucesivos: *Los topos* y otros cuentos ya escritos, *divertidos* – Asesinato de Chaplin por Charlot.

* * *

El hilo central es la sed de dicha que posee a Charlot, dicha que no es posible sin el amor, y éste, sin el dinero. Charlot se enamora de todas las mujeres que le hacen algún caso.

DRESSING-ROOM

PRÓLOGO: Charlot pide limosna a Chaplin

ACTO I

1. Al instante se ilumina una *puesta en escena* de interior de un estudio cinematográfico de Hollywood. La escena está vacía.

2. Chaplin. Entra por la derecha, saludado por alguien: Buenos días, señor Chaplin. Abre con una llave una puerta del fondo izquierda y desaparece.
3. Inmediatamente, sale por la misma puerta Charlot y vuelve a cerrar la puerta con llave, como la había abierto Chaplin.
4. Voces de Chaplin, que llama: ¡Abrid! ¿Por qué habéis cerrado? ¡Abrid!
5. Entra el operador, y los dos, con Charlot, dialogan con Chaplin invisible –¿Dónde está usted? le dicen– No atinan a saber dónde está encerrado, para abrirle.
6. Chaplin rompe la cerradura de la puerta del fondo y sale a escena, furioso. Chaplin, tirano, explotador de Charlot. Humanismo, realismo, profundidad.
7. Chaplin larga a todos afuera y va a reflexionar.[1]
8. Charlot duda reunir a varios Charlots, en una escena del piso superior, para reflexionar sobre sus relaciones con su patrón Chaplin. Pero éste le ordena más bien traer a su bureau a todos los Charlots para sesionar sobre la película.
9. Entra la mujer del autor y le dice: ¿Qué haces? –¡Chut! ¿No ves que estoy con gente, ocupado? Escena realista y humana.[1]
10. Sale la mujer, y Chaplin desesperado, de una manazo echa por tierra a todos los Chaplin.[1]
    Va a ser igual con los Charlots, pero éstos le dan una tunda del siglo y le obligan a marchar *dans l'affaire.*[1]

Acto II

11. Interior del estudio ya indicado, al que entran las stars a filmar. Entre las stars, figura la mujer de Chaplin, a quien Charlot enamora, traicionando a Chaplin. Visto por éste, Charlot se escapa.
    La escena que se representa o filma, es cuando Charlot figura en hombre[2] hipnotizado y que toma la sensibilidad de un árbol, y reacciona como un árbol – Es en un número de atracción de una gran boite, en Nueva York.
12. Charlot entra por la puerta del fondo, y desaparece –vuelve a salir, llamado por Chaplin.
13. Chaplin, mientras los demás artistas se marchan, le pide a Charlot la llave de la misma puerta – Charlot se la da y

[1] Error o mejor dicho, texto indudablemente incompleto, se comprende, sin embargo, la intención del autor. (Nota del original.)

[2] "¿Figura como un hombre?"

Chaplin entra por esa puerta – Charlot y Chaplin, pegados espalda con espalda, dan vueltas y vueltas, Chaplin buscando a Charlot para quitarle la llave.[3]
Utilizar mis cuentos *divertidos* como material.

14. En ese momento, vienen dos gangsters y agarran a Charlot, tomándole por Chaplin – ¿Quién sabe eres Chaplin?
15. Charlot se escapa y entra por la puerta del fondo.
16. Sale luego Chaplin delante *de* los gangsters que no le hacen nada y esperan más bien a Charlot.
17. Se oye que Charlot telefonea a la policía, pidiendo garantías.
18. Vienen los guardias y sale entonces Charlot custodiado y sin un céntimo – Les dice a los guardias: Yo vivo muy lejos...
19. Una mujer del *guardarropa,* y a quién la roba Charlot: ¡Chilín!... *Gracias, señor!* Etc.
20. Luz a Charlot, encogido en la puerta, le pide limosnas a Chaplin que pasa, aclamado por la multitud.

ACTO III

21. En el sindicato de actores *(Lock-out)*

ACTO IV

22. En el estudio – *Los topos* y asesinato de Chaplin por Charlot.

NOTA DE G. V.: Los cuadros siguientes han sido suprimidos en el original.

TEXTO SUPRIMIDO EN EL ORIGINAL

1. El primer telón de color blanco como cualquiera de los que se usan actualmente. Se descorre horizontalmente.
2. Deja ver un telón negro, que cubre toda la escena hasta la altura de las pantorrillas de los personajes masculinos desnudos iguales: color de piel, musculaturas, tamaño de los pies, etc., iguales. Los dos se mueven en escena, mezclándose los pies, separándose, deteniéndose un momento: uno corre, otro espera; hacen esfuerzos musculares, se estiran, permanecen inmóviles: uno va y viene impaciente. En fin, una serie de actitudes y movimientos plásticos, expresivos.

París, 1932-1937

[3] Error o mejor dicho, texto indudablemente incompleto, se comprende, sin embargo, la intención del autor. (Nota del original.)

NOTA: Antes de escribir Vallejo *La piedra cansada,* pensó en escribir *Dressing-room,* y vaciló, por decidirse, al fin, a escribir la pieza incaica. Luego, en 1937, y a la víspera de regresarse al Perú –en enero–, y creyendo haber conseguido la esperanza, por lo menos, de una tranquilidad económica relativa pues iba a tener un mes de vapor y luego algunos recursos económicos de conferencias que pensaba dar en su país, empezó a trabajar la nueva pieza, escribiendo el plan éste; pero el viaje no se llevó a cabo y Vallejo no la pudo escribir. (Nota del original.)

SUITE ET CONTREPOINT

1.er Acto

Una pareja recién casada en su casa. Incomprensión mutua. Disputas. Pasada la ilusión de lo que cada cual creyó existir en el otro, la realidad de cada uno espanta al otro y recíprocamente. Total: la discordia, intolerancia, separación inminente.

2.o Acto

Al marido le viene una idea: enamorar a su propia mujer por cartas, teléfonos, citas anónimas, etc. Esta idea le viene porque ha observado que su mujer, no habiendo encontrado en él el hombre que ella soñó, busca ávidamente otro amor, otro hombre cualquiera, en quien realizar su ilusión femenina. Suite de escenas y episodios fuera del hogar, *unos* (1.er cuadro) entra el marido disfrazado y ella; *otros* (2.o cuadro) en el hogar. En aquellos, ilusión, ensueño, esperanza, pasión romántica, en suma: amor naciente. En éstos, la decepción creciente de la mujer, el asco, el desprecio, en fin, el odio. Dos cuadros en consecuencia.

3.er Acto

El mundo abstracto, la ilusión de la nueva pareja (el marido disfrazado y su mujer, que ya no es tampoco ella, la esposa, sino otra, la novia o disfraz espiritual) va a encarnarse en la realidad de una cita o entrevista de los dos supuestos enamorados. El marido llega entonces a disfrazarse materialmente (según una fórmula médica o quirúrgica o teatral) y hasta la voz cambia, tomando un remedio. Va a la cita. El idilio es perfecto. Promesa de matrimonio, que vendrá con la ruptura o divorcio de la primera pareja. Noviazgo por decirlo casi oficial. Ella pide entonces el divorcio por falta de acuerdo entre los dos. Al separarse, un salto desconcertante –un puente– se opera del dolor inmenso que tiene el marido de perder a su mujer, a la felicidad de unirse de nuevo ella en otro mundo nuevo. Porque, cuando él empezaba a llorarla, he aquí que siente de pronto que el juego que estaba haciendo con ella ha despertado en él subconscientemente y sin que él se dé cuenta, un nuevo amor por la nueva mujer que se ha revelado a sus ojos nuevos. La farsa se convierte en realidad. El marido está enamorado *de veras* de su propia mujer. Enamoramiento de novios. Nueva ilusión. El paraíso nupcial vuelve a abrirse. Pero, una vez dentro ¿no volverá a evaporarse la ilusión y aparece una nueva dura realidad, un nuevo desengaño?... Sería entonces para empezar otra vez un segundo juego y así sucesivamente...

El tema representa gráficamente esta figura en marcha al infinito:

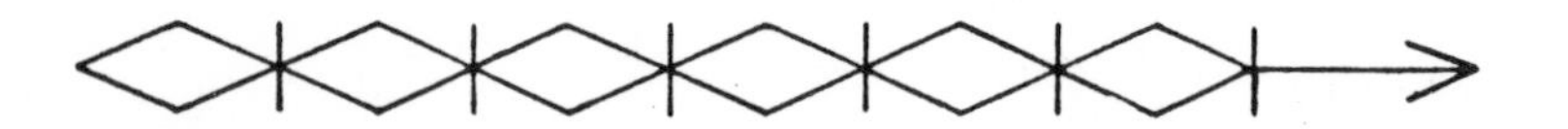

Las líneas verticales son los contactos o matrimonios, mientras que los rombos representan las separaciones durante las cuales nacen y viven las ilusiones, las mismas que mueren y acaban con cada choque de las realidades o conocimiento material y total y mutuo de los enamorados.

* * *

También el tema tiene semejanza con esos insectos que cambian de alas y de piel y van dejándolas en su vuelo y creándose otras nuevas.

* * *

Podría partirse del caso de Lory y de Mampar, como pareja en discordia y desengañada. Sería el primer acto.

* * *

Renovar el teatro de dos, tres o más actos, reemplazándolo por piezas de un solo acto – Dar dos, por ejemplo, o una simplemente, cada noche.

Una teoría teatral: para resolver la dificultad de la comprensión humana (toda la desgracia de los hombres viene de que no se comprenden), hacer al individuo que entre en el cuerpo del prójimo, para que vea lo que es ser el otro, es decir, hacerlo jugar el papel del vecino, en el gran teatro del mundo. Y sólo cuando haya visto lo que es vivir la vida y la naturaleza del prójimo, lo comprenderá, le tolerará y le amará. Más aún, se pondrá en su lugar y se identificará con él, consubstanciándose con su ser y con su destino. *¡Ponerse en su lugar!* Esa es la cosa: representarlo en sus placeres y en sus dolores.

El teatro, al servicio de la comprensión humana. Un pobre jugando el papel de un rico y así sucesivamente.

PRESIDENTES DE AMÉRICA

ESCENARIO

En una aldea de la sierra del sur del Perú –Colca, departamento del Cuzco–, dos antiguos peones –los hermanos mellizos Acidal y Mordel Colacho–, hijos de unos pobres campesinos de la cordillera andina, ignorantes, casi analfabetos, poseen y administran, en las afueras del villorio, una tienducha de comercio, en la que venden artículos y mercaderías de primera necesidad, cuyo monto es miserable, rampante.

Los hermanos Colacho montaron este pequeño comercio con un diminuto capital que ellos formaron, centavo por centavo y a precio de mil privaciones, de sus míseros salarios como cargadores en el puerto de Mollendo. Para incrementar el negocio, los Colacho alternan con las ocupaciones de la tienda, trabajos de mano de obra –como albañiles o como arrieros–, al servicio de otros comerciantes o hacendados del lugar. Pero el negocio no prospera y ni siquiera logra consolidarse. Es así como, para subvenir a las necesidades financieras del pequeño comercio, los Colacho se ven, con frecuencia, obligados a "socorrerse" para trabajos en que irán desquitándose a pocos, conforme les permitan las diarias ocupaciones de la tienda. Total: deudas continuas, sobresaltos económicos y angustias cotidianas a la idea de ser demandados y ejecutados por sus acreedores y hasta de asistir, de un momento a otro, a la quiebra definitiva de su negocio.

Los hermanos Colacho son cerrados de inteligencia, duros y sordos de sensibilidad; viven sumidos en una especie de candor cerril, que no llega, aunque lo parezca, a estupidez egoísta de salvajes: una llama hay en sus ojos y es la llama pérfida y soterrada de un tenaz y tormentoso apetito económico. Este apetito –que no es avaricia, pero que toma a veces aire de codicia–, desembocará más tarde, siempre por la vía del dinero, a un arribismo social y político y hasta intelectual y mundano, desesperado.

Acidal es más audaz; Mordel más listo. Acidal inclina, de modo creciente, a las cosas del espíritu, en las que él espera hallar la llave definitiva del éxito; Mordel prefiere avanzar en contacto *terre á terre* con los medios materiales de una lucha en pequeño pero práctica y segura. El primero es más flexible y dúctil para adaptarse a las gradas ascendentes de su suerte; el segundo es más prudente y previsor. Mordel, en fin, para todo cuanto no sea actividad económica directa, es de una timidez y de una torpeza, rayanas en lo cómico o patético; Acidal, a este respecto, es más bien de una seguridad en sí mismo que por lo inaudita y temeraria, toca, asimismo, en lo patético o lo cómico. En lo demás, la vida y los acontecimientos producen en ambos las mismas reacciones. De este modo, se diría que los Colacho formasen de sus dos existencias, una sola, con un solo e idéntico destino: la riqueza, el poderío.

* * *

Así, pues, la acción del film arranca del empeño que domina a los Colacho de resolver la crítica situación económica en que se hallan, pagando sus deudas y consolidando, de una vez para siempre, la existencia y desenvolvimiento de su naciente negocio.

En otro ambiente social que no fuese el ambiente en que viven y luchan los Colacho, las peripecias del destino de ambos hermanos, habrían sido, seguramente, distintos de los que forman la trama de este film.

Las costumbres, la estructura política, el mecanismo económico, las normas morales, las creencias y tradiciones, todo, en una palabra, se engrana de tal modo con el carácter y aspiraciones de los Colacho, que una gran farsa cinemática nace del choque de los protagonistas de la acción con la sociedad en que ésta se desenvuelve. Una farsa sobre todo social, de un burlesco tan bufo y, a la vez, tan trágico –en medio de su increíble y absurda arbitrariedad–, que solamente en Sudamérica puede ella ser posible.

En ningún país europeo se da, en efecto, el caso de un pueblo cuyos soportes sociales reposan principalmente sobre tres modalidades psicológicas características, determinantes del proceso colectivo: la audacia, la cobardía y el servilismo. Estas tres modalidades, que son privativas por excelencia del sector social detentador del poder y de la riqueza nacional– al ser conjugadas con el medio peruano, dan, en efecto, lugar, según los casos, a situaciones individuales y fenómenos colecticos desconcertantes. Por último, el gran atraso del pueblo, que se traduce por una opinión pública casi inexistente o por una conciencia nacional incipiente y sofrenada, sanciona los más insólitos manejos del audaz triplicado del cobarde y del servil.

Dispuestas así las fuerzas y pasiones de los personajes,, de una parte, y las condiciones sociales, de otra, una sátira mordaz e implacable resulta, de modo fatal, de la simple exposición objetiva del juego entre unas y otras.

Los Colacho, siguiendo el ejemplo de otros personajes de la realidad que los rodea –ejemplo que ellos no se detienen a examinar si es bueno o malo–, han empezado por abusar de la ignorancia de los indios, estafándoles en las ventas de la tienda. Mas esto no los saca de apuros. El gamonal Tuco va a ejecutarlos por la deuda que le tienen y, siguiendo los manejos administrativos que estilan en estos casos las autoridades peruanas, para favorecer a los copetudos, va a ponerlos en prisión. Una turba de bandoleros, que se titulan revolucionarios, les amenazan con *chantajes* cotidianos. Los Colacho van a la ruina...

Pero, he aquí un buen día, un ángel salvador, en la persona de un rapaz, entra a la tienda y entrega un pequeño sobre a los Colacho. Este sobre –así lo reconocen, desde el primer instante, Mordel y Acidal– les trae el pasaporte con que, al fin, entrarán al mundo capitalista: el alcalde de Colca, por no sabe qué motivo o quizás simplemente por un error de su secretario, invita a los Colacho a una gran fiesta mundana, a la que va a concurrir la crema de la aldea.

Acidal y Mordel se ponen así, de un momento a otro y de golpe, en contacto con los grandes y pudientes de Colca, sin cuya cooperación –según lo intuye el propio Mordel– no es posible ningún progreso individual. Mordel dice: "El secreto está en entrar en la buena sociedad. El resto vendrá después, por su propio peso: la fortuna, los honores. Estoy de eso convencido..."

En efecto, después de la invitación del alcalde, los Colacho, utilizando las ventajas de *dar la mano a personajes,* salen adelante en su comercio, dejan de ser para siempre obreros y, diez años más tarde, aparecen como dueños de varios bazares y otros negocios en que se mueven muchos miles y de los que extraen ingentes utilidades.

Es entonces que nace el apetito político en Acidal: quiere ser diputado. Acidal ha llegado a comprender que los negocios no pueden andar sin la política. Aparte de que el brillo político le seduce por sí solo lo bastante.

Un fenómeno especial y particular al actual proceso económico de Sudamérica –el imperialismo yanki–, se injerta entonces en la vida y en los planes de los Colacho. La *Cotarca Corporation,* sindicato norteamericano poseedor de grandes explotaciones mineras en el Perú, y a cuyo servicio trabajan Acidal y Mordel, se muestra decontento de la política financiera que a la sazón practica el gobierno peruano: Wall Street se siente, en una palabra, celosa del imperialismo inglés, que parece ganarle terreno en el Perú. La *Cotarca Corporation* concibe entonces un golpe de Estado, a fin de poner en el poder a un hombre de su confianza, que sea instrumento dócil y leal de su dominación económica. ¿Quién puede ser este hombre? Mr. Tenedy, gerente del sindicato yanki, desliza, un día, al oído de Mordel Colacho, en el bazar de Quivilca: *Ya no tenemos confianza en nadie: todos los políticos de Lima son unos pícaros.* Y como Mr. Tenedy *conoce* profundamente a los Colacho y, especialmente, a Mordel, con quien, por razones de negocios, está en contacto diario en las minas, el gerente de la *Cotarca Corporation* llama, otro día, a Mordel y le habla de esta manera: *Don Mordel* –le dice, en tono autoritario–, *los intereses de Wall Street y, sobre todo, de la Cotarca Corporation, exigen que usted sea, en el día, Presidente del Perú.*

Mordel se queda paralizado ante tamaña orden, contra la cual nada pueden los Colacho, porque de ser desobedecida, "la empresa los pondría de patitas fuera de Quivilca, quitándoles los bazares, el enganche de peones, el arrieraje y todo". "Usted, don Mordel –añade Mr. Tenedy–, es el hombre de mayor confianza que nuestro sindicato tiene en el Perú, y usted es el único que puede trabajar con nosotros en el Gobierno, para servir a su patria y a la mía."

Vanos son los forcejeos de Acidal y de Mordel para rehuir un cargo ante cuya sola idea tiemblan de terror. "¡Qué voy a hacer yo de Presidente! –exclama despavorido Mordel ante su hermano– ¡si yo no sé nada de nada! ¡Yo, que no sé ni las cuatro operaciones! ¡Yo, que no sé andar sobre una alfombra!..."

Quejas inútiles. La suerte está echada: la presidencia o la miseria y la vuelta a la condición de peones. De dos males, el menor: Mordel va a la Presidencia, cargo que, algunos meses más tarde, cede a Acidal, para ir él a Nueva York, llamado urgentemente, por otros negociados de la propia Wall Street.

En fin, después de haber sido ambos Presidentes, una nueva revolución –promovida y financiada por el imperialismo de la City– los derriba del poder y los Colacho, cumpliéndose así el presagio o la maldición de un brujo de Taque, son fusilados.

* * *

Un realismo crudo y directo, que linda con el reportaje, produce a lo largo de la acción, un fuerte precipitado de color local.

El exotismo de la atmósfera y de los caracteres se traduce por un pintoresco que sin dejar de ser esencialmente cromático y tropical, es casi siempre anímico y doloroso.

Pero es, sobre todo, un gran humorismo lo que baña a las imágenes y a las situaciones de una jocosidad irresistible. Más todavía, puede decirse que el interés del film entero tiene su mejor resorte en la comicidad de las escenas y del diálogo.

Guiñolescos, baturros, bobos y, a la vez, maliciosos y, a sus horas, de una cierta agudeza repentina inverosímil, Acidal y Mordel obran y se expresan, en los más graves momentos, con una mezcla de audacia y de torpeza que nos obligaría a preguntarnos cómo puede salirles bien lo que ellos hacen, si no tuviéramos en cuenta la increíble ignorancia de las gentes que los Colacho explotan y llegan a dominar, de una parte, y de otra, las curiosas convenciones sociales en que operan.

He aquí algunos ejemplos de este humorismo:

Acidal dice a unas indígenas, que buscan una clase de hilo que Colacho no tiene: "¡Hombre! da lo mismo jabón que hilo negro. ¡Qué brutas son ustedes! Cuando la ropa está muy rota, en vez de remendarla, hay que lavarla bien, refregándola con bastante jabón y entonces aparece relumbrante como nueva. Les venderé un jabón de chuparse los dedos."

A otros indígenas: "Tengo también manteca, caramelos verdes, píldoras para el dolor de muela, para el empacho y para las almorranas."

A unos pastores que le compran cañazo: "Precisamente, mi cañazo es especial para pastores. Con este cañazo, no hay oveja que se pierda ni chancho que no engorde."

Unos electores, el día de la elección de diputado, gritan, entrando a la tienda de los Colacho, conducidos por un capitulero: "¡Viva el patrón Ramel! (su candidato) ¡Viva el gendarme Tapia, marido de la loca Gemencinda!" El capitulero diserta sobre lo que es el teléfono: "Ah, señores, ¿saben ustedes lo que es el teléfono? El teléfono es una cosa formidable. ¡Viva, muchachos, el teléfono!"

En fin, a propósito del teléfono, del que los indios no tienen la menor idea, una lección por decirlo así socrática les da el capitulero a los electores.

Más tarde y partidos ya los anteriores, entra un indio.¿Qué busca este elector descarriado en la tienda? Busca una cosa muy sencilla: quiere que le hagan la caridad de decirle por qué candidato acaba de votar él, el indio, que trae en la mano la cédula de su voto. ¡Es un elector analfabeto! La escena es de un tragi-cómico terrible.

Un amigo de Acidal comenta entonces: "Eso no es nada. La vez pasada votamos para elegir Presidente de la República, aquí nomás en Colca, 29 muertos y mi tía Mesbel." (Las mujeres en el Perú no votan).

La escena en que Mordel y Acidal leen la invitación del alcalde y discuten quién de los dos debe ir al almuerzo, es de una bufonería molieresca, que culmina cuando Acidal escribe la respuesta, copiándola de su modelo. Entonces hay en el modelo una palabra medio borrada por el polvo o la suciedad del libro: *Parece que se hubieran meado* –dice Acidal–. *No se sabe lo que dice. Yo creo que los ratones se han cagado.* Y resulta que la palabra borrada parece ser *honra. ¿No te parece* –pregunta a Mordel– *que la palabra en que se han cagado las ratas es la palabra honra?*

La primera parte del film acaba con la escena en que Acidal se viste de gala, ayudado de Mordel, para ir a la invitación. La sombra de Chaplin atraviesa entonces por la figura de Acidal, que nunca o rarísimas veces se ha puesto zapatos. Mordel le peina y le da consejos para que se conduzca correctamente en el almuerzo Acidal ensaya gestos, ademanes, modos de hablar y de mirar. Llegado el momento de partir, Acidal se retuerce de dolor con los zapatos y suda frío. Mordel no obstante, le somete a un ensayo de las maneras que debe observar en casa del alcalde, al encontrarse ya con los personajes de Colca, ya con los lacayos del anfitrión. Al fin, Acidal parte, diciendo: "Prefiero los zapatos al badilejo." Y Mordel, muy emocionado, le despide: "¡Bravo, hermanito! ¡Dios te mire con ojos de misericordia en el almuerzo!..."

Una muestra de la manera como los Colacho embaucan y roban a los pobres indios, hela aquí:

A una campesina que le ha traído a vender varios lotes de huevos y que, ignorante para sumar, le pregunta a Mordel cuántos huevos le ha traído en total, Mordel le dice: "Voy a decírtelo. *(Escribe unos números en un papel aparte).* Aquí está. El 3, me trajiste 8; el 12, 16; y hoy, me traes 14... Vamos a ver. *(Se dispone a hacer la suma)* Mira, Rimalda, bien, para que no vayas a pensar que te robo... *(Canta la adición)* 4 y 6: 10 y 8:18. Dejo 8 y llevo 1... pero... *(Se queda pensando. Mirando afectuosamente a la mujer)* ¡Qué te voy a llevar a ti nada, vieja!... Para que sigas trayéndome siempre los huevos, no te llevo nada. ¡Mira, pues, lo bueno que soy contigo! No te llevo nada." La india responde: "Gracias, pues, taita, que no me lleves nada. Dios te lo pagará." "Y aunque no me lo pague, Rimalda –responde Mordel–. Yo soy incapaz de llevarme nada a una pobre vieja como tú." *(Vuelve a la operación)* Decíamos... Repite la suma y en vez de decirle a la india que el total de los huevos es 38, le dice que son 28. Es decir, le ha robado 10. La campesina, que no comprende nada de lo que es una suma y que es incompetente para hacerlo, a su modo, ella misma, se contenta con suspirar, resignada: "Así será, pues, taita."

Esta contextura cómica del film se afirma y sube de tono a medida que se desarrolla la acción. Los Colacho, al rozarse sucesivamente, en su carrera, con profesores, generales, gente rica, autoridades, y, más tarde, con parlamentarios, generales, ministros, diplomáticos, prelados, magistrados y al asomarse a los grandes y escabrosos problemas políticos, administrativos y financieros de la República, así como al bordear altas nociones de derecho y de legislación, de oratoria, de protocolo y de táctica gubernamental, provocan incidentes y situaciones de una payasada truculenta. Ejemplo: La prima del arzobispo de Lima visita al Presidente Acidal Colacho, llevando de la mano a un niño de unos cuatro años:

> *El Presidente:* ¿Monseñor Cochar es pariente muy cercano de usted?
> *Señorita Mata:* Exc. Señor, es nada menos que mi primo hermano. Y Pepito, naturalmente, viene a ser su sobrino en segundo grado.
> *El Presidente:* ¡Ah! ¡Qué tal! *(Mirando al pequeño).* Tan chiquillo, y ya sobrino del arzobispo, ¿no?...

Ante esta exclamación de Acidal, no se sabe, en verdad, si se trata de una burla punzante y llena de intención o de un *décalage* cerebral del Presidente.

* * *

Intriga, no hay ninguna en este film, cuyo argumento no es más que una "suite" de acontecimientos y peripecias de la vida de los hermanos Colacho, desde que instalan su tienducha de comercio en Colca, hasta que son fusilados, a raíz de su derrocamiento de la Presidencia de la República.

* * *

Al clima social y psicológico, formado por los caracteres y las costumbres nacionales, hay que añadir el clima telúrico y económico, consistente, este último, en las imágenes autóctonas del trabajo de los indios (en que aún sobrevive el folklore agrario y comunista de los incas). El paisaje ciclópeo y alucinante de los Andes, la fauna vernacular –con los que el indio, anímico y soñador, se relaciona por medios de un panteísmo solar que se traduce en ritos de hechicería y ceremoniales religiosos–; las formas institucionales de cooperación agraria, con que las masas indígenas se defienden, desde hace siglos, de la explotación feudal de los blancos y mestizos; en fin, todo un rico e inagotable arsenal de materias primas artísticas netamente locales y absolutamente inéditas para Europa, sostiene, realza y da una vida, eminentemente espectacular y cinemática, a la trama de este film.

Se trata, en suma, de un tema y de un material enteramente nuevos y desconocidos para el resto del mundo, ya que ellos difieren radicalmente del tema y del ambiente mexicano, tan explotados ya, exhaustos y repetidos en el cinema.

COLACHO HERMANOS *

ACTO PRIMERO

CUADRO PRIMERO

Un radiante mediodía en Taque, aldea de los Andes.

Interior de la tienducha de comercio de los hermanos Acidal y Mordel Colacho. Al fondo, puerta dando a una callejuela en que se yerguen, entre arbustos, una que otra pequeña casa de barro y paja. Primera izquierda, portezuela lateral que da a la cocina. Primera derecha, tiradas por el suelo, unas pieles de oveja y una burda manta: la única cama de los dos tenedores de la tienda. Al centro, horizontal a la rúa y al público, mostrador, bajo y desvencijado. En los muros, casillas con mercancías de primera necesidad y botellas. El monto del conjunto es mísero, rampante.

Es domingo. Se ve pasar por la calleja, yendo y viniendo del campo, numerosos campesinos –hombres y mujeres. Los hay bebidos y camorristas. Otros cantan o tocan concertina y acordeón.

Acidal está muy atareado en arreglar, del modo más atrayente para la clientela, las mercancías en las casillas.

Acidal es un retaco, muy gordo, colorado y sudoroso. El pelo, negro e hirsuto, da la impresión de que nunca se peina. Su vestimenta es pobre y hasta rotosa; la camisa, sucia, sin cuello ni puños visibles. Lleva espadrillas.

Acidal y Mordel, tipos mestizos de indígena y español, siervos de origen, son actualmente obreros de albañilería, que

---

* Escrito originalmente en español. En el original se indica "A máquina copiado por Cesar Vallejo mismo".

ambicionan transformarse en comerciantes, partiendo de unos cuantos pesos economizados de sus jornales.

Acidal frisa la cuarentena.

Escena Primera

Acidal Colacho, la pequeña, la madre

ACIDAL, *sin dejar de trabajar, pregona sus mercancías a los transeúntes:* ¡Bueno, bonito, barato!... ¡Cigarrillos amarillos! ¡Sal! ¡Pimientos secos! ¡Pañuelos casi de seda! ¡Sardinas de dos cabezas! ¡Azúcar de oro en bolitas!...

UNA PEQUEÑA, *desde la puerta del foro:* ¿Tienes, patrón, hilo negro?

ACIDAL: ¡Pasa, pasa! ¿Cuánto quieres?

LA PEQUEÑA: Un carrete del 40. ¿A cómo está? *(Entra)*

ACIDAL: ¿Es lo único que buscas? ¿No se te ofrece, además, otra cosita? ¿Anilina? ¿Fósforos? ¿Jabón?

LA PEQUEÑA: Lo que busco, patrón, es hilo negro...

ACIDAL: Pero, hija, da lo mismo jabón que hilo negro. Cuando la ropa está muy rota, en vez de remendarla, hay que lavarla bien, refregándola con bastante jabón, y entonces aparece relumbrando como nueva. ¡Te venderé un jabón de chuparse los dedos! *(Le muestra el jabón)*

LA PEQUEÑA: Tengo prisa. Si no tienes hilo negro... *(Se va)*

ACIDAL: No te marches. Tengo también caramelos verdes, manteca, píldoras contra el dolor de muela, contra la pena, contra las almórranas y contra el mal del sueño... *(Desde la puerta del foro, a los transeúntes)* ¡Muchachos! ¡Enamorados! ¡Tocadores de acordeón! ¡Cantores!... ¡Hay ron, tabaco, coca de Huayambo, cal en polvo!... *(Dos mozos se detienen ante Acidal. Uno de ellos toca su acordeón y el otro baila una danza indígena, haciendo palmas)* ¡Qué juerga la que se traen! ¡Adelante! ¿Qué tomáis?

ACTO SEGUNDO

CUADRO TERCERO

En casa de los Colacho, en Taque, después de la cena. Un comedor elegante. Puertas al fondo, a derecha y a izquierda.

Acidal Colacho, vestido con elegancia provinciana rebuscada, lee un periódico, de sobremesa. Al igual que Mordel, sus aires son ahora los de un nuevo rico.

Hay una pausa.

Escena Primera

Acidal y el Gobernador

RINA, *la sirvienta –una campesina de unos 18 años, de una hermosura extraordinaria– desde la puerta del foro:* Don Acidal, pregunta por usted el señor Gobernador.

ACIDAL, *poniéndose de pie, con vivo interés:* ¿El Gobernador? Hazle pasar. Inmediatamente.

RINA: Muy bien, don Acidal. *(Vase. Acidal se corrige las líneas del vestido y de la corbata. Se pasea)*

EL GOBERNADOR, *viejo de ojos badulaques, entrando por el foro:* Señor don Acidal Colacho y Llagatocha, nuestro futuro diputado a Cortes, buenas las tenga usted.

ACIDAL, *deferente, pero desde arriba:* ¡Hola, don Sebastián! Adelante. ¿Cómo le va a usted? *(Las manos)*

EL GOBERNADOR: ¡Cinco más, don Acidal! ¡Los de Cotongo!

ACIDAL: ¡Caracoles! ¡Qué me cuenta usted, don Sebastián!

EL GOBERNADOR: ¡Sí, señor! ¡Los cinco Tarco! Yo me siento. *(Se sienta)* Y como la asamblea que debe designar las comisiones receptoras de sufragios, se compondrá, a lo sumo, de unos 45 ó 50 mayores contribuyentes, creo que no andamos lejos de la mayoría de votantes.

ACIDAL: Con los 5 de Cotongo, son 18...

EL GOBERNADOR: Es el caso que yo tenía preso, acusado de asesinato, a un sujeto que dicen ser guardaespaldas del médico,en sus correrías mujeriles. ¡Un maleante, de los peores! Está visto que mató. Pues Cotongo, de pronto, esta mañana, ha venido a mi despacho a interesarse por este individuo, y yo, naturalmente, ni corto ni perezoso, le propuse: Yo pongo en libertad, ahora mismo, al asesino, pero usted, doctor Cotongo, me promete, en cambio, los votos de los Tarco, en la asamblea de mayores contribuyentes...

ACIDAL: ¡Don Sebastián, lo agarró usted!

EL GOBERNADOR *se hecha a reír:* Culebreó, se retorció, se rascó la nariz. ¡Que esto, que lo otro, que lo de más allá!... *(Ríe y tose)*

ACIDAL: ¡Es todo un estacazo! ¡Cinco votos más, de un solo golpe!

EL GOBERNADOR: ¡Figúrese usted! ¡Los tarco! ¡Loa alparceros del propio Galtres! ¡Del candidato contrario!

ACIDAL: Total: 18. Faltan todavía, lo menos 7.

EL GOBERNADOR: Una cosa me preocupa solamente, don Acidal. No soy hombre que se fía del doctor Cotongo. El médico fue nombrado médico oficial de Taque por Galtres, no hay que olvidarlo. Es un Galtrista solapado...

ACIDAL: Ya lo se. Ya lo sé.

EL GOBERNADOR: El día de la asamblea, Cotongo puede enfermar a todos los Tarco...

ACIDAL: ¡Qué ocurrencia! ¡No osará!

EL GOBERNADOR: ¡Que no! ¡Enfermarlos a los cinco, le digo! Como es él quien otorga, en estos casos, los certificados de impedimento...

ACIDAL: Los traeremos a la fuerza a la asamblea, don Sebastián.

EL GOBERNADOR: ¿Aunque estén enfermos de muerte?

ACIDAL: Vivos o muertos. Además, ¿Cuántos días faltan para la asamblea?

El Gobernador: Todavía falta un mes aproximadamente, ¿por qué?

Acidal: ¡Pues bien, voy a escribir en el acto a la "Cotarca Corporation".

El Gobernador, *interrumpiendo:* ¿Se acuerda usted, don Acidal, por qué los Tarco hacen, a ojos cerrados, cuanto les pide el médico?

Acidal: Estoy enterado: porque les salvó la vida del padre...

El Gobernador: Bien. Nosotros haremos...

Acidal: ¿Cambiaremos al médico oficial por uno de los nuestros?...

El Gobernador: ¡Eso! Enfermanos al padre otra vez, vaciándole en la cabeza un buen botijo de agua fría, verbigracia...

Acidal: ¿Para salvarle de nuevo la vida, por manos del otro médico?... *(El Gobernador ríe a carcajadas)* Después de todo, la maniobra no estaría mala. Pero hay que ganar tiempo...

El Gobernador: ¡Ca! No, señor. Bromas aparte, nos queda, don Acidal, el robo, el abigeato a mano armada, las heridas y contusiones, el rapto, la violación y el estupro. En fin, hay mil pretextos para hacer detener a uno de los Tarco. ¿Usted me entiende?

Acidal: Sí. Ya lo creo.

El Gobernador: Esta misma noche, mando a los gendarmes por el menor de los hermanos. Usted, luego, se interesará por él ante mi despacho y asunto concluido.

Acidal: Sería éste el medio más seguro, a mi entender.

El Gobernador: Y, por desgracia, el único medio que la ley deja en mis manos, para servirle a usted, don Acidal.

Acidal: ¡A los hechos! ¡Magnífico!

El Gobernador: Hace treinta años, un Gobernador ¡había que ver! era el amo y señor de una provincia. Todo el mundo caía en la órbita de su autoridad. Ningún resorte de la vida social –desde la muela de una rata, hasta el minutero de un reloj– quedaba fuera de la máquina de su gobierno: el resorte policial *(No se diga),* el resorte económico, el resorte jurídico. ¡Qué tiempos! Ahora... ¿en qué ha venido a parar un Gobernador? ¿Qué soy yo? ¡Un gobernadorcillo de mira quién viene! ¡La mitad, ¡qué digo! de la rodilla para abajo de un Gobernador!

Acidal: En verdad, todo eso, don Sebastián, está para ser cambiado.

El Gobernador: He llamado, esta tarde, por teléfono a Fornilla, que acaba de volver a su hacienda...

Acidal: ¿Le habló usted? ¿Qué le respondió?

EL GOBERNADOR: ¡Ahí tiene usted un hombre que yo debería tener, desde hace tiempo, entre rejas, con una cruz de hierro candente atravesada en la boca! Su incesto con sus dos hermanas, le habría valido, en mi época, que le quemen los... Perdone usted, don Acidal: iba yo a soltar un disparate. *(Se persigna)*

ACIDAL: Pero ¿da esperanzas? ¿Qué le dijo?

EL GOBERNADOR: ¿Esperanzas? ¿Quién? ¿Esperanzas de qué? Don Acidal, esos padrillos que hasta en el más inocente de los higos descubren vertientes escabrosas, o como diría un poeta, "reminiscencias de mujer", deberían ser castrados...

ACIDAL: ¿Llegó usted a hablarle, al menos? ¿Se puso al aparato?

EL GOBERNADOR: ¿Al aparato? ¿A qué aparato? ¿Quién?

ACIDAL: ¿Se puso al aparato telefónico? ¿Acudió?

EL GOBERNADOR: ¡Un hombre de quien dicen que sus ardores dan miedo hasta a su propia madre! ¡No puede oír la voz de una mujer, aunque no la vea, sin que una de las doce candelas del infierno no le pase por la columna vertebral!

ACIDAL: ¡La pura y neta verdad, don Sebastián! Pero ¿y los contribuyentes de Fornilla para la asamblea?

EL GOBERNADOR: Don Acidal, la "Cotarca Corporation" exige que usted sea elegido diputado a Cortes, y yo he sido nombrado para eso...

ACIDAL: ¿Aceptó Fornilla? ¿Nos los da?

EL GOBERNADOR: Pero Mr. Tenedy parece olvidar que un Gobernador carece de poder sobre los hacendados. *(Acidal se pasea, exacerbado)* Convengo: un Gobernador hace tamblar a toda una comunidad indígena. Yo respondo de cuanto usted exija, don Acidal, del pueblo... quiero decir, del pueblo pueblo. Sin ir muy lejos ¿quién ha arrancado, con la fuerza pública, a la Comunidad de Tabaya, la hacienda Capapuy, para ponerla en posesión de Colacho Hermanos?

ACIDAL: ¡Don Sebastián, Capapuy ha sido siempre de nuestra exclusiva propiedad!

EL GOBERNADOR: No discuto derecho. Pero eso y mucho más está a mi alcance hacer en su favor, don Acidal. ¡Con todo gusto! ¡Por qué no! Pero Fornilla es Fornilla y se ha negado, esta tarde, ponerse al aparato, a mi llamada...

ACIDAL: ¡El muy cerdo! Nos faltan siempre 7. *(Tocan a la puerta del foro)* Entre.

RINA: Don Acidal, pregunta por usted don Isidoro.

ACIDAL, *tras una reflexión:* Sí. Que pase. Hazle pasar.

EL GOBERNADOR: ¡Segundo poder social, después del mío, el del pedagogo! Segundo, en principio; aspirante a primero, prácticamente.

EL PROFESOR, *joven de anteojos, cariacontecido, vestido extravagante, por el foro:* Don Acidal, muy buenas noches. ¿No estoy demás? Buenas, señor Gobernador. *(Acidal le da la mano con desdén)*

EL GOBERNADOR, *paternal:* Don Isidoro Tapa, antes que me olvide: ¿por qué tiene usted siempre esa cara... esa vocecilla... ese airecillo, esa silueta? Parece usted, en suma, que estuviera usted lloviendo. No sé si me explico bien.

ACIDAL: Siéntese, don Isidoro.

EL PROFESOR: Millón de gracias, don Acidal. *(Al Gobernador)* Pues... ¿decía usted, don Sebastián? No sé. ¿Que parezco un aguacero? No comprendo.

EL GOBERNADOR: Parece usted, don Isidoro, que lloviera usted o que estuviera lloviendo en usted, dentro de usted, en fin, en su expresión. ¿Está lloviendo afuera, ahora mismo?

EL PROFESOR: No, señor. No está lloviendo.

EL GOBERNADOR: Pues ya ve usted: viéndole a usted, se tiene la impresión que llueve, se lo aseguro.

ACIDAL, *al profesor:* ¿Cómo va ese trabajo, don Isidoro? ¿Qué se dice en la calle?

EL PROFESOR: A propósito de lluvia... Es muy curioso: he observado –acaso ando en error– que cuando el tiempo es seco y hiela, la gente, en Taque, se pone tonta, digo, banal, inconsistente...

EL GOBERNADOR: Y necia, que es peor. Particularmente los hacendados.

EL PROFESOR: No hay modo de tocar fondo en los espíritus...

EL GOBERNADOR: Ni en las conciencias, que es peor.

EL PROFESOR: Se entra en una persona –entiéndase moralmente...

EL GOBERNADOR: Esto, cuando se logra entrar, que es casi imposible.

EL PROFESOR: Se entra... se entra... y parece que... no se hubiese entrado.

ACIDAL: ¿Y qué? No le comprendo.

EL PROFESOR: Nada, don Acidal, que, en estas condiciones, resulta absolutamente imposible conocer lo que, en sus adentros, piensa, siente y se propone hacer una persona.

ACIDAL: ¿Ello ocurre con hombres y mujeres?

EL PROFESOR: Le diré a usted, don Acidal: con los hombres, no tanto; es a las mujeres que la sequereza excesiva despoja de toda profundidad, al menos, de toda profundidad sensible a las solicitaciones exteriores...

El Gobernador: ¡Pamplinas! Diga usted que, electoralmente, usted no ha hecho nada esta semana y acabemos. *(Se levanta para irse)*

Acidal: ¿Se marcha usted ya, don Sebastián?

El Gobernador: Me marcho. Sí, señor. La filosofía es mortal para mi gota.

Acidal: ¿A qué hora nos vemos mañana, don Sebastián? No olvide usted ese preso. ¡Esta noche, sin falta!

El Gobernador: Don Acidal, yo nunca olvido a mis víctimas. Estaré en mi despacho a eso del mediodía. Adiós, don Pedagogo.

El profesor: Don Sebastián, hasta ahora.

Acidal: Conforme, don Sebastián. Hasta mañana. *(El Gobernador vase. Acidal, trayendo una silla junto al profesor, confidencial y sencillo)* Ahora nos quedamos en confianza. ¿Qué noticias? ¿Qué nuevas, don Isidoro? ¿Cómo va esa propaganda? ¿Esos decires de la calle?

El profesor: Por cierto, no muy buenos, los decires, don Acidal...

Acidal: ¿Qué impedimentos me ponen para ser diputado?

El profesor: Se multiplican los impedimentos. Aseguran, primeramente, que es usted –perdóneme usted la mala palabra, si la ya– que es usted un comerciante. ¡Sí, señor! ¡Un comerciante! Como suena...

Acidal: ¡Un comerciante! ¡Nada más natural! ¿Qué crimen hay en ello?

El profesor: Segundo: que es usted un peón, un rico boca abajo, en fin, un lacayo de los norteamericanos...

Acidal, *perplejo, repite:* ¡Un rico boca abajo...

El profesor: Tercero: que a usted le sudan las manos...

Acidal: ¡Miserables!

El profesor: Cuarto: que usted ignora quién es Júpiter. Quinto: que usted es un avaro. Sexto: que usted reza en latín...

Acidal: ¡No!

El profesor: ¡Sí!... Espere usted... Me parece que dijeron en inglés. Séptimo: que le han visto a usted comiendo en la calle, maíz con azúcar, como los caballos. Y en fin, octavo: que es usted un fresco...

Acidal: ¿Quiénes? ¿Quiénes dicen semejantes barbaridades?

El profesor: Y noveno: que usted no es Colacho, sino Cola.

Acidal: Pero ¿quiénes dicen todo eso?

EL PROFESOR: Y décimo: que su madre de usted tenía barba. Y undécimo: que su querida de usted es una mujer que, en sueños, suelta lo que le sale de la boca.

ACIDAL: ¡Obra de los Galtristas! Me la pagarán.

EL PROFESOR: Y duodécimo: que Rina, su criada, sabe el Antiguo y el Nuevo Testamento.

ACIDAL, *yendo y viniendo, enfurecido:* ¡Gentuza! ¡Canes!

EL PROFESOR: Y décimo tercero... He olvidado...

ACIDAL: ¿Cuántas mujeres tiene usted, don Isidoro?

EL PROFESOR: ¿Mujeres? ¿Yo? Don Acidal, yo no he sabido nunca lo que es una mujer, una sola...

ACIDAL: ¿Cuántas votantes, quiero decir? En total.

EL PROFESOR: Votantes, casi todas las madres de mis alumnos y no pocas hermanas mayores y tías –viudas o solteronas– de castidad comprobada. Ahora, don Acidal, que todo esto está redundando en daño positivo de los intereses educacionales de la infancia, pues, a cambio de los votos de sus madres, los menores exigen de mí una hora de recreo suplementaria al día...

ACIDAL: ¿Usted las ha visitado a todas personalmente?

EL PROFESOR, *repite, zumbón:* ¡Personalmente! ¿Para qué? No había necesidad, don Acidal. Me basta la promesa solemne de sus hijos, mis alumnos...

ACIDAL: ¡Cómo! ¿Se basa usted en promesas de mocosos?

EL PROFESOR: El alumno que menos tiene diez años...

ACIDAL: ¿Se burla usted de mí, don Isidoro?

EL PROFESOR: Y mi plan es el siguiente... Verá usted: en la mañana del día de las elecciones, un llanto formidable de 138 niños, un llanto sostenido, ya rítmico, ya sincopado o en forma de fuga, un llanto estentóreo, percutivo, brutal, tentacular, un llanto electoral jamás oído, llenará los ámbitos de la ciudad. Las madres, con el corazón desgarrado por el llanto de sus hijos, les tomarán en sus brazos y les dirán: "¿Por qué lloras, mi niño? ¿Por qué?" A lo que ellos responderán, berrando: "Co... Ca... Co... Colacho..." *(Tocan violentamente a la puerta del foro)*

ACIDAL: Entre. ¿Qué ocurre?

EL COMANDANTE, *hombre tieso y decidido, por el foro:* ¿Don Acidal Colacho está visible? Buenas noches.

ACIDAL: Habla usted con él, caballero. Adelante.

EL COMANDANTE, *cuadrándose militarmente:* ¡Comandante Federico Mercedes Hermeregildo de las Cuadras y Sotelaga Dorado del Auxilio Molleturas, servidor! Jefe del batallón de los Húsares de la Gloria número 14, enviado a esta provincia para custodiar el orden público durante las elecciones, y acampado, desde hace una hora, en el local de la Escuela Municipal de Varones de esta ciudad. *(El profesor, como movido por resorte, da dos pasos enérgicos al encuentro del Comandante),* vengo a ponerme a las órdenes de usted. Traigo 150 hombres, con 150 caballos, más 40 de tiro, 20 soldados de infantería, por si las moscas, 300 fusiles, 180 pistolas, 30 de ellas sin gatillo, 2 Sargentos Mayores, 4 capitanes, 4 tenientes, 8 subtenientes, 3 ametralladoras, *(El profesor da dos pasos atrás)* y municiones para... ¿Cuántos habitantes tiene Taque?

ACIDAL: Alrededor de 2.000 habitantes.

EL COMANDANTE: Dos mil. Perfectamente. Y municiones para dos mil personas.

EL PROFESOR, *tímidamente:* Comandante, si no yerro, no es permitido matar sino a los electores...

EL COMANDANTE: Señor Colacho, usted disponga. *(Vuelve a saludar)*

EL PROFESOR: A los que saben leer y escribir...

ACIDAL: Comandante, hágame usted el favor de sentarse. Necesitamos parlamentar detenidamente...

EL COMANDANTE: Antes, que se marche este señor. *(Alude al profesor)* Me molestan los hombres de anteojos.

ACIDAL, *volviéndose al profesor:* Como usted guste, don Isidoro...

EL COMANDANTE: Sí. Que se marche. La guerra con Antivia se perdió por culpa de los hombres de anteojos. Yo no lo olvido nunca, como militar y como patriota que soy. *(Al profesor)* ¿Ha oído usted, amigo?... *(El profesor, atropellado por el Comandante, se escurre por la puerta del foro, protegiéndose la cabeza con ambos brazos)* ¡Fuera de aquí! ¡A dormir! *(El profesor vase y el Comandante le da un puertazo)* El coronel Changomar solía decir: ¡Ni burro negro, ni hombre Pedro, ni anteojitos! Y tenía razón.

ACIDAL: ¿Qué tal viaje, Comandante? Tome usted asiento.

EL COMANDANTE: ¡Qué asiento ni niño muerto! No me venga usted, señor Colacho, con queso y agua turbia! Tengo prisa. Vamos al grano. *(Acidal tiene la impresión de habérselas con un hombre terrible)* Yo divido a los hombres en militares y no militares, o, lo que es lo mismo, en águilas y gallinas. *(Va y viene. Sus pasos, acompasados, soberanos, hacen temblar la escena)* Sólo los Comandantes triunfan en la vida; los demás son huevos duros. Señor Colacho, no hay elecciones en que hayan participado mis Húsares de la Gloria número 14, sin que el candidato al que yo servía, no haya salido victorioso...

ACIDAL: Comandante, hasta este momento, la asamblea...

EL COMANDANTE: ¡Chut! Demasiado sé lo que es una asamblea. Yo he disuelto veinte, con sólo mostrarles en una bandeja, mis espuelas de plata ensangrentadas. *(Sigue paseándose)* Yo soy un hombre fuerte, señor Colacho. Yo soy militar. ¡Y un Comandante! Yo no entiendo de asambleas...

ACIDAL: Los votantes con que hasta ahora cuento...

EL COMANDANTE: ¡Chut! Estoy hablando. Yo no entiendo de votantes, ni de leyes, ni de derechos. ¡Paja! ¡Humo! Vamos al fondo de las cosas, señor Colacho. *(Deteniéndose de golpe ante Acidal y clavándole los ojos)* ¿Cuántos Manueles hay en Taque?

ACIDAL: Comandante, Manueles... habrán unos...

EL COMANDANTE: La fuerza de resistencia de un país a mis soldados, se calcula por el número de Manueles que hay en él...

ACIDAL: Habrán unos 30, probablemente.

EL COMANDANTE: ¿Cuántos Alejandros? La debilidad de un país se calcula por el número de Alejandros que hay en él. Usted recordará que el Presidente que tuvimos cuando la guerra con Antivia, fue Alejandro Toro Tacho. Yo conozco a los que se llaman Manueles por la cara. En los motines, en las huelgas, en las revoluciones, mi divisa ya la conocen mis Húsares: cargar de preferencia contra los Manueles...

ACIDAL: Comandante...

EL COMANDANTE: ¡Déjeme usted hablar! Yo he servido, en menos de diez años, a unos quince Presidentes de la República: Presidentes radicales, demócratas, republicanos de izquierda, de derecha, de centro, socialistas, realistas, de todos los partidos: Presidentes buenos, malos, regulares, viejos, jóvenes, déspotas, generosos, grandes, chicos, gordos, flacos, de todo género. Yo no soy sino un soldado, y mi deber es obedecer ciegamente al que manda, sea quien fuese y vaya donde vaya. ¿Qué debo hacer, señor Colacho, para que usted sea Diputado? Ordene usted. Yo no tengo nada que ver con la política, salvo en tiempo electoral.

ACIDAL: Comandante...

EL COMANDANTE: ¡Chut! Estoy hablando. Palpe usted aquí, señor Colacho. *(Coge la mano de Acidal y la hace palpar su vientre)* ¿Qué hay ahí?

ACIDAL: Una... una... como pelota... Una...

El Comandante: ¡Silencio! ¡Ca! ¡Diga usted qué hay ahí! ¡Responda usted sin miedo! ¿Palpa usted?

Acidal: Ahora hay... Ahora hay algo como un embudo.

El Comandante: ¡Chut! Cicatriz número 1. ¿Y aquí? *(Lleva la mano de Acidal a la punta de la nariz del Comandante)* Cicatriz número 2. ¿Y aquí? *(La mano de Acidal en la sien del Comandante)* Cicatrices 3, 4, 5, 6, 7, 8 y 9, juntas en la misma sien. Yo soy un héroe, nueve veces ilustre, señor Colacho, aquí donde me ve usted con charreteras y galones. Cuente usted con su elección. No tema usted nada. Contra mis 150 Húsares de la Gloria número 14 y 20 soldados de infantería, por si las moscas, ¿qué podrá un pobre villorrio de 2.000 habitantes, con Manueles y todo? Señor Colacho, mañana espero sus instrucciones. *(Se dispone a marcharse)* Me retiro. Tengo hambre. *(Cuadrándose y saludando militarmente)* ¡Servidor: Comandante Federico Mercedes Hermeregildo de las Cuadras y Sotelaga Dorado del Auxilio Molleturas!... *(Vase rápidamente por el foro)*

Acidal, *perplejo:* ¡Es un león!... *(Da unos pasos, caviloso. Tocan a la puerta del foro)* Entre.

Rina: Don Acidal, acaba de llegar mi padre.

Acidal: ¿Tu padre? Pero ¿es hoy que debía venir?

Rina: Sí, don Acidal. Es hoy que debía venir.

Acidal: Bueno. Hazle pasar. ¡Un momento!... Sí... Puedes hacerle pasar.

Rina: Muy bien, don Acidal. *(Vase. Pausa. Entra por el foro, don Rupe, campesino setentón, encorvado y vestido muy pobremente. Viene seguido de Rina)*

Don Rupe, *muy humilde:* Buenas noches, don Acidal.

Acidal: Que nadie nos moleste, Rina. Vete y cierra bien esa puerta.

Rina: Muy bien, don Acidal. *(Vase)*

Acidal, *a don Rupe:* ¿Le dijo ya la Rina para qué le he hecho llamar?

Don Rupe: Sí, don Acidal. Aquí he venido. Usted dirá.

Acidal: ¿Ha traído usted lo necesario? ¿Necesita usted algo? ¿Su tabaco?

Don Rupe: Tengo todo, don Acidal. Se lo agradezco. *(Se ha sentado)*

Acidal, *sentándose frente al viejo y en tono de enfermo a su médico:* Mire usted, don Rupe: quiero que me diga usted si me irá bien en la política. ¿Puede usted contestar a esta pregunta? La Rina me ha dicho que en el sabor de su coca descubre usted el secreto del porvenir, de todo. A ver... ¿Está usted ya mascando su coca?... Bien... Perfectamente... *(Pausa. Acidal se pasea, mirando a don Rupe, que permanece sentado y en silencio)* ¿Quiere usted tal vez que le deje solo?... *(Don Rupe no responde. Pausa)*

DON RUPE, *abstraído:* No quiere. Está difícil... ¡Mucha hoja! Y si echo más cal, hay quemadura...

ACIDAL: ¿Quiere usted quizá mojarla?

DON RUPE: Para que muera la Tacha, mi mujer, así fue: ¡qué pelea, señor, de la cal y de la hoja!... Tres viernes antes de su muerte... ¡Qué tinieblas!... Hoy... ¡Demonio!...

ACIDAL, *ansioso:* ¿Qué pasa, don Rupe?... *(El viejo se sume de nuevo en el silencio. Acidal da unos pasos, inquieto. Pausa. Acidal, acercándose a don Rupe)* Mire usted, don Rupe, la cosa es ésta: Mordel se opone a que yo entre en la política y yo creo que debo entrar en la política. ¿Quién cree usted que está en razón? ¿Qué camino hay que seguir? ¿Qué dice su coca?

DON RUPE: Deme usted un platito y un vaso, don Acidal.

ACIDAL: En el acto, don Rupe.

DON RUPE: Un poco de agua en el platito.

ACIDAL: También, don Rupe. Aquí tiene usted el agua.

DON RUPE *saca de bajo su camisa un palo negro, de medio metro de largo:* Retírese usted un poco de la mesa. Siéntese usted más allá...

ACIDAL: Muy bien... Muy bien.

(DON RUPE, *parado ante el plato y el vaso que están en la mesa, levanta el palo con ambas manos, lo sostiene verticalmente ante sus ojos, a la altura de la cabeza y presta oído en torno suyo, mientras Acidal le observa con gran ansiedad)*

DON RUPE, *mirando fijamente al palo, alucinado, sacerdotal, sereno:* ¡Patunga es la laguna sin fin, allá, bajo los soles y las lunas!... ¡Un cerro boca abajo en la laguna, busca llorando la hierba de oro y el metal de la laguna!... *(Bruscamente, volviéndose a Acidal)* ¡Si tras de las lomadas o entre los matorrales, ve usted una chispa verde, como el ojo de un sapo, no diga usted nada ni se mueva de su sitio!... *(Don Rupe pone horizontal a la mesa el palo negro, sobre el plato de agua y vuelve a poner los ojos fijos en el palo)*

ACIDAL, *de lejos, bajo:* ¿Podré ser diputado? ¿Debo ser diputado?... *(El viejo no responde. Pausa. Don Rupe entona, en voz baja, un cántico extraño, infinitamente triste y Acidal dobla la cabeza, inmóvil. Pausa)*

DON RUPE, *cambiando su cántico por una especie de recitado gemebundo:* ¡Al río tu camisa de mañana! ¡Al fuego, tu sombrero, al mediodía!... *(De pronto, arroja violentamente el palo al suelo y se desploma en una silla)*

ACIDAL: ¡Don Rupe! ¡Don Rupe! Sea usted franco! ¡No me lo oculte!...

DON RUPE, *incorporándose:* ¿Recuerda usted, don Acidal, cuál fue la cosa más amarga que ha probado usted en su vida?

ACIDAL: La cosa más amarga... ¡Qué sé yo, don Rupe! ¡Quién va a recordar!

DON RUPE: Sin la simora y sin la legaña del perro, no se puede. La simora, para recordar sin voltear y para ver sin tropezar; la legaña del perro, para la riqueza y los honores.

ACIDAL: Todo eso, don Rupe, usted sabrá. Yo no comprendo nada.

DON RUPE: Porque los perros, don Acidal, sólo ladran a los pobres. Salga usted por favor, al patio, un momento. Nada más que un momento.

ACIDAL: ¿Al patio? ¡Por qué no! Allá voy... *(Vase por la puerta de la derecha. El viejo, un vez sólo, se recoge profundamente en sí mismo, la mirada en el suelo, inmóvil. Pausa. De pronto, como presa de una locura repentina, va y viene por la pieza, enfurecido. Acidal vuelve del patio)*

DON RUPE, *rugiendo, fuera de sí:* ¡Mi Rina está preñada! ¡Mi Rina está preñada de los dos!...

ACIDAL: Don Rupe, ¿qué dice usted?

DON RUPE: ¡Mi coca me lo acaba de decir!

ACIDAL: Es una falsedad.

DON RUPE: ¡Mi Rina está preñada de los dos! ¡Mi coca nunca miente!

ACIDAL, *enfadándose:* ¡Don Rupe, no me venga usted con historias!

DON RUPE: ¡Dónde irán que no paguen lo que han hecho con mi Rina! *(Rina entra por el foro y se abraza llorando a don Rupe)*

ACIDAL: ¡Vaya usted a ver esto!... ¡Efectos de la coca! y la otra... con su manía de escuchar tras de la puerta... *(Saca de un cajón de la mesa una botella y una copa)* Ven, Rina; dale su copa al viejo, a ver si entra en razón...

RINA, *siempre llorando:* Muy bien, don Acidal. *(Le sirve una copa a su padre)*

ACIDAL: Y vete, luego, a prepararme una taza de eucalipto. Tengo sed.

RINA: Muy bien, don Acidal. *(Vase por la puerta de la derecha)*

ACIDAL, *consultando su reloj:* Entre tanto, son las diez de la noche y no llega carta de Mordel... ¿Qué puede haber ocurrido?... *(Don Rupe tiene la copa en la mano, pero no la* bebe. Tiene los ojos en el suelo. Acidal se le acerca, confidencial) !Don Rupe!... Usted también es hombre. Usted ha sido joven. Los deslices de la vida, usted comprende... Su hija, ¡qué quiere usted!... Ahora, que Mordel se haya también metido... eso no me incumbe. *(El viejo le escucha, taciturno)* Una noche, Rina estaba planchando en la cocina... Pero ¿preñada? No. Don Rupe, tome usted su copa... *Acidal sirve otra copa para él. El viejo bebe de un sorbo la suya y Acidal vuelve a llenarla)*

DON RUPE: Vendí a mi Rina, Todavía pequeñuela, de cuatro años, al cura Trelles, y de los ocho pesos que me ofreció por ella, sólo me dio la mitad, y el resto, en una misa por el alma de mi Tacha. ¿Qué se hizo el señor Cura?

ACIDAL, *bebe su copa de un sorbo:* ¡Ah, sí! El cura se rodó, con mula y todo, quebradas abajo. *(Acidal, de pronto, se muestra muy nervioso)*

DON RUPE: ¡Dios nos ampare, don Acidal! *(Se persigna)* La mula no era otra que Ña Conce, su querida.

ACIDAL, *paseándose agitado:* ¿Ah? ¿Doña Conce? ¿Sí?

DON RUPE: Cuentan que, los sábados, a media noche, montaba el cura en ella, con espuelas y freno de candelas, y corría, como loco, por calles y caminos ¡El mismo diablo, en cuerpo de mujer!

ACIDAL, *sirviendo otras copas: ¡La Conce en crin de mula!... (Una risa forzada)* ¡Qué ancas, Don Rupe!...

DON RUPE: Después, fue ña Serapia, la hacendada de Sonta. Poco antes de rodarse el señor Cura, la regaló a mi Rina a ña Serapia. Dicen, más bien, que la vendió por dos conejos de Castilla. *(Acidal le oye con impaciencia)* La vieja me echó, un día, de su casa, por haber ido a pedirle unas patatas por mi hija: me echó sus perros negros y sus pavos. *(Acidal bebe y vuelve a llenar su copa)* ¡Luego me la pagó la vieja! *(Don Rupe bebe de un trago toda su copa)*

ACIDAL: ¿Cómo se la pagó, don Rupe? ¿Rodándose también?

DON RUPE: Una noche, llegaron a Sonta los revolucionarios, partidarios del general Selar, con máscaras y rifles; amarraron a la vieja y a sus hijas –doncellas, según dicen– y les arrancaron las sortijas y los brillantes, con brazos y dedos, a machetazos...

RINA, *volviendo por la derecha:* Ya está, don Acidal, su eucalipto.

ACIDAL: Bueno. Me lo darás más tarde. *(Sirve otra copa a don Rupe)*

RINA: Muy bien, don Acidal. *(Vase de nuevo por la derecha)*

DON RUPE: Después pasaron por sus cuerpos treinta revolucionarios y murieron la vieja y sus dos hijas.

ACIDAL, *bebiendo:* Bueno, don Rupe, no me guarde usted rencor. Hay que olvidarlo todo.

DON RUPE, *bebiendo:* ¡Don Acidal, cada cual allá con su conciencia!

ACIDAL, *sentándose frente al viejo:* Porque, en este mundo... Quizás... Puesto que todo es posible en este mundo...

DON RUPE, *extasiado:* ¡Qué bien me sabe ahora la coquita! ¿Decía usted, don Acidal? ¡Ah, sí!...

ACIDAL: ¡Don Rupe, tres años con la Rina! ¡Qué le parece a usted!

DON RUPE: Tres años, en el Corpus.

ACIDAL: ¿Está usted contento de que yo la haya robado a los Chumango? ¿Qué sería de ella a estas horas?

DON RUPE: Vaquera. Una pobre vaquera y nada más.

ACIDAL: ¡Mientras que ahora!... Que le cuente ella misma: zapatos con taco, medias, pañuelos blancos, vinchas y aretes, ¡qué sé yo!... ¡Hasta sortija de cobre tiene!... *(Rina vuelve por la derecha)* ¿No es verdad, Rina?

RINA: Verdad, don Acidal.

ACIDAL, *a don Rupe:* ¿Oye usted?

DON RUPE: Lo sé, lo sé. ¡Mientras que antes!... *(Rina va a sentarse lejos)*

ACIDAL, *medio bebido ya, como observara a Rina, al pagar:* ¿Qué tienes? ¿Lloriqueando todavía?

RINA, *bajo:* No, don Acidal. Un poco de catarro.

ACIDAL, *a don Rupe:* Ella ordena y dispone en mi casa, como dueña. Por eso la gente se hace lenguas. Pero, don Rupe, digan lo que dijesen, su hija está en mi casa y puede hacer en ella lo que le venga en gana. *(Otras copas son servidas)*

DON RUPE: ¿Y don Mordel? ¿Qué dirá don Mordel? *(Refunfuña)*

ACIDAL: Dirá lo que digo yo. ¡Déjese usted de chismes, don Rupe! Preñada... Quizá... Es muy posible. Pero... ¿de los dos?... *(Vuelve los ojos y los pone, relumbrantes de alcohol, en el montón informe que hace el cuerpo de Rina, en la sombra de un rincón. Don Rupe observa, alternativamente, a Rina y a Acidal, quien, al cabo de unos segundos, llama a la criada)* ¡Rina!

RINA: Don Acidal...

ACIDAL: Ven por aquí. Acércate.

RINA: Muy bien, don Acidal.

ACIDAL, *A Rina, que se ha acercado a ellos:* Aquí estamos... Siéntate... Aquí estamos con tu padre... Don Rupe, su hija, es verdad, yo la quiero. Mi corazón es de ella... *(Rina llora bajo)* Rina, no llores... Tu padre dice... ¿Es cierto que estás preñada? Habla... Habla delante de tu padre...

RINA: ¡Por Dios, don Acidal!

ACIDAL: Responde, no tengas miedo. Tú sabes que yo no voy a tener celos de mi hermano. Responde: ¿estás preñada? *(Rina no hace más que llorar)* Yo no quiero, don Rupe, que parta usted enojado conmigo. No es porque yo tenga miedo a sus brujerías, sino porque Rina es, en resumidas cuentas, de la casa.

DON RUPE, *a Rina:* Yo te hice honradamente con tu madre; ella me dio su todo, y yo le di mi todo.

ACIDAL: Rina, di que no estás preñada. ¿Estás preñada?

RINA, *con el rostro oculto entre ambas manos:* Sí, don Acidal... estoy preñada.

ACIDAL, *con una rabia repentina:* ¡Cómo! ¿Estás preñada? ¿De quién estás preñada?

RINA: Don Acidal... no sé de cuál de los dos.

ACIDAL: No sabes de cuál de los dos... Pero, entonces...

RINA: Don Mordel me dice que es de usted.

ACIDAL: ¿Mordel te ha dicho que estás preñada de mí? ¿Cuándo te ha dicho eso? ¿Te das cuenta de lo que hablas?

RINA: Me lo dijo la vez pasada, que vino de Cotarca.

ACIDAL: ¿Por qué se lo preguntaste a él y no a mí?

RINA: Yo creía... Porque creí que era de él...

DON RUPE: ¡Ah, perra, eres mi afrenta!

RINA, *arrodillándose ante don Rupe:* ¡Perdóneme usted, padre! *(Llora. Tocan a la puerta de la calle, por el lado del patio. Todos prestan oído)*

ACIDAL: ¡Están tocando!... *(Vuelven a tocar)* ¡Sí! ¡Es aquí que tocan! A esta hora, ¿quién puede ser?... (Vase por la derecha)

DON RUPE, *levantando por un brazo a Rina, bajo y con ternura:* ¡Levanta, hija mía! Dime... ¿de cuántos meses estás preñada?

RINA: Me parece que de tres, padre.

DON RUPE: ¿Los dos saben que duermes con los dos?

RINA: Sí: pero se hacen los que lo ignoran.

DON RUPE: ¿Y a ti, qué te dicen?

RINA: Me dicen que es por mi bien que lo hacen.

DON RUPE: ¿Que es por tu bien?

RINA: Dicen que es para economizar. Porque así sólo mantienen a una sola mujer para los dos...

DON RUPE: Pero, tú, ¿qué ganas en ello, tú?

RINA: Dicen que los cuartos que el otro daría a otra mujer, los guardan para mí, para más tarde.

DON RUPE: ¡Ah, lobos! ¡Lobos! ¡Lobos!

RINA: Pero, yo sé a qué atenerme: me van a hacer abortar, porque ni uno ni otro quieren hijos. A Novo lo tuvieron a más no poder. Y también lo tuvieron a medias. Por eso él los llama tíos a los dos. *(Solloza)*

DON RUPE: ¿También fue por economía que Novo fue engendrado por los dos?

RINA: ¡Cómo, Dios mío, he podido!... Pero... ¡qué pude hacer!... ¡cómo negarme! ¡cómo decir que...! ¡Oh, padre! ¡Padre! ¡Padrecito!... *(Se abraza a las rodillas de don Rupe, llorando)*

DON RUPE: ¡Monstruos! ¡Usureros! ¡Avaros! *(De pronto, vengativo y misterioso)* ¡Óyeme! ¡Eschúchame!... Tu vientre... ¡Ah!... *(Besando una cruz hecha con sus dedos)* ¡Por esta cruz, lo juro!... ¡Te acordarás!... *(Ruido en el patio)*

RINA, *en un sobresato:* ¡Don Mordel!...

DON RUPE: Es don Acidal.

RINA, *atisbando por la puerta de la derecha:* ¡Le digo que es don Mordel!

LA VOZ DE ACIDAL: ¡Rina!...

RINA: ¡Voy, don Acidal! *(Vase por la derecha. Don Rupe solo, saca una aguja de su tabaquera, unta la punta en cal y la sacude en dirección del patio, haciendo unos dibujos cabalísticos en el aire. Mordel, en traje de viaje, entra por la derecha, seguido de Acidal; el viejo se arrebuja hacia un lado de la puerta)*

ACIDAL, *ansioso, a Mordel:* Pero, ¿qué ocurre? Siéntate. Descansa. ¿Has comido algo? Que te preparen una sopa.

MORDEL, *Agitado:* Necesitamos hablar mucho. ¡Un asunto importantísimo!... *(Don Rupe se desliza, casi arrastrándose por la puerta de la derecha, hacia el patio. Mordel, advirtiéndole)* ¿Quién? ¿Quién es ése?

ACIDAL, *que había olvidado al viejo:* No sé ¡Ah! Es el padre de la Rina.

MORDEL: Cierra todas las puertas y que nadie nos moleste.

ACIDAL: Toma, por lo menos, una taza de cualquier cosa...

MORDEL, *yendo y viniendo:* No quiero nada por ahora. Más tarde, puede ser.

ACIDAL, *cerrando la puerta de la derecha, alto:* ¡Rina, no vengas, que estamos ocupados!

LA VOZ DE RINA: Muy bien, don Acidal.

MORDEL: ¡Es inicuo! ¡Inadmisible!

ACIDAL: ¿Algún malentendido con la empresa? ¿Te has peleado con Tenedy?

MORDEL: ¿Ha terminado Llave el balance del último semestre?

ACIDAL: Sí. Justamente, *(Saca un libro de cuentas de un cajón)* aquí está el resultado.

MORDEL: En el semestre anterior ganábamos, según creo, 19.000 pesos, más o menos...

ACIDAL, *deteniéndose en una página del libro:* Aquí está. Son... Sí... Son 21.000... No... Son, en definitiva, 21.775 pesos, 29 centavos, de ganancia, entre los dos bazares, socorro de peones, arrieraje, transporte de metal y la hacienda.

MORDEL, *pensativo:* ¡Hum!... 21.775,29... Es muy poco. ¿Tienes ahí los otros balances, desde 1909?

ACIDAL: No. Aquí no están. Lo que recuerdo es que, a partir del año en que acabamos de amortizar al viejo Tuco, para mudarnos de tienda –hace de esto doce años– no hemos dejado de aumentar el capital, lo menos en 60 % anual...

MORDEL, *exasperado:* ¡Yo no le he hecho nada, para que así me pague Mr. Tenedy! Al contrario, yo soy su adulón, su...

ACIDAL: Pero dime, en fin, Mordel, lo que ha ocurrido! ¿Qué te ha hecho Mr. Tenedy?

MORDEL: ¡Quiere que yo sea Presidente de la República! ¡Figúrate!

ACIDAL, *estupefacto:* ¡Oh! ¡Por Dios!

MORDEL: ¡Imagínate! ¡Presidente de la República!

ACIDAL: ¡Hermano mío! ¡Es posible!

MORDEL: Le he rogado. ¡Vanamente! Ayer, por la mañana, me hizo llamar a su oficina y me dijo: "Don Mordel, los intereses de la "Cotarca Corporation" exigen que usted sea, en el día, Presidente de la República..."

ACIDAL: ¿Así te lo dijo el yanke, de pronto?

MORDEL: Tú ya conoces cómo son los norteamericanos. Al cabo de tantas súplicas mías, le dije que, en último caso, tú podrías, mejor que yo, ser Presidente...

ACIDAL: ¡Cómo! ¿Qué yo sea?...

MORDEL: ¡Pero nada! ¡Quiere siempre que sea yo el Presidente! Llegó hasta prevenirme que si yo desobedecía las órdenes de Nueva York, la empresa se vería obligada a echarnos de Cotarca, quitándonos los bazares, el enganche de peones, el arrieraje y todo...

ACIDAL: ¡Pero no la hacienda! ¡Capapuy no les pertenece!

MORDEL: ¡Todo! Me dijo: "Usted, don Mordel, es el hombre de mayor confianza que tiene nuestro sindicato; usted es el único que puede trabajar con nosotros, lealmente, en el Gobierno, para servir a su patria y a la mía..."

ACIDAL: Pero tú le harías ver que...

MORDEL: Le he hecho ver todo. "Mr. Tenedy –le dije– yo no tengo carácter ni instrucción suficiente. Yo puedo servir a la "Cotarca" en todo lo que quiera usted, pero no de Presidente..."

ACIDAL: ¿Y qué argumentaba él? ¡Es horrendo!

MORDEL: Parece que la revolución es sólo cosa de semanas más. Me dijo que la "Cotarca Corporation" cuenta con muchos coroneles y generales. Según he olido, los norteamericanos están descontentos de este Presidente, porque favorece a las empresas inglesas, en contra de las empresas yankes. "Ya no tenemos confianza en nadie –me dijo– todos lo políticos de este país son unos bribones. Queremos un hombre honrado, que no nos traicione, y ese hombre no es otro que usted..."

ACIDAL: Pero, entonces, ¿en qué habéis quedado?

MORDEL: ¡En qué hemos quedado!... Pues en que Tenedy se encapricha y en que yo no sé qué hacer. *(Se desploma en un asiento, mesándose los cabellos)* ¡No sé qué hacer! ¡No sé! ¡No sé!...

ACIDAL, *cuyo estupor del primer momento empieza a transformarse en jubilosa ansiedad:* ¡Bueno, por Dios, no hay para qué alocarse, Mordel! Viéndolo bien...

MORDEL: Yo no tengo miedo a nada, tú me conoces. Nunca he tenido miedo a nada. Las penas, los trabajos, las miserias, yo me río de todo. Pero que me obliguen a una cosa para la que yo no he nacido. ¡No!

ACIDAL: ¿Estás seguro que Tenedy no acabaría por aceptar que yo sea el Presidente, en tu reemplazo?

MORDEL: ¡Qué voy a hacer yo, de Presidente! ¡Si yo no sé nada de nada! ¡Yo no sé hablar en público! ¡Yo no sé las maneras, las costumbres, la...

ACIDAL: ¡Pero, en fin, Mordel, no pierdas la razón! ¡Serénate. Reflexiona. Fíjate que lo que busca Mr. Tenedy, en buena cuenta, es tu bien. Y, en todo caso, vuelve a pedirle que yo te reemplace. Ruégale otra vez...

MORDEL: Se negará de nuevo. Le conozco.

ACIDAL: ¡Acepta entonces tú, querido hermano! Acepta, aunque sólo fueses Presidente un solo día. ¡Ten valor! ¡Cómo! ¡Tú! ¡Un mozo como tú, va a tener miedo a los discursos, a la levita, a las maneras...

MORDEL: ¡Pues eso! ¡Justamente! ¡Los discursos! ¡La levita! ¡Sudo frío, nada más que de pensarlo! *(Se pasea, preso de una gran agitación)*

ACIDAL, *sacando de pronto un libro de Urbanidad:* ¡Espérate! ¡Espérate! ¡Mira!... Precisamente, mira: ¿Tú sabes lo que es esto? ¡Este es un libro formidable! Con él, se puede ser todo: Presidente, ministro, diputado, senador. *(Hojeando el libro)* Fíjate: justamente, aquí tienes un capítulo estupendo: *(Lee)* "Los altos círculos políticos y diplomáticos". Mira: aquí está dicho lo que hay que hacer y lo que hay que decir entre ministros, diputados y Presidentes. *(Mordel examina el libro)* Llave te ayudará en lo demás, él, que es casi abogado.

MORDEL: ¿Es el libro del que me hablabas en tus cartas, que te dio Llave?

ACIDAL: El mismo. Fíjate: *(Leyendo en el libro uno que otro título de capítulo)* "En casa de un diputado recién electo", "Cómo se entra en el salón de la esposa de un ministro, cuyo marido está ausente", "De la manera de recibir a comer a un Embajador", "Cómo se conversa del tiempo que hace con la hija soltera de un senador", "Cómo se pronuncia un discurso ante una muchedumbre", "Cómo hay que amarrarse la corbata para un entierro", "A qué hora se mira qué hora es, en un baile..."

MORDEL: ¡No comprendo! ¡No comprendo!

ACIDAL: ¡Cómo! ¿No comprendes? ¿Una cosa tan sencilla, que se aprende en cuatro días?

MORDEL: ¡Jamás comprenderé por qué a Tenedy se le ha metido entre ceja y oreja que yo, precisamente yo, sea el Presidente! Le hablaré. Le volveré a pedir que tú me reemplaces. No veo otro camino. Buscan un hombre de confianza: ¡pues ahí estás tú!

ACIDAL: ¡Naturalmente! No debemos perder la ocasión. ¡Figúrate! ¡Presidente de la República! ¡Cuándo ya quisiera yo ser, al menos, diputado!

MORDEL: Y si de nuevo se niega Tenedy, le diré que haga entonces con nosotros lo que le venga en gana: que se vengue, que nos eche de la mina, que nos deje en la miseria, en fin...; pero que yo no puedo ser, de ninguna manera, Presidente de la República! ¡Eso, no! ¡Eso, no! ¡No y no!

ACIDAL, *de pronto, en secreto:* ¡Mordel! Se me ocurrre una cosa...

MORDEL: ¿Qué? ¿Qué se te ocurre?

ACIDAL: ¿Te acuerdas de ... (Guiña maliciosamente el ojo, aludiendo a Rina) ¿Eh?...

MORDEL: ¡Ah!... Pero, ¿es que Tenedy no llegó a...

ACIDAL: ¡Ni a tocarla! A mí me consta.

MORDEL: Pero, entonces...

ACIDAL: ¿Qué te parece?

MORDEL, *iluminado:* ¡Hombre! ¡Estupendo! ¡Qué duda cabe!

ACIDAL: La llevas a Cotarca, organiza una juerga con el yanke y luego...

MORDEL: ¡Tú lo conoces! ¡Es su débil!

ACIDAL: ¡Sobre todo, ella! ¡Había que ver!

MORDEL: ¡Qué! ¡Calla hombre! ¡Le arranco al yanke cuanto yo quiera, por ella! ¡Ya verás tú! ¡Unas copas y Rina de lejitos, y arreglado!

ACIDAL: Pídele que yo te reemplace. No cedas por ningún motivo. Y, si no acepta, si se obstina... Si...

MORDEL: ¡Cómo! En ese caso, no hay Rina que se tenga.

ACIDAL: Debes, eso sí, andar muy vivo. Date maña. ¡Que no huelan ni ella ni él, la zancadilla! Y en el momento preciso, ¿eh?...

MORDEL: ¿Qué tal está ahora? ¿Guapa? ¿Apetitosa?

ACIDAL: Regular. Te diré... Regular.

MORDEL: Hay que llamarla. Llámala para verla bien.

ACIDAL: Sí. Voy a llamarla. Sí... *(Abre la puerta de la derecha y alto)* ¡Rina! Ven un momento.

LA VOZ DE RINA: Voy, don Acidal. Ahora mismo.

MORDEL: Salvo si tú tienes algo con ella o la quieres para ti...

ACIDAL: ¿Yo? ¡Qué ocurrencia! ¿Y tú?

MORDEL: ¡Hombre! Tampoco. ¡Chut! Ahí viene. *(Rina, recién peinada y arreglada, por la derecha. Los Colacho la escudriñan disimuladamente pero detalladamente)*

ACIDAL: Dime, Rina, ...¿se marchó ya tu padre?

RINA: Sí, don Acidal. Ya se marchó. Hace rato.

ACIDAL: Bien... Bien... Búscame en el cajón de aquella mesita del rincón, una cuchilla que creo dejé allí esta mañana.

RINA: muy bien, don Acidal. *(Los Colacho la observan de espaldas)*

MORDEL: Como te digo... Y como te iba diciendo...

ACIDAL: Pues ya verás... *(Cambian miradas de inteligencia)* Es una cosa que mal que bien podría resultar... *(Rina busca la cuchilla en el cajón)* ¿Qué te parece a ti? ¿Tú que opinas?

MORDEL: Así lo creo, yo también.

ACIDAL, *a Rina:* ¿No la encuentras, Rina?

RINA: No, don Acidal.

ACIDAL: Entonces debe estar aquí, en el cajón de esta otra mesa. Ven a verla.

RINA: Muy bien, don Acidal. *(Los Colacho tienen entonces ocasión de ver de cerca y a la luz, el busto y la cara de la moza)*

MORDEL: Es el único recurso que nos queda. Es innegable.

ACIDAL: ¡Claro! ¿Eh?... Con todo, hay que reflexionarlo más... *(Un destello de deseo se enciende de pronto en los ojos de ambos hombres, al ver el pecho y los brazos desnudos de Rina)*

RINA: Aquí no está tampoco, don Acidal. No la encuentro. *(Rina levanta unos ojos tímidos e inocentes hacia Acidal)*

ACIDAL: Bueno. Déjalo. No importa.

MORDEL, *a Rina: ¿Cuándo vuelve tu padre? (La mira frente a frente)*

RINA, *bajando los ojos:* No sé, don Mordel, cuándo volverá. Está ahora muy ocupado en el cortijo.

MORDEL: Bueno. En fin... Puedes retirarte.

ACIDAL, *a Rina:* No te acuestes todavía, porque luego te llamaré, seguramente.

RINA: Muy bien, don Acidal. *(Vase por la derecha y los Colacho la siguen con los ojos)*

MORDEL, *después de cerrar la puerta, bajando la voz:* ¿Dónde está la Virgen del Socorro?

ACIDAL: Está en el dormitorio.

MORDEL: Vete a traerla. Y trae también una cera. Hay que pedir a la Virgen, que esto de Tenedy y de Rina se nos arregle.

ACIDAL, *ya por el foro:* Sí. En el acto. Voy a traerla. *(Mordel se queda pensativo. A poco, Acidal vuelve con la estampa religiosa del primer cuadro del primer acto y una cera. Dice, instalando en la mesa la estampa y encendiendo ante ella la cera)* Hay que pedirle también a la Virgen, que triunfe la revolución. Los ingleses son capaces de vencer a los norteamericanos. Ahí está. Listo... Listo. Arrodillémosnos... *(Se arrodilla ante la Virgen)*

MORDEL, *arrodillándose junto a Acidal:* Imagínate que Tenedy nos echase de Cotarca...

ACIDAL: ¡Sería la catástrofe! Recemos.

MORDEL: Tú dices que no nos pueden quitar Capapuy. ¡Como si los norteamericanos no lo pudiesen todo! Además, el Gobernador nos la dio por orden de Tenedy.

ACIDAL: En fin, ¿qué hay que pedirle, en suma, a la Virgen?

MORDEL: Hay que pedirle tres cosas: primeramente, que Tenedy se enamore de la Rina perdidamente y que no se pase en mientes para hacerla suya; luego, que, a cambio de ella, acepte que tú seas el Presidente, en mi lugar; y, por último, que la revolución salga triunfante.

ACIDAL: Conforme. Empecemos.

MORDEL: Empecemos. *(Ambos cruzan los brazos y dirigen una mirada de dolorosa unción hacia la Virgen del Socorro.*

Luego, doblan la frente y sus labios murmuran, en el silencio de la escena, una oración ferviente, apasionada y llena de ansiedad) TELÓN.

Cuadro Cuarto

Decoración del segundo cuadro.

Crepúsculo en el bazar. Las puertas están cerradas a la clientela.

Mordel y Tenedy apuran unas copas de whisky.

TENEDY, *chupando su pipa:* Repito, don Mordel, los Estados Unidos tiene aquí invertidos ingentes caudales, y estos caudales no pueden ser abandonados al actual caos político de su país.

MORDEL: Así lo comprendo, Mr. Tenedy.

TENEDY: De otra manera, los propios intereses nacionales exigen poner término cuanto antes a esta situación. El pueblo muere de hambre; los indios, explotados; los obreros, sin trabajo; los funcionarios y el ejército, impagos; centenares de ciudadanos, presos o desterrados; *(Mordel le escucha y asiente repetuosamente)* oficiales y civiles, fusilados; otros, perseguidos...

MORDEL: La pura y neta verdad, Mr. Tenedy.

TENEDY: La revolución va a acabar con tan odioso desorden. Usted, don Mordel, va a salvar a su patria, de la anarquía y de la ruina.

MORDEL: Mr. Tenedy, yo haré lo que esté a mi alcance.

TENEDY: En esa tarea, cuente usted, vuelvo a recordarle, con mi más decidido apoyo y con la protección de nuestro sindicato.

MORDEL: Mr. Tenedy, le doy un millón de gracias.

TENEDY: Ya le he dicho a usted, que, el mismo día en que usted suba al poder, tendrá usted a su disposición todo el dinero que necesite el Gobierno. En fin, don Mordel, la "Cotarca Corporation" estará siempre a su lado, para ayudarlo en todo.

MORDEL: Mr. Tenedy, no sé verdaderamente cómo agradecérselo.

TENEDY, *chocando su copa con la de Mordel:* ¡Salud, por su buen viaje, don Mordel!

MORDEL: ¡Por usted, Mr. Tenedy, salud!

TENEDY: ¿A qué hora sale usted mañana?

MORDEL: Bien temprano, Mr. Tenedy. A las seis de la mañana.

TENEDY: Trate usted de llegar al puerto el 20, en la mañana, a fin de tomar el barco por la tarde. Usted debe estar en la capital, a más tardar el 29 por la noche, porque el general Otuna lo espera el día 30.

MORDEL: Perfectamente, Mr. Tenedy. Acidal tiene todo preparado en Taque, para poder llegar a la estación del ferrocarril el sábado, a lo sumo.

TENEDY, *parando el oído a la calle:* ¡Ahí vienen, me parece! ¡Cuidado con que nadie huela nada!

MORDEL: No pase usted cuidado, Mr. Tenedy. *(Suenan afuera pasos y voces confusas)*

TENEDY, *campechano:* Parecen bien mamados. *(Tocan a una de las puertas de la derecha)*

MORDEL: ¡Voy! ¡Ahora mismo! *(Abre. Entran, en son de juerga, el ingeniero Lobos, el cajero Pirlón, el comisario Bolazos y el profesor Castebas, todos empleados de la "Cotarca Corporation". Mordel vuelve a cerrar la puerta)*

TODOS, *en gran algazara:* ¡Mr. Tenedy, buenas noches!... ¡Las diez en punto! ¿Estamos o no estamos? *(Tenedy ríe paternalmente)*

EL COMISARIO: ¿Siempre es viaje mañana, don Mordel?

MORDEL: ¡Quince días! Quizá sólo diez días.

TENEDY: Depende de los peones. Si don Acidal ha reunido ya unos cuantos, don Mordel puede estar perfectamente de regreso la semana entrante.

PIRLÓN, *a Mordel*: ¿Cuántos peones piensa usted traer?

MORDEL: Los más que pueda yo, desde luego. Unos ochenta o cien.

LOBOS: Bueno, don Mordel, bebamos la primera por su viaje. ¿Qué bebemos, Mr. Tenedy?

CASTEBAS: ¡Whisky! ¡La bebida de los príncipes del Dólar! *(Mordel sirve las copas)*

PIRLÓN: Colacho, ¿con quién deja usted a Rina, hasta su vuelta?

MORDEL: ¡Ah, mi amigo!... *(Risa general)* Juguémosla a los dados, si usted quiere.

VARIOS: ¡Bravo!... ¡Juguémosla a los dados! ¡Buena idea! *(En torno al mostrador, los jugadores forman círculo)*

MORDEL, *agitando el cubilete:* ¡Señores! ¡Todos al palio! ¿Quién manda? *(Tira los dados y cuenta, señalando con el dedo y sucesivamente a los contertulios)* ¡Uno! ¡Dos! ¡Tres! ¡Cuatro! *(A Castebas)* ¡Usted manda, mi amigo!

CASTEBAS, *que debe jugar el primero:* Pero... ¿qué jugamos?

EL COMISARIO: ¿No está usted oyendo que vamos a jugar a Rina?

CASTEBAS: ¿A Rina? ¡Cómo! ¿Jugar a los dados a una mujer? Eso no se hace. Juguemos una copa de champaña. *(Risa general)*

VARIOS: ¡Ah! ¡El profesor! ¡El moralista! ¡A predicar a la escuela!

CASTEBAS, *tirando los dados:* Pues, entonces, ¡adentro con Rina! ¡Trinidad!

VARIOS, *leyendo en los dados:* ¡Nada! ¡Mano de monaguillo! ¡Mr. Tenedy!

TENEDY, *tirando los dados:* ¡A la Rina, que me lame!

VARIOS: 3 y 4, 7: y 6, 13. ¡Trece! ¡La nariz le crece!

LOBOS, *tirando:* ¡Vamos a ver! ¡Silencio, con la izquierda y cinco dados!

VARIOS, *entre risotadas:* ¡Cero! ¡Al otro! ¡Bolazos!

EL COMISARIO, *tirando:* ¡Se la cedo, Mr. Tenedy!

VARIOS: 3 y 3, 6; y... tres y tres... ¡Brutal! ¡Tres treses! ¡Brutalísimo!

PIRLÓN, *quitando el cubilete:* ¡Un momento! ¡Un momento para el párroco! *(Tirando)* ¡Me voy, me iré, me fui!

VARIOS, *en tumulto:* ¡Cataplum! Tres... 3 y... ¡Tinta y lápiz!

MORDEL, *tomando el cubilete:* ¡Señores: si la gano, ¿me permiten ustedes cederla a quien yo quiera?

LOBOS: ¡Ca! ¡No, señor! Rina nos pertenece a todos, a partir del momento en que usted la ha puesto en juego.

CASTEBAS: ¡En dado vino, en dado debe irse!

PIRLÓN: ¡Don Mordel, antes de tirar, ¡agua para la caballada! *(Beben)*

MORDEL, *echando los dados:* ¡Señores, cuatro anteojos son dos pares!

VARIOS: ¡Nada! ¡Nada! ¡Bravo Bolazos!

LOBOS, *copa en mano:* ¡Bebamos, señores, por Rina y el Comisario!

EL COMISARIO: No señor. ¡Bebamos por Mr. Tenedy, nuestro patrón, gerente de la "Cotarca Corporation"!

TODOS: ¡Por Mr. Tenedy! ¡Salud!

TENEDY: Gracias, queridos amigos. ¡Salud! *(Beben)*

EL COMISARIO: Mr. Tenedy, le desafío a usted a jugar, mano a mano, a Rina.

TENEDY: ¡Oh, no, Bolazo! Esa es cosa ya ganada.

VARIOS: ¡Sí! ¡Mr. Tenedy y el Comisario!

EL COMISARIO, *pasando un dado a Tenedy:* Mr. Tenedy, hágame usted el favor. ¡Quién manda! *(El Comisario y Tenedy tiran un dado cada uno y los demás les rodean)* Yo mando. Lo mismo: trinidad. *(Agita el cubilete y tira los dados)*

VARIOS: ¡Va a perderla! ¡Va a perderla! *(Tenedy tira)* 3 y 6, 9... ¡Relámpagos y truenos! ¡La ganó! ¡Ahora, Bolazos!

EL COMISARIO, *tirando:* ¡Luna y fuego, desvestida!

VARIOS: Ocho, cuatro... *(Tenedy lanza una risa de victoria)* ¡Champonazo! ¡El champaña, Mr. Tenedy!

TENEDY: ¡Don Mordel, una copa de champaña!

LOBOS: Don Mordel, mándela usted traer, ahora mismo. ¿Qué opina usted, Mr. Tenedy?

VARIOS: No... Sí... Ahora no... Que sí... Que sí...

MORDEL: Que lo ordene Mr. Tenedy.

TENEDY: Caballeros, la última partida no ha sido una broma. El que de veras ha ganado es Bolazos.

EL COMISARIO: ¡Oh, no, Mr. Tenedy! Rina le pertenece a usted en buena ley.

PIRLÓN, *muy bebido:* ¡Es una hembra opípara! ¡Ternera zaína! ¡Nuca y anca! ¡Maravilla!

LOBOS: ¡Cuando camina, es algo...! ¡Y qué boca! ¡Puñalada revesera!

TENEDY: ¿Cree usted, don Mordel, que ella vendría, si usted la hace llamar?

MORDEL: ¡Naturalmente, Mr. Tenedy! ¡Volando!

TENEDY: Bueno, ¡pues que la traigan!

VARIOS: ¡Desde luego! ¡Que la traigan! ¡Inmediatamente!

MORDEL, *llamando:* ¡Novo! ¡Ven corriendo!

LA VOZ DE NOVO, *de la trastienda:* Voy, tío.

MORDEL: Mr. Tenedy, las copas están listas.

NOVO: Tío, aquí estoy.

MORDEL: Vete a decirle a Rina que venga aquí, al bazar en seguida, que la estoy esperando, porque ya me marcho a Taque. Si te pregunta con quien estoy, no le digas quienes están aquí. Dile que estoy solo, completamente solo, ¿me has oído?

NOVO, *partiendo con el recado a la carrera:* Muy bien, tío.

EL COMISARIO: ¡Eso es! ¡Bravo! Y ahora, señores, les invito a ustedes a levantar nuestras copas por los Estados Unidos...

TODOS: ¡Sí! ¡Sí! ¡Un brindis por los Estados Unidos!

TENEDY, *siguiendo el curso de una conversación que seguía aparte con Lobos y Castebas:* En vista de estas circunstancias, nuestra oficina central de Nueva York exige un aumento inmediato de la extracción de mineral de todas nuestras explotaciones, de Bolivia, el Perú, México y Brasil.

LOBOS: En realidad, señores, los Estados Unidos son un gran pueblo, generoso, idealista...

PIRLÓN: Los Estados Unidos son el pueblo más grande de la tierra. ¡Qué progreso! ¡Qué ilustres hombres, los norteamericanos! Casi toda la América Latina está en manos de las finanzas yankes. ¡Es una cosa sencillamente estupenda!

El Comisario: Las mejores empresas mineras, los ferrocarriles, las explotaciones caucheras y azucareras, todo se está haciendo entre nosotros con dólares.

Mordel: ¡Pero, sobre todo, señores, la "Cotarca Corporation"! *(Aclamación general)*

Lobos: Es el más poderoso sindicato minero del continente. Allí están sus minas de cobre en el Perú, sus minas de oro y plata en el Brasil y en Mexico, de petróleo en la Argentina y Venezuela, de estaño en Bolivia...

Varios: ¡Imponente! ¡Formidable! ¡Es un país enorme!

El Comisario: Los socios de la "Cotarca Corporation" son los más grandes millonarios de los Estados Unidos. Muchos de ellos son banqueros y socios de otros mil sindicatos de minas, carteles de automóviles, trusts de azúcar, de petróleo...

Pirlón, *alzando su copa:* ¡Señores, por los norteamericanos!

Todos, *copa en mano, rodeando a Tenedy:* ¡Viva Mr. Tenedy! ¡Viva la "Cotarca Corporation"!... ¡Vivan los Estados Unidos! ¡Hip, hip, hip! ¡Hurra!

Castebas: Señores, mientras llega Rina, propongo a ustedes una partida de tiro al blanco.

Lobos: ¡Buena, buena idea; ¡Un tiro al blanco! *(Saca su revólver)*

Pirlón: ¡Nadie apaga una vela en mi cabeza!

Varios: ¡Yo!... ¡Yo!...

Lobos, *revólver en mano, da unos pasos atrás, frente a Pirlón y le apunta a la cabeza, diciéndole:* ¡A que no es usted hombre de dejarse dar un tiro en el borde de la oreja!

Pirlón: Los tiros que usted quiera en el borde de la oreja. No uno, sino veinte. *Se yergue cuanto puede, levanta el pecho y mira fijamente al cañón del arma que le apunta, presentando blanco)*

Lobos: Nada más que un tirito. ¡Uno solo! ¡En el borde de la oreja!

Tenedy *toma rápidamente un candelero con una vela que Mordel acaba de encender, para alumbrar el bazar, y dice a Lobos, haciéndole alto con la otra mano:* ¡Espere usted! ¡Un momento! ¡La vela! ¡La vela! *(Coloca el candelero con la bujía encendida sobre la cabeza de Pirlón)*

El Comisario y Mordel: ¡Bravo!

Tenedy, *a Lobos:* ¡Apáguela usted, si puede!

Castebas: ¡No! ¡Cuidado, Mr. Tenedy!

Lobos: ¡A que la apago, Mr. Tenedy! ¡Del primer disparo!

Tenedy: ¡En la pavesa! ¡En la misma pavesa!

Lobos: ¡En la misma pavesa, Mr. Tenedy! *(Una viva ansiedad cruza por todos los semblantes. El candelero tambalea sobre la cabeza de Pirlón, cuya embriaguez le impide permanecer quieto)*

CASTEBAS, *mientras que Lobos pone puntería:* ¡No, Pirlón! ¡No se deje usted!

PIRLÓN: ¡No un tiro, sino cien! *(A Lobos)* ¡Apunten! ¡Fuego!

LOBOS, *encañonando su arma a la pavesa de la vela:* No se mueva... No se mueva... *(Los contertulios se han quedado en silencio, inmóviles, con una sonrisa inexpresiva en las caras, mirando el candelero tambaleante. Un relámpago y una detonación atraviesan el aire, y el bazar se hunde en la oscuridad. Silencio de muerte. Luego, una carcajada)*

VOCES: ¡Chambón! ¡Dónde está Pirlón! *(Encienden luz. Pirlón aparece de pie, en su mismo sitio, con una risa muda y lívida)*

TENEDY, *acercándose y examinándole:* ¿Nada, Pirlón? ¿No ha sido usted tocado?

PIRLÓN, *aparatoso:* ¡Un whisky por el herido! ¡Y una copa de champaña por el muerto!

LOBOS, *buscando el candelero y la vela por el suelo:* He sentido que dí al blanco. ¡A la misma llama, estoy seguro!

EL COMISARIO, *que ha encontrado el candelero y la vela:* Aquí están. *(Todos acuden a ver los objetos)* ¡Ni trazas de la bala!

TENEDY, *atisbando por la cerradura de una puerta de la derecha:* ¡Creo que ya viene Rina! ¡Silencio! *(Todos callan)*

MORDEL, *bajo:* ¡Hay que quedarse quietos!

EL COMISARIO, *Bajo:* ¡Hay que esconderse!

TENEDY: ¡Detrás del mostrador!

CASTEBAS: ¡Detrás de los barriles!

MORDEL: ¡Oigo pasos!... *(Todos, menos Mordel, se han ocultado y guardan silencio. Mordel, haciendo como si estuviese solo, se da a arreglar botellas y copas en las casillas. Un canto indígena, agudo y doloroso, lleva desde fuera. Después, unos pasos de hombre)*

PIRLÓN: Es el gendarme Quispe.

TODOS: ¡Cállese! ¡Silencio! *(El canto y los pasos cruzan por delante de las puertas de la derecha y, ya cuando vuelven a alejarse, una voz de mujer se deja oír indistintamente, acercándose. Nuevos pasos)*

MORDEL: Ahora reconozco sus pasos...

PIRLÓN: Sus piernas, dirá usted. *(Tocan a la puerta)*

MORDEL: Adelante. ¿Quién es?

RINA, *por la derecha:* Don Mordel, buenas noches.

MORDEL: Pasa. Te he hecho llamar, porque me voy a Taque esta madrugada.

RINA: Así me ha dicho Novo.

MORDEL: Siéntate. Tenemos que hablar... *(Una repentina carcajada estalla en el bazar y los contertulios aparecen de golpe ante Rina)*

TODOS, *rodeándola:* ¡Rina! ¿Cómo estás? ¡Qué guapa estás!

MORDEL, *a Rina, desternillándose de risa:* ¡Qué quieres! ¡Es la despedida! ¡Los amigos, el patrón!

EL COMISARIO: Mr. Tenedy, las copas están servidas. *(El Comisario pasa una copa a Tenedy y otra a Rina)*

LOS DEMÁS, *tomando cada cual su copa:* Tomenos por Rina. ¡Por ella, hasta verte, Cristo mío!

RINA, *abrumada:* Gracias. Muchas Gracias.

TENEDY, *Castebas*: Saque usted la guitarra. ¡Don Mordel!

MORDEL: La guitarra, Mr. Tenedy, aquí está!

TODOS: ¡Eso! ¡La guitarra! ¡Cante usted algo, Castebas! *(Castebas ha empezado a puntear la guitarra)*

LOBOS: ¡Un momento, señores! Mr. Tenedy, el patrón el gerente de la "Cotarca Corporation", va a romper el baile...

TODOS: ¡Muy bien! ¡Arriba, Mr. Tenedy! *(Tenedy da el brazo a Rina y la saca a bailar, mientras Castebas ejecuta el preludio de una danza indígena, disponiéndose a cantar, acompañado, como segunda voz, por Lobos)*

MORDEL, *a Tenedy, aparte, refiriéndose a Rina:* ¡Mr. Tenedy, un "tabazo" y arreglado! ¡Ahora va usted a ver!

TENEDY, *palmeándole el hombro:* Es usted una categoría, don Mordel.

MORDEL: ¡Por usted, Mr. Tenedy, no digo una sirvienta: ¡mi vida! *(Diciendo esto, prepara en una copa, cuidando de no ser visto por Rina, una mezcla misteriosa de varios licores y sustancias– el "tabacazo"– para hacerla beber a la criada. Castebas ha empezado a cantar, con gran esfuerzo de palmas y de punteo de guitarra)*

PIRLÓN, *hacieno callar de pronto a los músicos:* ¡No! ¡Eso no! ¡"La rosa con el clavel"! Para Mr. Tenedy, ¡"La rosa con el clavel"! *(Recita)*

Ya salieron a bailar
¡ay, cómo no!
¡ay, señora, ay, cómo no!
la rosa con el clavel!...

MORDEL, *trayendo una copa a Tenedy y otra (el "tabacazo") a Rina, que se han quedado parados, uno frente al otro, pañuelo en mano, por la interrupción de Pirlón:* Mientras tanto, Mr. Tenedy, permítame usted que les sirva una copita.:. ¡De nuevo y acomodare!... *(La guitarra empieza otro preludio y Mr. Tenedy y Rina beben. Luego Castebas y*

Lobos rompen a cantar y Tenedy y Rina bailan, entre palmoteos y gritos sincopados)

PIRLÓN, *a Mordel, siguiendo con ojos ávidos los movimientos de Rina, al bailar:* ¡Qué nuca más peluda! ¡Y las caderas! ¡Yegua de paso! *(Al llegar a la fuga de la danza, un ardor frenético se desencadena en tono al cuerpo de Rina. El Comisario, Mordel, Pirlón y hasta Lobos y Castebas que se pone de pie, cantando y tocando– siguen a la joven con requiebros, y zalemas. Pirlón arroja al suelo, a los pies de la pareja, todos los sombreros. Rina, en quien el alcohol y la mezcla preparada por Mordel empiezan a hacer efectos fulminantes, después de consultar con los ojos a Mordel y de obtener de éste un signo tácito de permiso, se remanga el traje por delante hasta media pantorrilla y se lanza a un fogoso zapateo. Pirlón coge una copa de champaña y la rompe furiosamente contra el mostrador. Castebas pone fin a la fuga, con una gran queja romántica y apasionada. La pareja para entonces de golpe de bailar y Rina, sofocada y jadeante, vuelve a mirar a Mordel)*

TODOS: ¡Bravo! ¡Formidable! ¡Hip, hip, hip, hurra!

MORDEL: ¡Copa con su pareja! *(Vuelve a servir una copa a Tenedy y otra a Rina, que se han quedado el uno frente al otro, como antes de bailar, esperando la segunda vuelta o sea la repetición del baile)*

CASTEBAS: ¡Viva, señores, Mr. Tenedy! *(Corean el viva y hacen de pie a Tenedy una gran ovación, mientras Rina no cesa de reír, sobrexcitada)*

TENEDY, *modesto:* ¡Es ella! ¡Es ella que me ha ganado!

RINA, *pendiente siempre de los ojos de Mordel:* ¡Usted, señor Tenedy! ¡Usted baila muy bien! *(Castebas preludia el segundo baile)*

PIRLÓN: ¡A quien Dios se lo da, Mr. Tenedy, San Pedro se lo bendiga!

LOBOS: Rina, ¡Abajo el pañolón!

PIRLÓN y el COMISARIO, *quitándole el pañolón, a Rina:* ¡Los altos y los bajos, descubiertos! ¡Carne libre!

RINA, *mirando a Mordel:* ¡No! ¡No! ¡No! *(Castebas canta, acompañado de Lobos y Tenedy y Rina rompen de nuevo a bailar)*

PIRLÓN: Colacho, otra tanda de champaña. *(Tenedy, muy bebido, se acerca a Rina y la besa en el pecho, le pasa el pañuelo por el cuello y por los hombros y barre con él el suelo, persiguiendo los pies de Rina. Ésta comprende al fin que Mordel no le contrarían estos modos. De aquí que, al llegar a la fuga, Rina, en un repentino y espontáneo acceso de entusiasmo, se descubre por delante el pañolón, lo coge por ambas puntas, a uno y otro lado de la cintura, y así se ciñe el talle, echando el busto hacia atrás y zapateando. Las exclamaciones de los hombres llegan entonces al paroxismo)*

TODOS, *haciendo palmas, los ojos chispeantes, giran en torno de Rina:* ¡Ábrete! ¡Quiébrate! ¡Más!... ¡Más!... ¡Más!... *(Tenedy, vencido por Rina, tambaleando y acesando, la coge en sus brazos y la levanta en vilo, apretándola contra sí y colmándola de besos. Castebas y Lobos cesan de golpe de tocar y de cantar; el primero levanta la guitarra en alto y, abatiéndola furiosamente contra el borde del mostrador, va a romperla, cuando un disparo de revólver cruza el bazar. Los gritos redoblan)* ¡Bravo! ¡Cuarenta veces bravo!

CASTEBAS, *subiendo a una silla, dominando el barullo:* ¡Señores! Una palabra. ¡Una sola!... *(Todos callan. Solemne y trascendental)* ¡Señores!... Después de Dios, ¿qué es lo que más vale en el mundo?

VARIOS: ¡Mr. Tenedy! ¡Los Estados Unidos! ¡La "Cotarca Corporation"!

CASTEBAS, *volviendo a dominar el barullo:* ¡No señores! ¡No! Después de Dios, el Sexo!... *(Rina, zafándose de los brazos de Tenedy, corre a Mordel, como buscando protección)*

TENEDY, *a los músicos:* Ahora, una canción del alma.

PIRLÓN: "Ya me voy a una tierra lejana..."

LOBOS: ¿"La maldición"? O "¡Ay, qué lejos me lleva el destino!"

CASTEBAS: "Aún la nieve se deshace..." *(Preludio de canción en su guitarra)*

MORDEL, *trayendo a Rina por el brazo hacia Tenedy:* Ven aquí. Vamos donde Mr. Tenedy.

TENEDY, *cogiendo a Rina entre sus brazos:* ¡Déjela usted! ¡Déjela usted a ella sola! *(Rina, riendo nerviosamente, trata de eludir los brazos de Tenedy)*

MORDEL, *severo:* ¡Rina! ¡Cómo! ¿No respetas al patrón? *(Rina, no obstante, se evade de los brazos de Tenedy y, ya muy bebida, evoluciona por la tienda, los cabellos desgreñados, sin pañolón, riendo inconteniblemente)*

RINA, *que ya no consulta las miradas de Mordel:* ¡Nada de cantos tristes! ¡Otro baile! Señor Tenedy, ¿otro baile?

TENEDY: ¡Alto, señores! ¡Otro baile! *(Tenedy toma a Rina por el talle y, ciñéndola contra sí, la pasea, disponiéndose a bailar, mientras Castebas cambia el punteo de su guitarra. Palmoteo general y requiebros a la moza)*

RINA, *a los músicos:* "¡Al pie de la tumba muere"!

LOBOS, *a Castebas:* "Un corazón de madera me voy a mandar hacer".

CASTEBAS: No. “El río vuelve a su cauce”. *(Cantan. Tenedy y Rina se lanzan a bailar, en medio de un vocerío delirante. Al venir la fuga, Mordel le desliza algo al oído a Rina)*

Rina, *volviéndose bruscamente a Mordel y cesando de bailar:* ¡Don Mordel!... ¿Yo?... *(Rina se hecha a llorar)*

VARIOS: ¿Qué ocurre? ¿Qué ha pasado?

MORDEL, *riendo:* Las copitas. Déjenla que se desahogue.

RINA, *llorando:* ¿Por qué...? ¿Pero por qué?

TENEDY, *tomándola del brazo:* Rina, no haga usted caso. Bebamos una copa. A ver, don Mordel, un whisky.

TODOS: ¡Cien whiskys por ella! ¡Y otro baile! “Al pie de la tumba muere”. *(Castebas toca en su guitarrra una danza lenta e infinitamente dolorosa, y Rina permanece inclinada, con el rostro oculto entre las manos)*

EL COMISARIO: Rina, no llores. Ponte alegre.

RINA: Yo soy una pobre desgraciada y nada más. Ustedes son unos caballeros. Pero ¡qué se hará!...

CASTEBRAS, *recitando y tocando la guitarra:*

Yo he venido a tener gusto,
no he venido a tener pena...
Si se acaba, que se acabe,
que se acabe en hora buena...

RINA: No, señor Castebas. Danza, no. Ahora, una canción, si a usted le parece bien. Porque ahora me acuerdo... En fin, como dice ese verso: “Mi corazón está triste: tiene ganas de llorar...”

TENEDY: Hay que darle gusto. Una canción. *(Castebas preludia una canción)*

RINA: Don Mordel, hágame usted el favor de venir a mi lado.

MORDEL. *acudiendo:* ¿Qué tienes? ¿Qué deseas? *(Pirlón se queda dormido en una silla)*

LOS DEMÁS, *en torno a la guitarra:* “Un día te acordarás...” No. “La maldición”. No “Aún la nieve se deshace”.

RINA, *a Mordel:* ¿Quién es usted para mí, don Mordel? Yo sólo soy una pobre y nada más... *(La canción comienza y la tertulia escucha en silencio. Al morir el canto, Rina entona, sola, un baile, que Castebas se apresura a acompañar con su guitarrra y los demás con palmas. La muchacha se echa una punta del pañolón al hombro y, las manos a la cintura, zapatea, sola. De pronto, da un traspiés y Tenedy la sostiene)*

MORDEL, *a Tenedy, aparte:* Ya está. Ya está en su punto. *(El canto y la guitarra cesan poco a poco. Hay un momento de cansancio o de lasitud en el bazar. Castebas se rinde de sueño contra el borde del mostrador; otros permanecen sentados, mirando en el vacío, silenciosos)*

RINA, *a quien Tenedy ha hecho sentar, recita o canta:* ¡"Ay, me voy, me voy, y ya no he de volver, palomita..."

MORDEL, *como a una ciega:* ¿Ves, Rina? Aquí está Mr. Tenedy. Mira: aquí está el patrón...

RINA, *al oír el nombre de Tenedy, calla y le besa humildemente la mano:* ¡Patrón! Su pobre esclava...

MORDEL: Mr. Tenedy va a encargarse de ti, mientras mi ausencia. ¿Me oyes?

RINA, *maquinalmente:* Si... Muy bien...

MORDEL: Él verá por ti. Él hara mis veces en todo y para todo.

RINA, *la voz arrastrada y cerrando los ojos:* Sí... Muy bien...

MORDEL, *a Rina:* Besa a Mr. Tenedy. Aquí lo tienes. ¡Anda!

RINA: No. Eso... no.

MORDEL, *irritado:* ¡Cómo! ¿No le besas? ¿No cumples lo que te ordeno?

RINA, *canturreando:* "Porque un amor verdadero... al pie de la tumba muere".

LOBOS, *desde un rincón:* ¡Qué barriga! ¡Un corazón!... *(Rina alza de pronto la cabeza y clava uno ojos de asombro en Tenedy y, de uno en uno, en el Comisario, en Lobos y en Mordel. Luego, se pone de pie, agarrándose del mostrador para no caer. Mordel la toma por un brazo y la conduce, paso a paso, a la trastienda)*

RINA: Don Mordel, ¿adónde vamos?

MORDEL: Ven, ven. Necesitas dormir. Camina.

RINA: Sí... Me parece que camino... *(Al entrar en la oscuridad de la trastienda, se agarra a las solapas de Mordel)* ¡Don Mordel, tengo miedo! ¿Dónde estamos?

MORDEL: No tengas miedo. Aquí estoy a tu lado. *(Ambos desaparecen. Los demás siguen sentados. Pausa)*

EL COMISARIO, *yendo por una de las puertas que dan a la calle:* Con permiso de ustedes. Regreso. *(Vase)*

LOBOS, *siguiéndole:* Le acompaño, Comisario. Regresamos. *(Vase)*

TENEDY: Los espero. *(Pausa. Tenedy tiene el oído pendiente de la trastienda, impaciente. Mordel vuelve solo)* ¿Se durmió?

MORDEL, *observando ansiosamente a Tenedy:* Sí. Profundamente, Mr. Tenedy. ¿Dónde están los demás?

TENEDY: Vuelven en seguida. Han ido un momento afuera. Sírvanos usted algo más de beber. ¿Qué hora es?

MORDEL, *llenando las copas:* Serán las tres y media, Mr. Tenedy. *(Una gran nerviosidad posee a ambos hombres)*

TENEDY, *que ha consultado su reloj:* No. Algo más. Las cuatro, menos cinco. En fin... *(Bajo)* Volviendo a lo de su viaje, don Mordel, el embajador norteamericano, accionista de nuestro sindicato, es un hombre excelente. Hay que consultarle siempre. En cuanto a lo demás, el General Otuna lo pondrá a usted al corriente de todos los detalles.

MORDEL, *pensando en otra cosa, bajo:* Perfectamente, Mr. Tenedy.

TENEDY, *pensando, él también, en otra cosa:* Con un par de meses en la capital, al lado del señor Otuna, tiene usted tiempo suficiente para ponerse al tanto de la vida política y para adiestrarse, con la colaboración de los amigos, en las maniobras y en la jerga revolucionaria. *(Mira y escucha disimuladamente a la trastienda, observado, a su turno, no menos disimuladamente, por Mordel)*

MORDEL: Perfectamente, Mr. Tenedy.

TENEDY: Por lo demás, el General Otuna le pondrá a usted en contacto con el engranaje íntimo de nuestra sede central...

MORDEL, *tímidamente, en un supremo esfuerzo:* Permítame usted, Mr. Tenedy, por última vez: ¿es materialmente imposible que Acidal me reemplace?

TENEDY, *vivamente contrariado:* Don Mordel, perdemos tiempo. Vuelvo a repetirle a usted...

MORDEL, *inmediatamente, arredrado:* Está bien, Mr. Tenedy. Se hará como usted lo ordena.

TENEDY: Usted nos es indispensable en la Presidencia, don Mordel. A usted no se le oculta, me parece, que en la intervención de los Estados Unidos en la política de su país, "Colacho Hermanos" están tan interesados como la "Cotarca Corporation".

MORDEL: Así lo entiendo, Mr. Tenedy.

TENEDY: ¡Ahí regresan!... *(Vuelven por la derecha el Comisario y Lobos)*

EL COMISARIO: Hemos pasado una noche encantadora, Mr. Tenedy.

MORDEL, *hosco sin poderlo desimular:* Mr. Tenedy nos ha honrado con su presencia.

TENEDY: Amigos míos, el gusto ha sido para mí. *(Para de pronto el oído a la calle)* ¡Oigo voces de mujer, o me parece! *(Los demás paran también el oído. Toda la escena que sigue pasa en voz baja)*

TENEDY: Han dicho: "Rina". ¿No será alguna amiga que la busca? *(De repente)* ¡Apaguen la luz!... *(Mordel apaga la luz y el bazar se queda a oscuras)*

VOZ DE LOBOS: Nadie.

VOZ DEL COMISARIO: ¡Cállese! *(Silencio)*

VOZ DE MORDEL: Voy a despertarla, para que se marche con Novo a su casa.

VOZ DE TENEDY: No. Espere usted. Más tarde. Mejor es quedarse a oscuras un momento.

VOZ DE LOBOS: Hay que bajar la voz... *(Pausa)*

VOZ DE MORDEL, *impaciente:* Voy a despertarla. Son más de las cuatro...

VOZ DE TENEDY: No. Le digo a usted que más tarde. Hay que ser prudentes...

VOZ DE MORDEL: Es que tengo que marcharme, Mr. Tenedy. Ya es tarde.

VOZ DE TENEDY, *dura:* ¡Oh, don Mordel, no se haga usted el tonto!... *(Nuevo silencio. Luego, alguien camina quedamente en el bazar: los pasos se pierden en la trastienda. Un gruñido ahogado de Mordel. Lobos toca en la guitarra una canción a la sordina, que durará toda la escena que sigue. De momento en momento, el fuego de un cigarrillo)*

VOZ DE MORDEL, *baja, refunfuñando:* ¡Claro! ¡Unos imcéciles!

VOZ DEL COMISARIO: ¿Quién es, don Mordel? ¿Quiénes son unos imbéciles?

VOZ DE MORDEL: ¡Unos estúpidos! ¡Los dos! ¡Unos borricos! *(Se le siente ir y venir, trinando de furor)*

VOZ DE CASTEBAS, *despertándose a medias:* ¡Qué! ¡Qué ruido es ése! ¡Don Mordel! ¡Lobos! ¿Dónde estamos?

VOZ DEL COMISARIO: ¡Chut! Usted, a seguir durmiendo.

VOZ DE CASTEBAS: ¿Quién está dentro con Rina?

VOZ DEL COMISARIO: ¡Silencio! Rina ya se marchó.

VOZ DE CASTEBAS: ¿Dónde está Mr. Tenedy?

VOZ DEL COMISARIO: Acaba de marcharse.

VOZ DE CASTEBAS: ¿Y Pirlón?

VOZ DEL COMISARIO: Está durmiendo entre los barriles.

VOZ DE MORDEL, *siempre hablando consigo mismo:* ¡Naturalmente! ¡Unos borricos! ¡Bien merecido!

VOZ DE CASTEBAS, *dando unos pasos en dirección de la trastienda:* ¡Rina está adentro con uno!

VOCES DEL COMISARIO Y DE MORDEL, *impidiendo a Castebas avanzar:* ¿Dónde va usted? ¡Pelmazo!

VOZ DE CASTEBAS: Quiero ver quién está ahí...

VOZ DEL COMISARIO, *que ha cogido a Castebas por las solapas:* ¡Borracho! ¡Cállese!

VOZ DE CASTEBAS, *airada:* ¡Cómo! ¿A mí? ¿Estrangularme a mí?

VOZ DE LOBOS, *que cesa de tocar, dando el alarma:* ¡Ahí viene gente! ¡Silencio! *(Castebas da un tirón y avanza resueltamente hacia la trastienda. Una gran bofetada resuena en la oscuridad, seguida de un forcejeo convulsivo. Alguien cae pesadamente al suelo; suena un disparo. Una de las puertas exteriores se abre y se cierra violentamente)*

VOZ DE PIRLÓN, *despertándose, aterrado:* ¿Quién? ¿Qué pasa? ¿Dónde? *(Vase detrás del que acaba de partir. Largo silencio. Luz brusca de amanecer en el bazar. Tenedy y Mordel aparecen, solos, con aire grave de negocios)*

TENEDY, *estrechando la mano de Mordel:* Buen viaje, don Mordel. Tenga usted fe. Mucha seguridad en usted mismo y en la causa. Hasta la vista.

MORDEL: Hasta la vista, Mr. Tenedy. Salimos juntos. Mi caballo me espera. *(Tenedy vase por la derecha, seguido de Mordel. Las puertas exteriores del bazar se cierran ruidosamente)*

FIN DEL ACTO SEGUNDO

ACTO TERCERO

CUADRO QUINTO

En la capital de la República. Media noche, en la casa política de los hermanos Colacho.

Despacho lujoso. Dos puertas cerradas, una al fondo, otra a la derecha. En el muro del fondo, dos ventanas cerradas.

Mordel y Acidal Colacho, asistidos de sus secretarios Llave y Trozo, aparecen presas de una gran efervescencia. Los cuatro están vestidos con elegancia extrema y melindrosa.

LLAVE: Una vez, entré a casa del senador francés Félix Potin, en París. ¡Qué montaña de libros! ¿Y saben ustedes quién es Félix Potin? Un industrial entiquecido con bazares, que, hace siete años, cuando estuve en Europa, era tan popular y admirado en París como el propio Presidente de la República. Y todo, naturalmente, por ser rico, pero también por haber leído muchos libros.

ACIDAL: ¡Formidable!

TROZO: Y es que hay que convencerse: sin leer libros, es imposible entrar en la política y, menos aún, ser Presidente de la República.

MORDEL, *contrariado:* ¡Es una broma! ¿Qué se puede hacer? ¡A estas horas!

ACIDAL: ¡Hay que ensayar! ¡Ensayar mucho! ¡Día y noche! ¡Sin descanso! Es el único camino que queda.

TROZO: Es lo que yo digo. Usted, sobre todo, don Mordel, necesita usted ensayarse más. Las maneras, las palabras, todo. Es lo que también opina el General Otuna.

LLAVE: Sería bueno no decir, por ningún motivo, las palabras que no hemos estudiado. A veces, una palabra, dicha así, sin detenerse a saber lo que ella significa exactamente...

ACIDAL: Puede echar a perder a un hombre para siempre.

MORDEL: Lo comprendo. Sobre todo en política.

LLAVE: Por eso, don Mordel, ¡mucho cuidado! Cuando quiera usted decir una palabra cuyo significado exacto ignora usted, pronúnciela usted; ¡no importa! Pero pronúnciela enredándola con otras palabras o atropellando las sílabas...

TROZA: Como quien no hace la cosa.

LLAVE: Y siga usted diciendo otras y otras palabras más, a fin de que no se note la palabra mal dicha o mal venida...

MORDEL: Sí. Como el otro día, con la palabra "ético". Ya lo sé.

ACIDAL: Creo, sin embargo, que debes seguir, en las primeras semanas de tu gobierno, leyendo, por lo menos, mucho periódico y los discursos de las Cámaras.

MORDEL: He repasado toda la noche en el diccionario las palabras y frases revolucionarias...

ACIDAL: Luego, ten confianza en ti mismo, en tu persona...

TROZO y LLAVE: Es lo principal.

ACIDAL: Tienes, a no dudarlo, cabeza de caudillo. Esta mañana, con los dos diputados, cuando te hablaban y hacías con la cabeza *(Hace movimientos negativos con la cabeza),* estabas realmente imponente. ¿Se fijó usted, Trozo? Tenías una serenidad verdaderamente de patricio.

LLAVE, *a Mordel:* ¿Le oye usted a su hermano qué bien habla?

MORDEL: ¡Estupendo! Habla muy bien.

TROZO: Debido a los estudios que hemos hecho en Taque, años y años.

LLAVE: Don Mordel, por última vez, enumere usted, a la ligera, pero como si estuviese usted ya en el palacio presidencial, ante los coroneles y los generales, los principales males de que sufre el país bajo la dictadura de Palurdo.

TROZO: ¡Mucho énfasis! ¡Aplomo! ¡Luz vibrante en la mirada! Hable usted fuerte, diga usted lo que dijese.

MORDEL, *de pie, se ensaya:* ¡Los derechos, conculcados; el tesoro Fiscal, en bancarrota; la moneda, depreciada; las industrias, paralizadas; ventarrones de odio, soplando de los cuatro puntos cardinales... Además, si por casualidad me equivocase, pueden creer que es defecto de la lengua...

TROZO y LLAVE: Desde luego. Siga usted.

MORDEL: ¡Ventarrones de odio soplando de los cuatro puntos cardinales del país! Y, señores, doloroso es confesarlo: ¡no ha habido un hombre, uno solo, que levantase su voz en defensa del bienestar y de la paz sociales... *(Tocan a la puerta del foro)*

ACIDAL: Entre.

PANCHO, *del personal doméstico de los Colacho, por el foro:* Señor, el teniente del Millar.

ACIDAL: Que espere. Hazle pasar a la otra pieza.

PANCHO, *vase:* Muy bien, señor.

TROZO, *consultando la hora y cerrando bien la puerta:* ¡Avancemos! La una menos veinticinco.

ACIDAL: Ensayemos las audiencias.

LLAVE: Sí. Vamos a lo de las audiencias...

ACIDAL: Espérense. Hay que ver primero a del Millar. *(Entra Pancho por el foro)*

MORDEL: Puede pasar el teniente del Millar.

PANCHO, *vase:* Muy bien, señor.

MORDEL, *a Trozo:* ¿Es gente decente, este del Millar? ¿Podemos confiarnos de él?

TROZO: Un caballero, don Mordel.

LLAVE: Es nada menos que descendiente del mariscal Fernando del Millar, conde de Mosqueta y Presidente que fue de la República. *(Vuelve Pancho e introduce al teniente del Millar)*

DEL MILLAR, *saludando militarmente:* Señores, buenas noches. *(Pancho vase, cerrando la puerta del foro)*

MORDEL: Pase usted, teniente del Millar. Le esperábamos. Siéntese.

DEL MILLAR: Muchas gracias, señor Colacho.

ACIDAL: ¿Tal vez le han visto entrar a la casa?

TROZO, *a Mordel:* Señor Colacho, al teniente del Millar le hemos hablado del movimiento revolucionario y le hemos hecho ver la necesidad que tenemos de que nos ayude, como patriota y buen soldado que es. Se trata de que el Teniente del Millar, a la hora en que el general Otuna ataque el palacio del Gobierno, se encargue, él, del General Tequila... Quiero decir que, como ayudante que es el teniente del Millar del General Tequila, se encargue... se encargue de...

LLAVE: Que lo suprima. Eso es. Hablemos categóricamente. El teniente quedó en darnos su respuesta en presencia de usted, y ahora...

ACIDAL: ¿Qué dice usted, teniente del Millar? ¿Lo ha reflexionado usted?

DEL MILLAR, *tras una corta reflexión:* Señores, díganme ustedes: ¿qué es lo que se propone hacer la revolución, en definitiva? Yo no soy sino militar y, como tal, poco versado en cuestiones políticas...

ACIDAL: Teniente del Millar, usted está al corriente de que el país padece, desde hace años, los rigores de la tiranía. Ahora bien, un gran número de ciudadanos se propone derribarla por la fuerza. El golpe está preparado. Tenemos varios batallones con nosotros...

LLAVE: Muchos Generales y Coroneles...

TROZO: Dinero suficiente...

MORDEL: El apoyo entusiasta del pueblo...

ACIDAL: Pero resulta que el General Tequila es, como usted lo sabe, uno de los esbirros más sanguinarios de la tiranía, y, mientras él esté vivo, toda tentativa para echar abajo al tirano será impotente y está llamada a fracasar.

MORDEL: Teniente del Millar, su deber de usted es ponerse del lado del pueblo, que gime bajo las garras ortodoxas *(Consulta la palabra de soslayo a sus secretarios)* del dictador Palurdo...

TROZO: ¿Qué objeta usted, teniente? ¿Convenido? *(Del Millar está agachado y no responde)*

MORDEL, *creyendo el momento llegado de hablar bien:* Su abuelo, el mariscal del Millar, fue uno de los próceres de la Independencia. Los Millares *(Mirando de soslayo a sus secretarios)* dieron vida a la patria; los Millares deben también salvarla de una de las tiranías más perínclitas de América. *(Llave y Trozo intentan decir algo)* ¡Teniente del Millar, de familia de leyenda, cumpla usted su deber de militar y de patriota!

LLAVE: ¡Qué quiere usted, teniente! Por desgracia, las grandes revoluciones exigen, a veces, efusión de sangre.

ACIDAL: Comprenda usted bien, teniente, que si Tequila sale al combate, la revolución costará la vida a centenares de personas.

MORDEL: En cambio, si Tequila no sale, la toma del palacio nacional será casi pacífica, muy fácil.

ACIDAL: La muerte de un pretoriano como Tequila impediría la muerte de muchos ciudadanos...

MORDEL, *enfático:* Teniente del Millar, usted, mejor que nadie, sabe que los destinos de los pueblos, como los de los individuos, son heraldos bifrentes e inmortales. *(Trozo y Llave intentan decir algo)* ¿Qué es la Patria, teniente? ¿Cuáles son las rutas epopéyicas, que guiaron al país, desde su bicolor romanticismo, hasta la actual tiranía? *(Acidal, Trozo, y Llave intentan hablar)* ¿Cuáles son esas rutas, del Millar?

ACIDAL: A ver, teniente, diga usted: ¿cuáles?

MORDEL, *con una santa ira:* ¡Desventurado pueblo! Ya puedo seguir predicando años y siglos: ¡nadie habrá quien me comprenda plenamente! ¡Nadie! *(Se vuelve a sus secretarios. Paseándose)* ¡Y, mientras tanto, la imagen de la nación sigue, como Cristo, sudando sangre! *(Llave y Trozo dan muestras de estraño malestar)* El dictador, con sus manos impúberes...

ACIDAL: ¡Tintas en la sangre de sus víctimas!

MORDEL: ...le sigue arrancando el peplo refulgente, la corona y el bendito cenotafio!

ACIDAL: ¡Y todo, porque hay hombres que se niegan a cumplir con su deber!

LLAVE: ¡Es para morir de pena!

TROZO: ¡Es para morir de pena y de vergüenza!

MORDEL, *después de consultarse con sus secretarios:* Teniente del Millar, con su silencio épico y tenaz, está usted, bien lo vemos, diciéndonos claramente que no se adhiere usted a la revolución. *(Amenazador)* ¡Está muy bien! ¡Perfectamente! ¡Si mañana caen las columnas de la Patria, por obra de los cobardes que, como usted, no quieren secundarnos para echar por tierra la augusta tiranía, yo los acusaré y pediré castigo para ellos, a la sombra del trofeo de Bolívar! *(Busca los ojos de sus secretarios)*

ACIDAL: Y entonces, ¡ay de usted, teniente! ¡Ay de los culpables!

DEL MILLAR: Señores, pueden ustedes contar con mi concurso. Estoy dispuesto a dar mi vida por la Patria. *(Se levanta para irse)*

MORDEL: ¡Muy bien, teniente del Millar! Lo felicito.

ACIDAL, TROZO, LLAVE: ¡Magnífico, teniente! ¡Así me gusta! ¡Del Millar había de ser! *(Todos le estrechan la mano)*

MORDEL: Y conste, teniente, que no es traición lo que va usted a cometer con su General. ¡No! ¡Es, más bien, un plinto sacratísimo! ¡In partibus infidelius!

ACIDAL, TROZO, LLAVE: ¡Naturalmente! ¡Qué duda cabe! ¡Es claro como la luz!

DEL MILLAR: Me vuelvo, señores, a mi cuartel, y espero...

MORDEL, *volviendo a estrecharle la mano:* Bueno, teniente. Es usted un bravo. Será usted capitán. *(Toca un timbre)* Y ni una palabra más. Volveremos, otro día, a llamarle, para darle las debidas instrucciones.

DEL MILLAR: A la hora que usted guste, señor Colacho *(Entra Pancho por el foro)*

ACIDAL: Pancho, conduce al señor del Millar hasta la puerta de la calle, y que nadie vaya a verle salir.

PANCHO: Muy bien, señor.

DEL MILLAR, *militarmente:* Buenas noches, señores. *(Vase por el foro, precedido de Pancho)*

ACIDAL, *cerrando bien la puerta:* ¡Vaya, hombre! Esto va por buen camino. Todo se allana.

MORDEL: Ahora, mis amigos, volvamos a lo de las audiencias.

TROZAO: Sí, sí. Démonos prisa. Yo soy un Embajador. Entro. *(Figura que entra por el foro)* Saludo...

LLAVE: ¡Un instante! Las cosas, por orden. Yo soy el Ayudante del Presidente, que introduce las visitas. Desde la puerta, *(Escenificando, desde la puerta del foro)* anuncio: *(Figurando el Ayudante)* Su Excelencia, el Embajador de la República Cundiana... Luego, me retiro...

ACIDAL: Yo soy el secretario presidencial y, al anuncio de la visita, me marcho por otra puerta. *(Figura que vase por la puerta de la derecha. Llave y Acidal se arrinconan, el primero del lado de la puerta del foro y el segundo, del lado de la puerta de la derecha, simulando haberse retirado del despacho)*

TROZO, *en el papel de Embajador de la República Cundiana, figurando que entra por el foro:* Excmo. Señor, Buenas tardes.

MORDEL, *en el papel de Presidente de la República, de pie ante su despacho:* ¡Encantado, señor Doll! ¿Cómo está usted? *(Las manos)*

EL EMBAJADOR: Muy amable, Excmo. Señor.

EL PRESIDENTE: Moléstese usted en tomar asiento.

EL EMBAJADOR: Muy agradecido de haber sido recibido, a pesar de ser hoy día domingo, Excmo Señor. Voy a ser breve...

EL PRESIDENTE, *Adelantándose:* Sus egipcios, señor Doll, salieron de Alejandría hace diez días, según cálculos aproximados del Jefe de Protocolo... *(Hablando como Mordel)* ¿Es así que se puede decir?

ACIDAL y LLAVE: Sí, sí. Está muy bien.

EL PRESIDENTE, *al Embajador:* A la fecha, deben de estar en Nueva York. Esperamos aviso cablegráfico de nuestro Ministro en Inglaterra.

EL EMBAJADOR, *rectificando cortésmente:* En los Estados Unidos, Excmo. Señor...

EL PRESIDENTE: Digo... sí. En los Estados Unidos. Tiene usted razón...

LLAVE, *a Mordel:* ¡Un momento! La geografía es muy importante, don Mordel. Tiene usted que estudiarlo un poco más.

MORDEL: Bueno. Conforme. Continuemos.

EL EMBAJADOR, *retirándose:* Infinitamente agradecido, Excmo. Señor, por tanta gentileza. No quiero retenerlo por más tiempo.

LLAVE, *bajo, a Acidal:* Indudablemente, las visitas van mejor que los discursos.

EL EMBAJADOR, *estrechándole la mano al Presidente:* Buenas tardes, Excmo. Señor.

EL PRESIDENTE: ¿Tiene usted noticias de su país?

EL EMBAJADOR: Sin novedad, Excmo. Señor. Los movimientos revolucionarios se suceden normalmente. La salud del Presidente, inalterable.

EL PRESIDENTE: ¡Cuánto me alegro! Mis respetos a la señora, señor Doll.

EL EMBAJADOR: Gracias, Excmo. Señor. Hasta muy pronto. *(Trozo figura que vase por el foro)*

LLAVE: Está magnífico. Nada que corregir.

MORDEL: No he terminado. *(Figura que toca un timbre)* Llamo ahora al secretario. *(A Acidal)* Tú... *(El secretario figura que acude por la derecha)*

MORDEL, *Presidente:* Secretario, dígame usted: ¿por qué los egipcios han de tener que pasar por Nueva York? ¿Usted no se equivoca?

ACIDAL, *en el papel de secretario:* Por París, Excmo. Señor. *(Hablando como Acidal)* ¡Vamos! En efecto, dijiste mal, al decir que pasaban por Nueva York...

MORDEL: Ya lo sé. Pero supongamos que me hubiese yo equivocado. Yo preguntaría entonces a mi secretario: *(Hablando como Presidente)* Dígame usted, secretario: ¿por qué los egipcios han de tener que pasar por Nueva York? ¿Usted no se equivoca?

EL SECRETARIO: Por París, Excmo. Señor.

EL PRESIDENTE, *rectificándose:* ¡Ah, bueno! Por París. ¿Por qué tienen que pasar por París?

EL SECRETARIO: Excmo. Señor, me parece que es por razones modernistas o algo semejante. París da a las cosas más antiguas, como los egipcios, un sello moderno...

TROZO: Muy bien. Está perfecto.

EL SECRETARIO: En América Latina no se fuma sino lo que pasa por París. Sucede en esto del tabaco, lo que sucede con las modas.

EL PRESIDENTE: ¡Hum!... Y, si, en vez de pasar por París, pasasen los egipcios por Nueva York, ¿qué ocurriría, secretario?

EL SECRETARIO: Excmo. Señor, en esto de modernismo, como usted sabe, mucho está cambiando últimamente, no solo en América, sino en el mundo entero. Después de la guerra, Nueva York está rivalizando ventajosamente con París...

LLAVE: !Estupendo! No hay nada que corregir.

EL SECRETARIO: Si París es muy moderno, Nueva York es archimodernísimo.

EL PRESIDENTE, *regocijado:* Yo confundí París con Nueva York. Pero el Embajador, apenas le hablé de Nueva York se puso contentísimo. A tal punto, que se fue olvidando, de puro gusto, sus sábanas. ¿Qué se sabe de sus sábanas? *(Agobiado)* ¡Qué hombre!

ACIDAL, *hablando como Acidal:* Un momento. Creo que esto de las sábanas no hay que ensayarlo, porque el caso es tan tonto, que no ha de presentarse. El Presidente no puede ocuparse de la cama de un Embajador. Esto me parece inútil. Es perder el tiempo.

TROZO: Don Acidal, yo le aseguro que el Presidente se ocupa de todos estos menesteres. A mí me consta, porque me lo ha contado Ruga, que fue secretario del Presidente Sobatenga.

MORDEL, *impaciente:* No discutamos. Nada se pierde con consagrar cuatro palabras a las sábanas. Sigamos. ¡Por favor! *(Todos vuelven a sus papeles y a sus puestos. Mordel, hablando como Presidente, al secretario)* ¿Qué se sabe de sus sábanas? *(Agobiado)* ¡Qué hombre!

EL SECRETARIO: Excmo. Señor, nuestro Ministro en París debe de haber recibido recién el pedido. No se puede obrar más rápido.

EL PRESIDENTE, *exasperado:* No me tome usted más cita con Doll. ¡Por ninguna causa! ¡Cualesquiera que sean el día y la hora en que pretenda verme!

EL SECRETARIO: Bien, Excmo. Señor.

EL PRESIDENTE: Lo mismo haga usted con el Embajador de... ¿Cuál es ese diplomático que solicitaba dos capitanes para hacer la sopa de sus perros?

EL SECRETARIO: El Embajador de los Estados Unidos, Excmo. Señor.

LLAVE: El que, más bien, ha de pedir esos capitanes, será el Ministro de Inglaterra, que tiene muchos galgos. Pero...

ACIDAL: ¡Oh, señor! !Señor! El Ministro inglés sólo podrá pedirlos al actual Presidente, porque es Inglaterra la que le sostiene en el poder. ¡A nosotros, no! Nosotros se los daremos solamente al Embajador de los Estados Unidos.

MORDEL: Bien, bien. No hay para qué enfadarse. ¡Adelante! *(Toco presidencial, a su secretario, sorprendido)* ¡Cómo! ¿Era el Embajador norteamericano? *(Iracundo)* ¡Y apuesto que el ministro de la Guerra, de puro zafio que es, no ha accedido aún a su pedido! Hágame usted llamar en el acto al General Balocha.

EL SECRETARIO: Excmo. Señor, el ministro de la Guerra, el mismo día en que vino el Embajador al Palacio, le envió los dos capitanes solicitados. Dos capitanes, de los buenos, de la Escuela Militar, candidatos a Sargentos Mayores.

EL PRESIDENTE: ¿Seguro?

EL SECRETARIO: Seguro, Excmo. Señor.

EL PRESIDENTE: Prepáreme usted un discurso para recibir, esta noche, la medalla de los "Héroes de Solcos". Un discurso mediano, regular. Tome usted un poco de Roosevelt. Es más patriota que Lebrun.

EL SECRETARIO: Bien, Excmo. Señor.

TROZO y LLAVE: ¡Irreprochable! ¡Basta!

MORDEL, *hablando como Mordel:* Un momento. *(Figura que toca un timbre. Al secretario, como Presidente)* No ponga usted muchas veces "conciencia nacional", que parece que ya no está de moda. *(Hablando como Mordel)* Llame al Ayudante. (A Llave) Usted...

LLAVE, *en el papel de Ayudante, figurando que entra por el foro:* Excmo. Señor.

EL PRESIDENTE: El Presidente del Congreso. *(A Trozo, hablando como Mordel)* Usted es el Presidente del Congreso. *(El ayudante vase. El Presidente, en un sobresalto, al secretario)* Secretario, es entendido que el Embajador norteamericano sí que puede, como siempre, pasar a verme cuando quiera. No confunda usted las cosas.

EL SECRETARIO: Perfectamente, Excmo. Señor.

EL AYUDANTE, *desde la puerta del foro, anuncia:* El señor Presidente del Congreso. *(Figura que se retira)*

TROZO, *en el papel de Presidente del Congreso, figura que entra:* Buenas tardes, Excmo. Señor. *(El secretario simula que se va por la derecha)*

EL PRESIDENTE: Adelante, General.

El Presidente del Congreso: Seré breve. Una pequeña dificultad...

El Presidente: ¿De qué se trata? ¿Los botones?

El Presidente del Congreso: Exactamente, Excmo. Señor... *(Trozo, hablando como Trozo, a Mordel)* ¿Qué botones?...

Acidal y Llave, *desde sus respectivos rincones:* ¡Chut! ¡Silencio!

El Presidente: He leído en la prensa ese debate...

Llave: ¡Eso es! Ese debate.

El Presidente del Congreso: ¡Un escándalo mayúsculo, Excmo. Señor! *(Hablando como Trozo, y reflexionando)* ¿Los botones? ¿Los botones?

Llave: ¡Botones de lo que sea! Siga usted.

El Presidente del Congreso: Inmediatamente dispuse lo necesario... Inmediatamente dispuse lo necesario... para que ningún periódico publicase el debate sino suprimiendo las pruebas y documentos presentados por los diputados de la oposición...

El Presidente: ¿Ugarte y Chumpitaz?

El Presidente del Congreso: Los de siempre. ¡Cómo lamento la complacencia...

El Presidente: General, dice el adagio: cría cuervos, que te sacarán los ojos.

El Presidente del Congreso: La culpa, en realidad, es mía. Usted no quiso apoyarlos en las elecciones y yo me empeñé en darles a cada uno un Gobernador y fondos para los gastos electorales. pero, Excmo. Señor, yo nunca supuse que, un día, se volviesen contra el régimen que les hizo elegir, para hablar *(Sarcástico)* de "honradez", de "erario público" y otras zarandajas.

El Presidente: General, ¿qué opina usted de una pequeña temprada, de unos seis meses, para Ugarte y Chumpitaz, en la Isla de los Cóndores?

El Presidente del Congreso: Como usted disponga, Excmo. Señor.

El Presidente, *haciendo como que toca un timbre:* Arreglado, General. Ahora mismo.

El Presidente del Congreso: El mal ejemplo cunde. Mañana, otros diputados se creerán también autorizados a hablar de "libertad" y de "democracia"...

El Presidente: En plena Cámara de diputados. ¡Infecto! *(Llave, Ayudante del Presidente, figura que entra)* Trasmita usted inmediatamente al Prefecto de Policía la orden de detener ipso facto...

Acidal: ¡Muy bien, muy bien!

EL PRESIDENTE: ...a los diputados Ugarte y Chumpitaz y de dar cuenta de ello al Ministro de la Gobernación. *(El ayudante se inclina y figura que vase)*

EL PRESIDENTE DEL CONGRESO: Dijeron, Excmo. Señor, que el Ministro de la Guerra y el Jefe del Estado Mayor del Ejército, con la autorización personal de usted, habían decretado la compra por el Estado a un particular, de un lote de botones de uniformes militares, que eran nada menos que de propiedad del Estado. Leyeron, al efecto, una carta de un hijo del coronel Jefe del Gabinete Militar, dirigida a un X., en la que se le autoriza a tomar los botones de los depósitos del Arsenal de Guerra, reiterándole la necesidad de "dividir el total del precio, en partes absolutamente iguales, entre los cuatro caballeros que usted sabe",– así decía textualmente la carta...

LLAVE: Todo eso puede ocurrir en el Gobierno...

ACIDAL: ¡Chut! ¡Chut!

EL PRESIDENTE, *indignado, al Presidente del Congreso:* ¿Cómo puede haber caído esa carta en manos de esos miserables?

EL PRESIDENTE DEL CONGRESO: Lo ignoro, Excmo. Señor. La osadía de Ugarte hasta afirmar...

EL PRESIDENTE: Sí, sí. Lo he leído: que, según... que, según...

EL PRESIDENTE DEL CONGRESO: Que, según la filosofía del derecho...

EL PRESIDENTE: Eso: que no hay venta de lo ajeno, ni compra de lo propio.

LLAVE: ¡Soberbio! ¡Cómo ha progresado!

TROZO, *volviéndose a Llave y hablando como Trozo:* ¡Chut! ¡Mal rayo...

EL PRESIDENTE: Ni compra de lo propio...

EL PRESIDENTE DEL CONGRESO: Ni compra de lo propio. Y que, en consecuencia, el Estado no podía comprarse a sí mismo cosas y bienes de su pertenencia...

EL PRESIDENTE: ¡Basta! ¡Basta! Lo dicho: ¡a la Isla de los Cóndores! ¿Cómo va eso de Barbitas?

EL PRESIDENTE DEL CONGRESO: Excmo. Señor... Eso de Barbitas...

MORDEL, *hablando como Mordel:* ¡Lo del petróleo, hombre!

EL PRESIDENTE DEL CONGRESO: Sigo luchando denodadamente con seis diputados más, que exigen sumas fabulosas por sus votos, alegando que, en caso contrario, no sólo votarán en contra, sino que denunciarán el caso ante la opinión pública.

EL PRESIDENTE: Supongo que usted les habrá hecho notar que la cantidad que nos da la Standard Oil, como gratificación extra, fuera del contrato, para obtener la concesión petrolera, quitándosela a la Royal Dutch, es apenas de 15 millones. ¡Una bicoca, a dividir entre 70 diputados y los miembros del Ejecutivo!

ACIDAL: Yo creo que ya es suficiente. *(Avanza hasta el centro del despacho)* Todo está perfecto. Basta por ahora. Volveremos a ensayar otro poco mañana. Vamos a hablar con Otuna.

MORDEL: ¡No, no, no! Hay tiempo de ver a Otuna esta noche. Sigamos ensayando. Retírate, retírate a tu rincón. *(A Trozo)* Decíamos... ¡Ah, sí!...

ACIDAL, *retirándose:* Bueno. Como tú quieras.

EL PRESIDENTE, *al Presidente del Congreso:* ¡Quince millones! ¡Una bicoca!

EL PRESIDENTE DEL CONGRESO: Lo saben de sobra, Excmo. Señor.

EL PRESIDENTE: ¿Entonces? *(Dominando su indignación)* General, en este pobre país –no lo olvide usted– el Gobierno sólo logra hacerse obedecer del Parlamento de dos únicas maneras: comprándolo o a sablazos. Continúe usted, General, en sus patrióticas gestiones. Agotado el primero de los medios, habrá que emplear el último.

EL PRESIDENTE DEL CONGRESO, *para irse:* De acuerdo, Excmo. Señor. Completamente de acuerdo.

EL PRESIDENTE: Confío en usted, General. Buenas tardes.

EL PRESIDENTE DEL CONGRESO: Excmo. Señor, mi entera lealtad. *(Trozo figura que se va)*

LLAVE: Ahora, el Ministro de Justicia. *(Anuncia, en el papel de Ayudante, desde la puerta del foro)* El señor Ministro de Justicia.

ACIDAL: ¿Por qué no otro Ministro' el de Estado o el de Instrucción.

LLAVE: Los Asuntos de Gracia y Justicia son más graves. Verá usted...

TROZO, *en el papel de Ministro de Gracia y Justicia, figura que entra por el foro:* Excmo. Señor, *(Abre un pliego que traía bajo el brazo)* anoche la policía ha descubierto, en los barrios textiles de Peñalta, un complot de comunistas y anarquistas...

EL PRESIDENTE, *impaciente:* El milésimo del año. ¿Y luego? Doctor Collar, tengo mucho que hacer.

EL MINISTRO DE JUSTICIA: Se apresó, Excmo. Señor, a varios individuos. He dispuesto se instaure el sumario correspondiente, por delitos contra la seguridad del Estado. Pero he aquí que el fiscal se niega a formular la debida acusación, alegando que, conforme a la Constitución y al código penal, no hay lugar a tal acusación, puesto que los comunistas y anarquistas gozan, al igual que los demócratas y los liberales, de la libertad de reunión y de opinión, consagrada por la legislación de la República...

El Presidente: ¡Animal! Reemplácelo usted inmediatamente. ¿Eso era cuanto tenía usted que consultarme?

El Ministro de Justicia, *consultando su pliego:* Se pesquisó a los obreros un periodicuelo... Aquí está... *(Leyendo)* "La Verdad". Con artículos subversivos contra el régimen y contra el orden social.

El Presidente, *cogiendo el periódico:* ¿Quiénes son los que ahí escriben? *(Leyendo)* Salvador Calderón, Vicente... Justino Molle, Pi y Margall, Manuel Arteaga... Profesor Marañón, L. Vásquez, Carlos Marx... *(Volviéndose al Ministro)* ¿Quienes son estos individuos? ¿Conoce usted a alguno de ellos?

El Ministro de Justicia: Absolutamente a nadie, Excmo. Señor.

El Presidente: ¡A chirona! ¡Todos, a chirona, doctor Collar!...

El Ministro de Justicia: Justamente, Excmo. Señor, la policía fue, a las 4 ó cinco de la madrugada, a buscar a sus casas a los que firman los artículos. No se encontró a ninguno. Salvador Calderón no parece que ha dormido en su casa. Carlos Marx estuvo a punto de caer preso en su cocina, pero huyó...

El Presidente: Doctor Collar, que sigan buscándolos. !A todos! ¡Sin compasión! Póngase usted de acuerdo con el Ministro de la Gobernación. Cuanto ustedes hagan, lo apruebo de antemano.

El Ministro de Justicia, *para irse:* Perfectamente, Excmo. Señor. Me retiro. Buenas tardes. *(Trozo figura que vase)*

El Presidente: Buenas tardes.

Llave: Don Mordel, no hay que olvidar sus latinismos: "modus vivendi, ad libitum, modus operandi..."

Mordel: "Vox populi, vox dei, sursum corda, requieseat in pace".

Trozo: Particularmente, en sus entrevistas con los altos prelados de la Iglesia, con los altos magistrados o al dirigirse en un discurso al pueblo.

Mordel: O al recibir las credenciales de los embajadores de las grandes potencias.

Llave: Abordemos ahora la substitución.

Acidal: Sí. ¿Cómo vamos a ensayar? ¿Un encuentro repentino del secretario presidencial conmigo en el sillón de Presidente?

Llave: ¡Sa! No. Primeramente, el secretario se da de manos a boca con usted... No... No...

Trozo: Opino porque sea el Ayudante el que, al entrar...

LLAVE: ¡Un momento, un momento! Primero, el secretario y luego, el ayudante.

ACIDAL: Y, por último, acordaré, desde el sillón presidencial, varias audiencias oficiales y particulares.

MORDEL, TROZO, LLAVE: De acuerdo... Bien... Sí... porque hay que ponerse en todos los casos.

ACIDAL, *a Mordel:* Tú eres ahora el secretario del Presidente, es decir, mi secretario.

MORDEL: Bueno, yo soy el secretario.

ACIDAL: Llave sigue de Ayudante, y usted, Trozo, juega siempre el papel de las distintas personas en audiencia.

TROZO: Pero, ¿y la diferencia de vestidos, entre usted y don Mordel?

LLAVE: ¡Ah! Es verdad. ¿Cómo haremos?

ACIDAL: ¡Toma! Pues es sencillo: no tenemos más que cambiar los vestidos.

MORDEL, TROZO: ¡Hombre!... Nada más simple... *(Acidal y Mordel cambian chaquetas, chalecos, cuellos, corbatas)*

TROZO y LLAVE, *ayudándoles:* ¡Sencillísimo!... Nada más fácil...

MORDEL: Yo sé que *(A su hermano)* Tú no te verás nunca en el caso de substituirme, pero, en fin...

ACIDAL: ¿Qué no? ¡Qué sabes tú!...

LLAVE Y TROZO: ¡Precaver, don Mordel!... Todo es posible en política.

ACIDAL: El día menos pensado, puedes enfermar, ausentarte por razones mismas de estrategia...

LLAVE: Y hasta para el caso mismo de ser víctima de un atentado, en fin...

ACIDAL: Es menester que yo pueda reemplazarte. Y para eso debo ensayar el modo de parecerme a ti en los menores detalles, a fin de que la gente, al verme en el despacho presidencial, siga creyendo que tú estás en el poder...

TROZO: Y que nada ha pasado. ¡Pero es claro!

LLAVE: Al menos, en los primeros momentos. Que después, aunque acaben por saber que *(A Mordel)* no es usted que está en la presidencia, sino don Acidal.

ACIDAL: Mr. Tenedy lo ha dicho: a falta de don Mordel, don Acidal.

TROZO: Y también lo repite en todas sus cartas: una vez tomado el poder, no hay que soltarlo por ningún motivo; no hay que confiarlo a nadie, que no sea uno de los dos.

LLAVE: Los norteamericanos no se fían ni de Otuna.

ACIDAL: Además, sería absurdo no aprovechar, en caso necesario, del formidable parecido que hay entre nosotros.

ACIDAL Y TROZO, *terminado el trueque de prendas de vestir entre los Colacho:* ¡Ya!... ¡De primera!...

LLAVE, *a Acidal:* Ocupe usted el sillón presidencial.

ACIDAL, *sentándose al despacho:* ¡Vamos allá!...

TROZO, *bajo:* Hablemos en voz baja. Pueden oírnos los criados.

MORDEL: Yo, secretario, *(Va a arrinconarse junto a la puerta de la derecha)* no estoy aquí. Yo estoy en otra parte y *(A Acidal)* tú llamarás cuando desees... *(Llave y Trozo, arrimados a la puerta del fondo, figuran estar ausentes igualmente. Pausa, durante la cual Acidal se compone el pecho y toma un aire solemne y majestuoso. Luego, hace como que toca un timbre. Mordel, en el papel de secretario, figura que entra al despacho)*

ACIDAL, *en el papel de Presidente de la República, sin voltear a verle, autoritario:* Señor secretario, telefonee usted inmediatamente al General Chotango, anunciándole que acaba de ser nombrado ministro de Fomento y que se presente en Palacio, esta misma noche, después de cenar, a prestar el juramento de ley. *(Trozo y Llave siguen ansiosamente el efecto que produce la presencia de Acidal en la Presidencia, en el ánimo del secretario)*

MORDEL, *en el papel de secretario, sorprendido:* Es decir... Perfectamente... Excmo. Señor... Perfectamente. *(Da unos pasos vacilantes, pensativos, en dirección de la puerta, se detiene, mira al Presidente, vuelve a balbucear)* Quiero decir... Muy bien...

EL PRESIDENTE, *encrespado:* Señor secretario, advierto, desde algún tiempo, cierta negligencia de su parte en el cumplimiento de sus deberes. Corríjase usted o me veré obligado a tomar medidas muy severas.

EL SECRETARIO: Excmo. Señor, una especie de vértigo. No es nada. Ya pasó. *(Vivamente)* ¿Al General Chotango? ¡Al instante, Excmo. Señor!... *(Figura que se va)*

LLAVE: Me parece...

TROZO *le impide continuar:* ¡Chut! ¡Pardiez! *(El Presidente finge que toca un timbre y Llave, el ayudante, hace como que entra)*

EL PRESIDENTE, *sin voltear a verle:* ¿Quiénes esperan en la antesala?

EL AYUDANTE, *advirtiendo de pronto a Acidal en el puesto de Mordel, desconcertado:* Afuera, Excmo. Señor... Afuera... Afuera, el Nuncio Apostólico... El Prefecto de Zulaba...

EL PRESIDENTE: Introduzca usted al Nuncio de Su Santidad. *(El ayudante intenta decir algo, pero se inclina y simula que vase. Pausa)*

EL AYUDANTE, *desde la puerta del foro, anuncia:* Su Eminencia, el Nuncio de su Santidad.

TROZO, *en el papel del Nuncio, figura que entra:* Excmo. Señor, cuánto gusto en saludarlo.

EL PRESIDENTE, *avanzando algunos pasos al encuentro del Nuncio:* Adelante, Monseñor. ¡Una satisfacción inmensa en recibirlo! *(Las manos)*

EL NUNCIO, *reconociendo en el Presidente a Acidal, turulato:* Excmo.... Excmo.... Señor... *(Mordel y Llave están pendientes de la escena)*

EL PRESIDENTE: Suplico a Su Eminencia tomar asiento. Por aquí... Moléstese, Monseñor.

EL NUNCIO: Infinitamente amable... Muy amable.

EL PRESIDENTE, *ambos sentados, uno frente a otro:* Me preparaba, desde ayer, a recibir a Su Eminencia.

EL NUNCIO: Desde ayer, en efecto. *(Observa en torno suyo, abstraído)*

EL PRESIDENTE: Siempre es un regalo para el alma, su charla luminosa, Monseñor.

EL NUNCIO: Señor Presidente... Señor Presidente de la República... El placer inapreciable es para mí.

EL PRESIDENTE: Felicito a Su Eminencia, por el completo restablecimiento de la salud de Su Santidad. ¿Una pequeña gripe sin consecuencias?

EL NUNCIO, *maquinalmente:* Sí... Sin consecuencias... Sin consecuencias. *(De pronto, categórico)* Aunque mi cargo diplomático gira completamente al margen de la política interna de este gran país y de sus vicisitudes, no deja, sin embargo...

EL PRESIDENTE, *saliéndose al paso:* Sí, ya comprendo el estupor de Su Eminencia. No es para menos...

EL NUNCIO: Quiero decir... La intención que me mueve...

EL PRESIDENTE: Me adelanto a presentar a Su Eminencia mis excusas, en nombre de las instituciones republicanas de mi patria. Suplico, humilde y respetuosamente, a Su Eminencia, no ver en el hecho vergonzoso que nos ocupa...

LLAVE, *desde su rincón:* No, no, no... No es ese el giro que hay que...

MORDEL: ¡Chut! ¡Déjelo! ¡Déjelo! Que siga.

EL PRESIDENTE: ...en el hecho vergonzoso que nos ocupa, sino uno de esos extravíos inevitables por los que toda república, joven como la nuestra, tiene, a veces, que atravesar, en el curso de su turbulenta historia...

MORDEL: Excelente.

EL NUNCIO: Es la misma reflexión que yo me hago. El destino de los pueblos jóvenes es un constante juego, tumultuoso y contradictorio en apariencia, pero bien intencionado siempre, de toda suerte de inquietudes, de pasiones e ideales.

EL PRESIDENTE: Monseñor es en extremo indulgente, y me conmueve realmente...

MORDEL, *a Llave:* ¿Ve usted? Se lo echó al bolsillo.

EL NUNCIO: Uno de los deberes de la Iglesia es de comprender el alma de los pueblos, que no es más que una síntesis de almas individuales. El resto –la política temporal, el vaivén de los gobiernos– ocupa segundo plano a los ojos de nuestro sagrado ministerio. No hablemos más de ello, Excmo. Señor... *(Mordel aplaude con palmas silenciosas. Llave, a la puerta del fondo, hace lo propio. El mismo Trozo abre un paréntesis a su papel de Nuncio y se aplaude a sí mismo)*

ACIDAL, *creyendo que se le aplaude a él:* No, no. Es a Trozo que hay que aplaudir...

TROZO: ¡Cómo! No, señor. ¡A usted! Por haber logrado que el Nuncio se incline ante los hechos consumados...

ACIDAL: En fin, acabemos. Prosigamos. Diga usted...

TROZO, *Nuncio Apostólico:* Venía, Excmo. Señor, con el objeto de informarme personalmente...

EL PRESIDENTE: Monseñor está en su casa y sabe que en ella nada puede serle rehusado.

EL NUNCIO: Muy obligado, Excmo. Señor. Venía con el objeto de informarme de la impresión que ha merecido al Supremo Gobierno mi propuesta relativa a la inclusión de la pastoral de Su Santidad, Benedicto XV, sobre la idea de democracia, en el texto oficial de la Historia Universal para la Segunda Enseñanza... *(Acidal, sin penetrar completamente el contenido de esta frase, interroga, desorientado, con los ojos a Trozo, a Llave y a Mordel. Éste le responde, alzando los hombros, que él tampoco ha entendido nada)*

LLAVE, *a Acidal:* Contéstele usted: La apruebo entusiasmado, Monseñor.

EL PRESIDENTE, *al Nuncio:* La apruebo entusiasmado, Monseñor. De todo corazón, Monseñor. La apruebo regocijado, Monseñor...

TROZO: Bueno. Me parece que ya es hora que me marche. *(Se levanta para irse. Hablando como Nuncio)* Entonces, Excmo. Señor, no me queda sino renovar a usted mis infinitos agradecimientos, en nombre de la Iglesia y en el mío propio. *(Las manos)*

EL PRESIDENTE, *de pie:* No veo de qué Monseñor. Por el contrario, soy yo quien le reitero mis excusas por el hecho bochornoso que hoy ha sumido a Su Eminencia, con tan justa razón, en el más grande estupor...

EL NUNCIO: Repito, cosas ineluctables y comprensibles en los países recién iniciados en las luchas republicanas.

EL PRESIDENTE: Pero, Monseñor puede estar seguro que mi gobierno castigará a los comunistas .y anarquistas culpables del complot, con rigor ejemplar...

EL NUNCIO, *nuevamente sorprendido:* ¡Cómo! Pero, yo creía...

EL PRESIDENTE, *despidiéndolo inmediatamente:* Buenas tardes, Monseñor. Hasta cada rato.

EL NUNCIO, *cortado:* Muy amable. Infinitamente... amable... *(Trozo figura que se va)*

LLAVE: Etcétera, etcétera. Muy bien.

MORDEL: Has estado magistral. Como yo. Completamente igual.

TROZO, LLAVE: A la perfección. El parecido con su hermano es absoluto. Y la actitud, de un verdadero Presidente.

TROZO: Verdad es que, en el primer momento, al encontrarme con usted, que me recibía desde la silla presidencial, pensé que don Mordel acababa de pasar a sus departamentos privados, para volver en seguida...

MORDEL: Pero, al ver que yo no volvía, ¿qué se dijo usted?

TROZO, *reflexionando:* Al ver que usted no regresaba... Al ver...

ACIDAL, *a Trozo:* Reflexione, reflexione.

TROZO: En verdad, desde que usted se avanzó a recibirme, saludándome con cierto tono: "Adelante, Monseñor..."

LLAVE, *apuntalando:* Usted ya estaba dominado, o más bien dicho, instantáneamente convencido de tener ante sus ojos al Presidente de la República en persona...

TROZO: ¡Eso! Fue una impresión... una cosa... algo que no se explica, en fin...

LLAVE: Y no es exacto que usted pensase en las personas, en don Mordel, ni en don Acidal, sino en otra cosa... en otra cosa... en el Presidente, en una palabra.

TROZO: Usted lo ha dicho.

ACIDAL: ¿Y luego? Pasado el primer momento...

MORDEL, *a Trozo:* En resumidas cuentas, ¿se dio usted cuenta perfecta de que Acidal era Acidal?

TROZO, *caviloso:* Pues... sí. Ya lo creo que sí... Su voz, ciertos gestos, las orejas un poco...

LLAVE: Yo observé en su semblante de usted, que esa era su impresión.

MORDEL: Yo también creí notarlo.

ACIDAL: Pero, entonces, no acabo de entenderos.. Primero me decís que mi parecido con Mordel ha sido completo, y ahora...

LLAVE, TROZO: En efecto, don Acidal. Desde luego.

MORDEL: Empiezo a temer que nos hemos metido en un enredo.

ACIDAL: Si yo soy Acidal y no Mordel, acabemos. Es inútil ensayar nada. ¿Para qué?

LLAVE: Don Acidal, escúcheme...

TROZO: Para darles a ustedes una idea de conjunto, les diré: al despedirme de don Acidal –quiero decir, del Presidente– estaba yo, en verdad, como aturdido y, a ciencia cierta, no sabía quién de los dos me había recibido como Presidente...

LLAVE: Pero, en fin, ¿usted estaba seguro, o no, que era el Presidente de la República que acababa de recibirle?

TROZO: En cuanto a eso, ni qué dudarlo.

LLAVE: ¡He allí lo esencial! Yo, como ayudante, tuve idéntica impresión.

MORDEL: Y yo, como secretario, la misma.

LLAVE: Porque de lo que se trata, al fin y al cabo, don Acidal, no es tanto que lo tomen a usted por don Mordel, sino por el Presidente. Nada más.

ACIDAL, *pensativo:* No sé... Qué queréis que os diga...

TROZO: Por lo demás, don Acidal, yo no soy el Nuncio. Lo que les he dicho es como Trozo. A mí me ha parecido eso. Ahora, llegado el momento, ignoramos lo que pensará el Nuncio –hablo del verdadero Nuncio– cuando se encuentre de pronto con usted en la presidencia, en lugar de don Mordel.

LLAVE: De ahí precisamente la necesidad de ensayar y precaver.

MORDEL: Prosigamos. *(A Acidal)* Ocupa mi despacho. Llama. Toca el timbre. *(Acidal ocupa otra vez el despacho)*

LLAVE: Cada cual a su puesto. Don Mordel, Trozo... *(Llave, Mordel y Trozo se retiran a sus rincones y hacen como que no están en el despacho. Acidal toma de nuevo un aire de Jefe del Estado y simula tocar el timbre)*

TROZO: Yo voy a entrar ahora, como Jefe de la Casa Militar del Presidente. *(En el papel del coronel jefe de la Casa Militar, figura que entra al despacho y saluda)* Excmo. Señor, un meeting de desocupados acaba de llegar a las puertas del Palacio y la multitud pide que salga el Jefe del Estado a los balcones presidenciales... *(Reconoce de pronto a Acidal y calla, desorientado)* Es un... es un meeting...

ACIDAL, *en el papel de presidente, imperativo:* ¿Hay mucha gente?

EL CORONEL, *mirando en torno suyo, vagamente:* Mucha... Digo... Mucha...

EL PRESIDENTE: Reúna usted el personal de la Casa Militar y espere que le llame dentro de unos minutos. Haga usted también decir a los ministros que estén en este momento en el Palacio, que tengan la bondad de venir a mi despacho, a fin de acompañarme a salir a los balcones.

EL CORONEL: Excmo. Señor... Es que... Perfectamente...

EL PRESIDENTE: Haga usted anunciar a los manifestantes que el Jefe del Estado accede gustoso a su pedido. *(Gesto concluyente)*

EL CORONEL: Bien, Excmo. Señor. *(Trozo figura que se va)*

MORDEL, *desde un rincón, bajo:* ¿Qué tal, Trozo?

TROZO: Así así. Ya les diré. *(Habiendo tocado el timbre Acidal, Llave, el ayudante, finge entrar por el foro)*

EL PRESIDENTE: Haga usted pasar a la señorita de la Flor. *(El ayudante figura que se va. Pausa)*

EL AYUDANTE *anuncia, desde la puerta del foro:* La señorita de la Flor.

TROZO, *en el papel de la señorita de la Flor, figura que entra, con un pequeñuelo de tres años, de la mano; Llave desempeña el papel del niño:* Excmo. Señor, muy buenas tardes.

EL PRESIDENTE: Señorita de la Flor, ¿cómo está usted? Adelante. *(Las manos)*

SEÑORITA DE LA FLOR: Pidiéndole me perdone, Excmo. Señor. Es usted muy bondadoso, señor Presidente.

EL PRESIDENTE: Siéntese, señorita. ¿En qué puedo servirla?

SEÑORITA DE LA FLOR, *sentándose:* Gracias, Excmo. Señor.

EL PRESIDENTE, *acariciando al pequeño:* ¿Y tú? ¿Cómo te llamas?

SEÑORITA DE LA FLOR, *al pequeño:* Saluda al señor Presidente. Dile: "Buenas tardes, Excmo Señor". *(El pequeño se niega y el Presidente ríe)* ¡Cómo! ¿No le saludas? ¡Es el señor Presidente de la República!

LLAVE, *en el papel del pequeño:* Buenas taides, senor...

EL PRESIDENTE: Buenas, amigo mío. ¿Cómo te llamas?

SEÑORITA DE LA FLOR, *corrigiendo al niño:* Señor Presidente, se dice.

EL PEQUEÑO: Senor... senor... senoi...

EL PRESIDENTE: No quiere. Muy simpático.

SEÑORITA DE LA FLOR: Es muy tímido, Excmo. Señor.

EL PEQUEÑO: Mi abuelita se llama... Tota.

El Presidente: ¿Cuántos años tienes?

Señorita de la Flor: Tres años, menos tres meses.

El Presidente: Muy tierno todavía, pero se ve que es muy despierto.

Señorita de la Flor: Precisamente, es por el niño que me he permitido distraer su atención, Excmo. Señor. Monseñor, el Arzobispo, nos ha olvidado completamente, a mí y a esta criatura...

El Presidente: ¿Monseñor Cochar es pariente cercano de usted?

Señorita de la Flor: Es nada menos que mi primo, Excmo. Señor. Y Pepito, naturalmente, viene a ser su sobrino en segundo grado.

Mordel, *bajo:* ¡No, no, no! Eso no.

Acidal: Deja, deja. Ya veremos. *(Tono presidencial, a Trozo)* ¡Ah! ¡Qué tal! *(Mirando al pequeño)* ¡Tan niñín... y ya... sobrino del Arzobispo!

Señorita de la Flor: Sí, Excmo. Señor. Es hijo natural de una criada nuestra, originaria de Choral, que se ha vuelto a su pueblo, abandonando al niño. Una mujer de vida un poco licensiosa. Pero yo he tomado a mi cargo al pequeño y hasta le he adoptado.

El Presidente: ¿Monseñor, el Arzobispo, conoce al niño?

Señorita de la Flor: Precisamente, Excmo. Señor, yo lo adopté por consejo de mi primo. Monseñor Cochar, él mismo, consideraba al niño, al principio, como sobrino suyo.

El Presidente, *malicioso:* ¡Ah, bueno! ¡Como sobrino suyo! ¡Y usted, como si fuese su hijo! Ya comprendo... ¿Y ahora?

Señorita de la Flor, *ruborizada:* Ahora, Excmo. Señor, mis recursos personales escasean y Monseñor Cochar, sin que yo sepa por qué, nos ha olvidado, y ni siquiera quiere recibirme, ni saber nada de nosotros. Ignoro lo que puede haber de por medio. Tan bueno y caritativo para todos...

El Presidente: ¡Oh, monseñor Cochar, un dechado de virtud! Pero, entonces, señorita, ¿qué desearía usted, en suma?

Mordel, *bajo:* Eso es.

Señorita de la Flor: Desearía, Excmo Señor, que usted interviniera en alguna forma cerca de monseñor Cochar, a fin de que cese esta situación, que se hace cada día más difícil y penosa.

El Presidente: Bueno. Haré lo necesario. Se lo prometo. En este momento, hay una manifestación en la plaza y...

Señorita de la Flor, *para irse:* Excmo. Señor, le seré muy agradecida.

EL PRESIDENTE: Haré lo necesario y oportunamente le comunicaré a usted el resultado de mi intervención.

SEÑORITA DE LA FLOR: ¡Cuánto le agradezco, Excmo. Señor! Buenas tardes. *(Las manos)*

EL PRESIDENTE: Buenas tardes, señorita de la Flor. *(Al niño)* Adiós, amigo mío. Hasta muy pronto.

SEÑORITA DE LA FLOR: Le digo, señor Presidente, que es muy inteligente. A su edad, ya sabe lo que será cuando sea hombre. ¡Es vivísimo!

EL PRESIDENTE: A ver, Pepito, dime: ¿qué harás cuando seas grande? ¡A ver! Dime... *(El pequeño ha puesto una cara dolorosa y no responde)*

SEÑORITA DE LA FLOR: Contesta, Pepito, al señor Presidente. Dile qué quieres hacer, cuando seas grande. *(El pequeño da muestras de una angustiosa ansiedad)* ¡Responde! ¿Qué quieres hacer?

EL PEQUEÑO, *a la señorita de la Flor, gimoteando:* ¡Yo quieyo hacé pipí!...

TROZO, MORDEL, *escandalizados:* ¡Oh!

LLAVE: ¡La realidad, antes que todo! Un pequeño es un pequeño... Vamos a lo importante: *(A Trozo)* ¿qué le ha parecido a usted?

TROZO: ¿Qué me ha parecido qué cosa?

LLAVE: Don Acidal en la presidencia.

TROZO: Pues nada de anormal. Entro, veo a un hombre de Presidente, que me recibe y me pregunta en qué puede servirme...

MORDEL: Naturalmente. Es una mujer que nunca había visto al Presidente.

LLAVE: En suma, ¿no hubo nada que le chocase?

TROZO: Nada. ¿Y usted?

LLAVE: Yo... tampoco. Imagínese: un pequeñuelo de tres años.

ACIDAL: Conclusión: hay que abreviar. Ya no salgo a los balcones...

MORDEL: ¡Para qué! Está de más.

LLAVE: Para acabar, la escena de la entrevista con el enemigo *(Consulta la hora)* ¡Más de la una!

MORDEL: ¿Conmigo en la presidencia?

LLAVE: No. Ahora, con don Acidal. *(Retirándose del lado de la puerta del foro)* Voy a anunciar... *(Acidal sigue ante su despacho presidencial, Mordel retorna a la puerta de la derecha y Trozo espera, junto a Llave)*

EL AYUDANTE *anuncia:* Excmo. Señor, acaban de traer al General Ñatón, que cayó preso ayer. Usted había ordenado...

ACIDAL, *presidente, tras una reflexión:* Sí. Que me lo traigan ante mí inmediatamente. *(Llave figura que se retira. Pausa)*

EL AYUDANTE *anuncia:* El señor Prefecto de Policía.

TROZO, *en el papel del Prefecto, simula que entra:* Excmo. Señor, el General Ñatón está en la antecámara.

EL PRESIDENTE: Que pase. *(Pausa)*

LLAVE: Una silla hará del General Ñatón. *(Cogiendo una silla y colocándola en el centro de la pieza, frente a Acidal)* ¡Esta!... *(Mirando la silla)* El viejo Ñatón viene las manos atadas a la espalda, sucio, en traje de campaña, sin kepí, transido. La rabia y la amargura del vencido crispan su rostro y arrancan de sus ojos una llama salvaje... *(Todos miran la silla)*

TROZO: Una vez Natón ahí, un silencio, mezcla de curiosidad y de estupor, impera en el despacho presidencial, que está lleno de grandes personajes oficiales. Nadie habla ni se mueve. *(En efecto, todos escenifican dicho ambiente)*

LLAVE, *mirando la silla:* Ñatón, puesto frente a frente con el Presidente, baja los ojos. *(A Acidal)* Usted le observa con rencor... *(Acidal observa la silla con rencor)*

MORDEL: Ya. Ahora puedes hablarle.

EL PRESIDENTE, *a la silla, airado:* ¡Miserable! ¡Traidor a la Patria! ¿Qué fines le han guiado para conspirar contra mi gobierno?... ¿Pretendía usted volver a la presidencia, para mancharla de nuevo con la sangre inocente del pueblo y para echarse otros millones al bolsillo?... ¡Conteste! *(Al ayudante)* Desátenle las manos. *(Llave figura cumplir la orden. El Presidente saca entonces un revólver del bolsillo y se lo da al prisionero)* Coja usted mi revólver... *(Pone el arma sobre la silla y se ofrece a Ñatón como blanco)* ¡Máteme!... Pedía usted mi cabeza. Y ¡bien! aquí la tiene usted a su alcance... ¡Tire!... *(Ñatón sigue inmóvil. El Presidente saca entonces otro revólver y, apuntando al pecho del prisionero, le desafía)* ¡Pues entonces, de hombre a hombre! ¡Apunte! ¡Tire!... ¡Al que queda de pie, la presidencia!... *(Sensación en el despacho presidencial)* ¡Uno!... ¡Dos!... ¡Levante su arma! ¡Apunte!... ¡Cómo! ¿Dónde está esa valentía?... *(Y como Ñatón no se mueve, el Presidente le dice con desprecio)* ¡Cobarde!... Devuélvame esa arma... *(Recoge violentamente el arma de la silla y ordena)* Atadle otra vez... *(La orden se ejecuta. El Presidente ruge)* ¡Cobarde!... *(Figura que le arranca las charreteras)* ¡No las merece!... ¡Soldado indigno!... *(En fin, figura que le escupe)* ¡Llevadle!... ¡A los aljibes!... *(La puerta del foro se abre bruscamente y el General Tequila penetra, seguido de* varios oficiales y tropa; el teniente del Millar viene entre ellos. Los Colacho y sus secretarios se quedan paralizados)

EL GENERAL TEQUILA *ordena a la tropa, señalando de uno en uno a Acidal, a Mordel, a Llave y a Trozo:* ¡Al Presidente de la República! ¡Al secretario! ¡Al ayudante! ¡Y al Prefecto de Policía! ¡Las esposas, a los cuatro!... *(La tropa ejecuta la orden y los cuatro hombres entregan las manos mansamente)* ¡Y fusiladlos, antes de la aurora!...

VOCES *de muchedumbre, mientras baja despacio el telón:* ¡Abajo la revolución! ¡Abajo el imperialismo norteamericano! ¡Viva el Presidente Palurdo!

FIN DE LA FARSA

PRIMERA VERSIÓN DEL ÚLTIMO ACTO DE *COLACHO HERMANOS* *

ACTO IV

El despacho del Presidente de la República.
El Presidente Mordel Colacho está sentado en su escritorio, asistido por su secretario

EL PRESIDENTE: ¿A título de qué el señor Soiz Adol quiere verme? ¿A solas?

EL SECRETARIO: Señor Presidente, me parece que quiere hablarle a título oficial.

EL PRESIDENTE, *contrariado:* Los diplomáticos sacan ventajas del uniforme para venir a hablarme de asuntos que no tienen que ver con sus funciones. ¿Usted no le dijo que el domingo, el Presidente no recibe?

EL SECRETARIO: Señor Presidente, se lo hice entender muy claramente. Pero me afirmó que se trata de algo muy urgente de su embajada.

EL PRESIDENTE: ¡Ah, ya veo! Son los egipcios que quiere. ¿Dónde están sus egipcios?

---

* "Primera versión del último acto" de *Colacho Hermanos,* escrita originalmente en francés. En la portada se dice: "esa versión podría ser interpretada alternativamente con la otra, siendo, en mi concepto, tan formidable como esa" y se añade a mano "Vallejo, sin embargo, cambió esa primera versión por la otra, a la cual *consideraba definitiva"* (subrayado en el original). Es obvio que por "esa" se hacía referencia a la "Primera versión" que aquí se publica. Este texto no es completo ya que en dos partes hay intervenciones que se han extraviado, lo cual ha sido indicado, en este caso, por una línea. Esta "Primera versión" ha sido traducida por Francoise Casse.

EL SECRETARIO: Señor Presidente, creo que salieron de Alejandría, hace diez días, según las informaciones del Jefe del Protocolo. Deben estar ahora en París. Esperamos el aviso cablegráfico de nuestro ministro en Francia.

EL PRESIDENTE, *llamando:* ¿Cuáles son las otras visitas? *(Más contrariado)* Cuatro horas y media. No sé a qué hora podré recibir a los ministros de Trabajo y del Interior, al Nuncio, al Presidente de la Cámara y al Embajador de los Estados Unidos. *(Entra el ayudante de campo)* ¿Quién lloraba antes en la antecámara?

EL AYUDANTE DE CAMPO: El héroe de Montevor, señor Presidente. Su nieto está enfermo y él se queja de que la falta lo necesario para pagar las medicinas.

EL PRESIDENTE: Haga entrar al encargado de los Asuntos del Brasil. *(El ayudante de campo sale)*

EL SECRETARIO, *leyendo una lista:* Las otras personas son: el Prefecto de Ayacucho –muy urgente– y la Señorita Maté, prima del Arzobispo.

EL AYUDANTE DE CAMPO, *anuncia:* Su Exc. el Encargado de negocios del Brasil. *(El secretario sale por otra puerta)*

SOIZ, *Entrando:* Buenos días, señor Presidente.

EL PRESIDENTE, *de pie:* Encantado, señor Soiz Adol. ¿Cómo está usted? *(apretón de manos)* Hágame el favor de sentarse.

SOIZ: Muy amable, señor Presidente. Le agradezco por haberme recibido un domingo. Seré breve.

EL PRESIDENTE, *adelantándolo:* Sus egipcios salieron de Alejandría, hace aproximadamente diez días; según las informaciones del Jefe de Protocolo. Ahora, deben estar en Nueva York. Esperamos el aviso cablegráfico de nuestro Ministro en los Estados Unidos.

SOIZ ADOL, *listo para irse:* Le agradezco infinitamente, señor Presidente. No puedo detenerle a usted más tiempo. *(Apretón de manos)* Hasta muy pronto, señor Presidente.

EL PRESIDENTE: ¿Algunas noticias de su país?

SOIZ ADOL: Nada de nuevo. Los movimientos revolucionarios se suceden normalmente. La salud del Presidente, inalterable.

EL PRESIDENTE: Estoy muy feliz de oír esto, señor Soiz. Mis saludos a vuestra señora.

SOIZ ADOL *sale:* Gracias, señor Presidente. Adiós.

EL PRESIDENTE: Adiós, señor Soiz Adol. *(Toca el timbre; el secretario regresa)* Rocqué, dígame por qué los egipcios, para llegar aquí, deben pasar por Nueva York. ¿Usted no se equivoca?

El Secretario: Por París, señor Presidente.

El Presidente: Ah sí. Por París. ¿Por qué por París?

El Secretario: Creo que hay razones modernistas o algo así. París concede a las cosas, las más antiguas, como los egipcios, un sabor moderno. Por eso, en América Latina no se fuma más que lo que pasa por París. Ocurre con el tabaco lo que ocurre con las modas.

El Presidente: Hum... ¿Y si en vez de pasar por París, los egipcios pasasen por Nueva York?...

El Secretario: Señor Presidente; en cuanto al modernismo, eso ha cambiado mucho últimamente. Nueva York, desde la guerra, es la rival de París y si París es moderno Nueva York es archimoderno.

El Presidente, *alegre:* ¡Caramba! Había confundido París con Nueva York. Pero el brasileño, tan pronto como oyó el nombre de Nueva York, saltó de alegría, tanto que se fue olvidándose de sus sábanas. ¿Qué hay de nuevo con las sábanas? *(Cansado)* ¡Qué hombre!

El Secretario: Nuestro ministro en París debió haber recibido el pedido en estos días. Es imposible ir más rápido.

El Presidente: Bueno. ¡No le dé más citas a este hombre! *(Exasperado)* Bajo ningún motivo. Sea cual sea la hora o día que quiera verme.

El Secretario: ¿Hasta cuándo, señor Presidente?

El Presidente: ¡Por un mes por lo menos!

El Secretario, *tímidamente:* ¿Aún cuando él quiera en realidad tratar de un asunto oficial de su embajada?

El Presidente: Aún cuando eso traiga consigo la ruptura de las relaciones diplomáticas con el Brasil.

El Secretario: Bueno, señor Presidente.

El Presidente: Y haga lo mismo con el ministro de... ¿Quién es ese ministro extranjero que había solicitado dos tenientes para hacer la sopa para sus perros?

El Secretario: Es el embajador de los Estados Unidos, señor Presidente.

El Presidente, *sorprendido:* ¡Ah!... ¡El embajador de los Estados Unidos! *(Furioso)* Yo apueto a que el ministro de guerra, como gran imbécil que es, no ha satisfecho ese pedido. Llámeme inmediatamente al general Valverde.

El Secretario: Señor Presidente, el ministro de Guerra, el día mismo del pedido, le mandó en seguida, al embajador, los dos tenientes solicitados. Dos de los mejores tenientes de la escuela militar, candidatos a capitanes.

El Presidente, *respirando:* ¿Está usted seguro?

El Secretario: Absolutamente seguro, señor Presidente.

El Presidente: Prepáreme un discurso para recibir esta noche la medalla de los héroes de Solcos. Un discurso medio. Tome un poco de Roosevelt. Es más patriota que Lebrun.

El Secretario: Bien, señor Presidente.

El Presidente, *tocando el timbre:* Ponga algo concerniente a mi padre que combatió en Toviga. No ponga demasiado: conciencia nacional que, según lo que se dice, no está más de moda. *(Entra el ayudante de campo)* Haga entrar al Presidente de la Cámara. *(El ayudante de campo sale. El Presidente, en un sobresalto, al secretario)* Rocqué: Está bien entendido que el embajador de los Estados Unidos es bienvenido a toda hora en mi despacho. Éste, sí. A cualquiera hora. Apunte bien esto. No hay que confundirse.

El Secretario: Entendido, señor Presidente.

El ayudante de campo *anuncia:* El señor Presidente de la Cámara.

El Presidente de la Cámara: Buenos días, señor Presidente. *(El secretario sale por la otra puerta)* No tengo sino algunos minutos, señor Presidente.

El Presidente: Siéntese, general. ¿De qué se trata? ¿De los botones?

El Presidente de la Cámara: Sí, señor Presidente. Precisamente.

El Presidente: Leí esto en la prensa.

El Presidente de la Cámara: Un escándalo, si de eso se puede hablar, señor Presidente. Inmediatamente hice lo necesario para que ningún periódico publique el debate, suprimiendo el documento producido por los diputados de la oposición.

El Presidente: ¿Ugarte y Chupitaz?

El Presidente de la Cámara: Exactamente, señor Presidente, siempre los mismos. Señor Presidente, cómo yo lamento su consentimiento...

El Presidente: Son sus criaturas. Críe perros, general, ellos le morderán las pantorrillas.

El Presidente de la Cámara: La culpa es enteramente mía, en verdad. Usted no quería darles su apoyo oficial en las elecciones, y yo me obstiné en proporcionarles un subprefecto a cada uno de ellos y los fondos para su campaña electoral... ¡Ah, señor Presidente, nunca tuve la menor sospecha que podrían un día volverse en contra del régimen que los eligió, con gritos de "honestidad", "libertad" y otras inepcias parecidas!

El Presidente: General, ¿qué pensaría usted de una pequeña estadía de algunos meses de esos señores en la Isla de Los Cóndores?

El Presidente de la Cámara: Como usted quiera, señor Presidente. A la Isla de los Cóndores o a *la Santé.*

El Presidente: Pues, a *la Santé.* En seguida. *(Toca el timbre)*

El Presidente de la Cámara: El mal ejemplo cunde. Mañana, otros diputados van a creerse igualmente autorizados para hablar de "democracia" o de "justicia" en medio de la Cámara... *(Entra el ayudante de campo)*

El Presidente: Comuníquele al Prefecto de Policía, la orden de detener ipso facto a los diputados Ugarte y Chupitaz, y de informar en seguida al ministerio del Interior. *(El ayudante de campo sale)*

El Presidente de la Cámara: Dijeron, señor Presidente, que el ministro de Guerra y el Jefe del Estado Mayor con su autorización personal habían decidido comprar para el Estado, en particular, un lote de botones para los uniformes militares, botones que era nada menos que propiedad del Estado. Leyeron a propósito una carta del hijo del Jefe del Gabinete Militar, dirigida a un X., y en la cual está autorizado a tomar posesión de dichos botones en el Arsenal de Guerra, mientras que reiteraba la orden de compartir el total del precio en partes absolutamente iguales "entre los cuatro hombres que usted sabe" –así dice textualmente la carta.

El Presidente, *interrumpiendo:* A la Isla de los Cóndores o a la "Santé" durante algunas lunas.

El Presidente de la Cámara: La audacia de Ugarte llegó hasta afirmar que según la filosofía del derecho, no hay venta de bienes ajenos ni compras de sus propios bienes, y que en consecuencia, el Estado no podía comprarse a sí mismo cosas de su propiedad.

El Presidente: Estragos de la ciencia... Verborrea universitaria. Será necesario, general, cerrar otra vez las Universidades, y esta vez, por algunos años.

El Presidente de la Cámara: Y Chupitaz, señor Presidente, fue más lejos. Se atrevió a decir que entre los cuatro malversadores, de los que habla esa carta precipitada, estaban el Ministro de Guerra, el Jefe del Estado mayor, el firmante en cuestión y el propio ahijado del Presidente de la República, Arthur Carizado.

El Presidente, *en el colmo de la indignación:* Pero, general, ¿cómo tal carta pudo caer entre las manos de esos miserables?

(Una llamada sobre el escritorio del Presidente. El Presidente toca el timbre a su vez) Un segundo, general.

EL SECRETARIO *entra:* Señor Presidente, el señor Ministro de Justicia pregunta si puede ser recibido urgentemente para un asunto de su cartera.

EL PRESIDENTE, *después de reflexionar:* Sí, yo lo recibiré.

EL SECRETARIO: Bien, señor Presidente. *(Sale)*

EL PRESIDENTE: Por fin, general, ¿la cosa se quedó donde estaba en la Cámara?

EL PRESIDENTE DE LA CÁMARA: Afortunadamente, señor Presidente.

EL PRESIDENTE: Perfecto. Otra cosa: Este asunto de Barbita, ¿anda bien?

EL PRESIDENTE DE LA CÁMARA: Continúo luchado con todas mis fuerzas con los otros seis diputados que exigen sumas fabulosas por su votos. Dicen que de negárselas, no solamente no votarán a favor, sino que además, denunciarán el caso a la opinión pública.

EL PRESIDENTE: ¿Usted les dijo, al mismo tiempo, qué cantidad irrisoria la Standard Oil pone a nuestra disposición? Apenas setenta y cinco millones. ¡Una miseria! A compartir entre setenta diputados y los miembros del Ejecutivo.

EL PRESIDENTE DE LA CÁMARA: Lo saben perfectamente, señor Presidente.

EL PRESIDENTE: ¿Entonces? *(Con ira)* General, en este país, no se olvide de que el gobierno se hace obedecer por el Parlamento de dos maneras: con dinero o con estadías en la Isla de Los Cóndores. Siga, general, sus caminatas patrióticas. Agotado el primer medio, tendremos que pasar al segundo.

EL PRESIDENTE DE LA CÁMARA: Estoy totalmente de acuerdo, señor Presidente. Absolutamente.

EL PRESIDENTE, *apretón de manos:* Usted tiene mi confianza. Adiós general.

EL PRESIDENTE DE LA CÁMARA: Señor Presidente, toda mi lealtad. *(Sale. El Presidente toca el timbre. Entra el ayudante de campo)* Haga entrar al Ministro de Justicia. *(El ayudante de campo sale, mientras el Presidente llama y entra el secretario)* Rocqué, usted puede asistir a mi entrevista con el Ministro de Justicia.

EL AYUDANTE DE CAMPO *anuncia:* El señor Ministro de Justicia.

EL MINISTRO DE JUSTICIA *entra:* Señor Presidente, *(Despliega sus papeles)* esta noche, la policía descubrió en el barrio obrero de Analta, un complot anarco comunista...

EL PRESIDENTE, *impaciente:* El mil y uno del año. ¿Entonces?

El Ministro de Justicia: Hicimos varios arrestos. Ordené esta mañana abrir la instrucción respectiva por atentado contra la seguridad del Estado. Ahora bien, el juez de instrucción se niega a dar curso a la acusación, alegando que conforme a la constitución, no hay ninguna base legal para estas persecuciones, dado que los demócratas y los liberales, tienen derecho de reunión y de opinión, consagrado por la legislación de la República.

El Presidente: ¡Qué estúpido! ¿Quién es ese juez?

El Ministro de Justicia: Alberti Azuela, señor Presidente, ese mismo que quiere ser diputado y que practica con este fin, la demagogia más nefasta con los obreros y los estudiantes.

El Presidente: Revóquelo de inmediato ahora mismo. ¿Es todo lo que usted tiene que comunicarme?

El Ministro de Justicia: Señor Presidente, encontramos con los obreros, un diario; aquí está... *(Lee)* "Claridad" con varios artículos subversivos contra el régimen y contra el orden social.

El Presidente, *tomando el periódico:* ¿Quién escribe aquí? *(Lee)* Salvador Calderón, Vicente Suárez, Romain Rolland, Justin Molle, Anatole France, Manuel Urteaga, Profesor Eins..tein..Eins... Einstein... Pablo Sifuente... *(Volteando la cabeza sobre el hombro hacia su ministro)* ¿Quiénes son estos individuos? ¿Usted los conoce?

El Ministro de Justicia: A ninguno, señor Presidente.

El Presidente: Señor Collar, póngame en la Isla de los Cóndores hoy mismo a todos esos tíos. Todos. Sin ninguna lástima. *(Leyendo)* Este Calderón, Vásquez, Rolland, Molle, Anatole France, Urteaga, y este pequeño maestro, ¿cómo se llama otra vez? Einst... Einst... Einstein.. y ese Sifuente igualmente. Desanídeme estos pájaros con celeridad y póngamelos en la jaula.

El Secretario *trata de decir algo:* Señor Presidente, Anatole France y el Profesor Einstein...

El Presidente, *cortándole la palabra:* Ni una palabra más, señor. Estoy cansado de compasión. Mano de hierro, general, con todos estos pordioseros.

El Ministro de Justicia: Ese es también mi parecer, señor Presidente.

El Presidente, *que está resentido con el Profesor Einstein:* Y ese pequeño auxiliar de colegio, *(Lee otra vez)* Einst...tein... Que se le despida de la escuela donde enseña.

El Ministro de Justicia: Sin falta, señor Presidente. En una palabra, la policía fue a buscar en la madrugada en su propia casa, a los que escriben en ese periódico, ninguno de ellos pudo ser detenido. Salvador Calderón no había dormido en su casa. Anatole France casi fue prendido en su cocina, pero se nos escapó.

EL SECRETARIO, *trata otra vez de decir algo:* Anatole France, señores, es...

EL PRESIDENTE, *interrumpiendo:* Señor Collar, le ruego comunicarse tan pronto como sea posible con el Ministro del Interior. Apruebo de antemano, lo que ustedes decidan en este asunto.

EL MINISTRO DE JUSTICIA, *recogiendo sus papeles:* Pierda usted cuidado, señor Presidente... *(Timbre, sobre el escritorio Presidencial. El Presidente toca con su timbre)*

EL AYUDANTE DE CAMPO *entra:* Señor Presidente, una comunicación urgente. Se detuvo a uno de los conspiradores comunistas. Está aquí en el salón de los ayudantes de campo.

EL PRESIDENTE: Que se me lo traiga. *(El ayudante de campo sale. Al Ministro de Justicia)* ¿Cuál puede ser?

EL MINISTRO DE JUSTICIA: No tengo la menor idea, señor Presidente.

EL AYUDANTE DE CAMPO: El señor Prefecto de Policía.

EL PREFECTO DE POLICÍA, *entra, con un obrero, en los cuarenta años, abrumado, muy pobremente vestido:* Señor Presidente, la policía detuvo a este hombre, hace una hora aproximadamente. Es tejedor.

EL PRESIDENTE, *terrible, al obrero:* ¿Quién es usted? ¿Cómo se llama usted?

EL OBRERO: Mordel Colacho, señor Presidente.

EL PRESIDENTE, *perplejo:* ¿Cómo? ¿Le pregunto cuál es su nombre? ¿Usted no es sordo, espero?

EL OBRERO: Pero... Señor Presidente, me llamo Mordel Colacho.

EL PRESIDENTE, *indignado:* ¡Ah... Usted piensa burlarse otra vez de nosotros!

EL OBRERO: Pero... Señor Presidente, yo no quiero burlarme de nadie...

EL PRESIDENTE: ¡Tú te burlas del Presidente de la República! ¡Porque sin duda, no puedes llamarte Mordel Colacho!

EL OBRERO: ¿Por qué, señor Presidente, no puedo llamarme Mordel Colacho?

EL PRESIDENTE: Porque yo me llamo así.

EL OBRERO: Yo también, señor Presidente. Puede haber varios Mordel Colacho.

EL PRESIDENTE: ¡Insolente! ¡De ninguna manera! No hay más que un Mordel Colacho, y ese Mordel Colacho soy yo.

EL OBRERO, *dirigiéndose a los otros, afligido:* Pues... No sé... Soy sin embargo Mordel Colacho.

EL PRESIDENTE: Pero qué descaro. Hasta dónde va la insolencia de la chusma. ¡Desear tener el mismo nombre que el Jefe del Estado!

EL MINISTRO DE JUSTICIA, *al obrero:* Tú, tú escondes tu nombre. Pero naturalmente. Es claro. Ah, ya sé. Tú eres Romain Rolland; confiésalo. ¿Cómo no me di cuenta antes? Se ve en tu cara.

EL OBRERO: Pero no, señor, no soy Romain Rolland.

EL SECRETARIO, *trata de intervenir:* Señor Ministro, Romain Rolland...

EL MINISTRO DE JUSTICIA, *duro:* Señor Rocqué, se lo ruego *(Al obrero)* ¡Y eres tú quien escribiste en esto. Caramba! Todo se explica. *(Mostrándole "Claridad")* Un artículo incitando a los trabajadores a la rebelión y al desorden: firmado Romain Rolland. *(Al Prefecto de Policía)* Sin ninguna duda... Póngame a este hombre en *la Santé. (Con una reverencia al Presidente)* ¿El señor Presidente aprueba?

EL PRESIDENTE: Sí, yo lo apruebo, señor Ministro...

EL PREFECTO: Bien, señores. *(Invita al obrero a seguirle)* Usted sígame. *(Los dos salen)*

EL PRESIDENTE, *despidiendo al Ministro:* Adiós, señor Collar.

EL MINISTRO *está por salir:* Adiós, señor Presidente.

EL PRESIDENTE: Mucha severidad, señor Collar, ninguna debilidad.

EL MINISTRO DE JUSTICIA: Entiendo, señor Presidente. *(Sale. El Presidente reflexiona y da algunos pasos en su oficina, mientras el secretario toma apuntes)*

EL PRESIDENTE *llama:* Rocqué, le ruego dejarme solo un momento con mi hermano.

EL SECRETARIO, *saliendo:* Pero naturalmente, señor Presidente. *(Entra el ayudante de campo)*

EL PRESIDENTE: Haga entrar al Ministro de Trabajo. *(Sale)*

ACIDAL, *entrando:* ¿Cómo estás tú? *(Acidal, si no fuera por su impedimento físico, parecería realmente, visto su progreso cultural, una figura mundana y un hombre de Estado)*

MORDEL: Entra.

ACIDAL: ¡Cuántas visitas! ¡Y un domingo!

MORDEL: Tal como me ves, recibo visitas desde el mediodía. Aún no he comido.

ACIDAL, *tendiendo un telegrama a su hermano:* Otro, llegado hace poco. Pero lo más urgente, es la Corporación de Mega Pampa Rail. *(Mordel lee el telegrama)* Sé, por otro lado, por telegramas llegados esta noche a la Cámara de Comercio que, desde el viernes, una baja alarmante del cobre, el carbón, el caucho, y el azúcar empezó en Wall Street. Ellos siembran el pánico para forzarnos a pasar el contrato.

MORDEL *acaba de leer, nervioso:* Vallodin vino esta mañana. Dice que su grupo puede evidentemente votar la enmienda constitucional, pero cuando toque la cuestión de tu elección inmediata, me objetó que era otro asunto, para el cual tendremos que consultar con los grupos de la Cámara. En pocas palabras, una excusa. Sikcha y García me dieron la misma respuesta.

ACIDAL, *sobreexcitado:* Mordel, por Dios, hace cuántos meses que estás en el poder y todavía no te has convencido de que lo único que cuenta es la fuerza en este país. La fuerza, ¡viejo! Tu viaje no puede postergarse. Tienes que embarcarte mañana por la tarde.

MORDEL: Yo pasé la noche en vela, rumiando todo esto. ¿No crees que sería suficiente con que tú fueras a Nueva York?

ACIDAL: Ya te dije que no. ¿Y la Presidencia de la República? Esto es lo más grave. Si tú no te decides hoy mismo, en dejarme el poder con o sin el voto de las Cámaras, no respondo de nada.

MORDEL: Un minuto, un minuto, no te vuelvas loco.

ACIDAL: ¡Impón mi elección al Parlamento, caramba!

MORDEL: Escucha, escucha. No cambio de idea. La elección del General Colongo no ofrecería ninguna dificultad al Parlamento. Es amigo mío; con él no habría nada que temer hasta mi regreso.

ACIDAL: Pero otra vez, Mordel, ¿cómo puedes fiarte de un general que traicionó hace quince años a otro Presidente?

MORDEL: Justamente, vino ayer.

ACIDAL: ¿Quién?

MORDEL: El general Colongo, ¡caramba! Cenó conmigo y hablamos largamente. Hablando del director de las cárceles, me dijo, muy indignado, sabes: "¡Sería necesario quemarlos vivos a todos estos traidores!"

ACIDAL: El fuego empezaría en sus botas. ¡Ah sí, qué bastardo!

MORDEL: Saliendo, me dio un gran abrazo.

ACIDAL: Abrazos de políticos, no me hables de eso. Es también el punto de vista del embajador de los Estados Unidos.

MORDEL: El embajador de los Estados Unidos, nos aconseja siempre lo imposible.

ACIDAL: ¿Le consultaste a propósito de tu viaje? ¿Qué piensa de eso?

MORDEL: ¡Qué quieres que él piense! Piensa que tengo que dejarte el poder, caramba, pero con la autorización del Parlamento.

ACIDAL: ¡Me sorprende, conociendo a esos bribones los diputados! *(Van y vienen, de un lado a otro del despacho, muy agitados)*

MORDEL, *bruscamente:* Tengo una idea: ¿Qué pensarías tú, si tú me reemplazaras en la Presidencia sin consulta ni elección alguna, y sin dar cuenta al Parlamento? Ni al país, ni a nadie.

ACIDAL: No te entiendo.

MORDEL: Escucha. Siéntate aquí, en el sillón presidencial. Puedes desempeñar mis funciones en mi lugar: recibir las visitas, firmar, etc.... yo mientras tanto me embarco para Nueva York.

ACIDAL: ¡Sin avisar a nadie! ¿Sin decirlo a la prensa?

MORDEL: Sin tambores ni trompetas. ¿Qué dices?

ACIDAL, *pensando:* Por supuesto. ¿Por qué no?... Después de todo... Evidentemente... No sería más...

MORDEL: ¿Cómo llegué al poder? ¿Fui yo elegido? Yo, por casualidad, ¿le pedí permiso a alguien?

ACIDAL: A nadie, excepto al Sr. Tenedy. Pero en este caso, tendríamos que actuar ahora mismo.

MORDEL: ¿Qué podría ocurrir? ¿Qué arriesgamos?

ACIDAL: Nada. El pueblo no chistará.

MORDEL: Pase lo que pase, tenemos con nosotros al ejército y a la marina.

ACIDAL: Y tenemos además, una cosa estupenda, encima de todo, pasando por la opinión pública, el apoyo de los Estados Unidos.

MORDEL: Voy a ver al Jefe del Estado Mayor, al Ministro de Guerra, al de Marina y al Prefecto de Policía y les ordenaré muy simplemente, que durante mi ausencia, tú seas obedecido como si fuera yo mismo. Concluido.

ACIDAL: De paso, dado que eres mi hermano, y que todo el mundo sabe la armonía política que nos une, no se le ocurrirá a nadie protestar y acusarme de usurpación. Casos similares se presentaron ya en otros países de las Américas, entre un hijo y su padre por ejemplo, entre primos, entre cuñados y aún entre simples amigos.

MORDEL: Está bien. Está decidido. Al hecho *(Arregla sus papeles en la mesa)*

ACIDAL, *mirándose en el espejo:* Mi chaqueta está apropiada, me parece. ¿Quién va a venir luego?

MORDEL, *que se prepara a dejar el despacho presidencial:* El Nuncio, el embajador de los Estados Unidos, precisamente. Y otras dos visitas sin importancia. Pero, estoy pensando. Tenemos que tomar todas las precauciones necesarias en el caso de que tu presencia inesperada en la presidencia despertase algunas resistencias, cierta efervescencia en el palacio, de parte de las personalidades, y de los funcionarios que tendrás que ver luego.

ACIDAL: ¿Cuáles resistencias? ¿Cuáles efervescencias? Déjame sentarme en este sillón, *(Terrible)* y verás quién soy, ¡caramba!

MORDEL: Lo valiente no quita lo prudente. Siéntate en este sillón y toma posesión de mi escritorio. Me quedaré, de todas maneras, algunos minutos en la sala vecina, para observar lo que ocurre aquí durante tus primeros actos presidenciales. Pues, si todo anda bien, como lo espero, saldré del palacio en paz. Pero, si surgiesen algunas dificultades, estaría aquí para saltar y reasumir el gobierno y evitar que se nos escape. *(Pasa a la sala que ha indicado)*

ACIDAL, *se sienta en el sillón presidencial:* Pues, vamos al grano.

MORDEL, *en el umbral de la puerta:* Imponte desde los primeros momentos. Sabes de lo que se trata.

ACIDAL: Date prisa, vaya. Soy tu hombre. *(Mordel desaparece. Acidal llama, se aclara la voz y asume una apariencia solemne, majestuosa. El secretario entra)*

EL PRESIDENTE, *sin darse la vuelta, autoritario:* Rocqué, llame inmediatamente al general Chotengo que acaba de ser nombrado Ministro de Trabajo y que se presente aquí esta noche para juramentar.

EL SECRETARIO, *sorprendido:* Quiere decir... Perfecto... Señor Presidente, perfecto. *(Da algunos pasos indecisos para salir, se para, da algunos pasos otra vez, observa al Presidente, y balbucea)* Pero, señor Presidente. Pero, sí, perfectamente.

EL PRESIDENTE, *lo sigue con ojos amenazantes:* Rocqué, después de algún tiempo, noto cierta negligencia en el complimiento de su deber. Corríjase o estaré en la obligación de tomar medidas.

EL SECRETARIO, *sorprendido:* Señor Presidente, un malestar. Pero no es nada. *(Vivamente)* ¿El general Chotengo? Pero en seguida, señor Presidente. *(Sale. El Presidente llama. Entra el ayudante de campo)*

EL PRESIDENTE, *sin darse vuelta:* ¿Quiénes esperan?

EL AYUDANTE DE CAMPO *que reconoció a Acidal, desconcertado:* Señor... Hay... Hay... Hay el Nuncio apostólico... El Prefecto de Ayacucho...

EL PRESIDENTE: Haga entrar al Nuncio. *(El ayudante de campo trata de decir algo pero acaba inclinándose y sale)*

EL AYUDANTE DE CAMPO *anuncia:* S. E. el Nuncio de S. S. *(Sale)*

EL NUNCIO *entra:* Señor Presidente, encantado de saludarle.

EL PRESIDENTE, *andando a su encuentro:* Le ruego, Monseñor. ¿Cómo está usted?

EL NUNCIO *reconoce en el Presidente al antiguo Ministro de Trabajo; estupefacto:* Señor... Señor Presidente...

EL PRESIDENTE: Ruego a su eminencia se disponga tomar asiento. Aquí, Monseñor... Hágame el favor.

MORDEL, *regresando apresuradamente de su cuarto:* Magistral.

ACIDAL, *hundiéndose en un sillón:* Agua, deme un poco de agua. *(Se enjuga)* ¿Cómo estuve? ¡Sé franco!

MORDEL: A fe mía, se fue completamente domado.

ACIDAL: ¿Lo crees?

MORDEL: Pero ¿no has visto su cara, pues?

ACIDAL: Sin embargo, hasta el umbral de la puerta, trató de volver al asunto, pero no le dejé decir ni una palabra.

MORDEL: Oh, por otro lado, es un viejo sin ninguna importancia. *(Apurado)* ¡Vaya! Al embajador ahora.

ACIDAL: En mi opinión, puedes ya irte.

MORDEL: No, todavía no.

ACIDAL: El comienzo es lo más difícil. Ahora anda muy bien.

MORDEL: Entretanto, vale más no precipitar los acontecimientos.

ACIDAL: Hubo un momento –cuando Rocqué entró–, cuando tuve el corazón apenado...

MORDEL: Nada trascendió, es lo importante.

ACIDAL, *que se abanica todavía:* ¡Al toro por los cuernos y al pueblo por la iglesia! El Nuncio va a traernos buena suerte.

MORDEL: Haga entrar al señor Sorton, ahora. Se hace tarde. El embajador y me salvo. *(Pasa otra vez al cuarto vecino y Acidal se sienta otra vez en el sillón presidencial, asumiendo la majestad de un Jefe de Estado. Suena el timbre sobre el escritorio. Acidal lo toca a su vez)*

EL CORONEL, *Jefe de la Casa Militar, entra por el fondo:* Un mitin de desocupados acaba de llegar a las puertas del Palacio y la muchedumbre le pide al Jefe de Estado que se asome al balcón. *(El coronel reconoce de repente a Acidal y se calla de un golpe. Balbucea)* Es un mitin... Es... A ver... *(Busca con los ojos alrededor al Presidente verdadero)*

ACIDAL, *cortante:* ¿Hay mucha gente?

El coronel: Mucha... Quiero decir... Pero si...

El Presidente: Forme al personal de la Casa Militar y esperen mis órdenes. Dígales a los Ministros que estén ahora en el Palacio que se presenten aquí inmediatamente para acompañarme al balcón.

El coronel, *vacilante:* Es que... Perfecto... Perfecto...

El Presidente, *interrumpiéndolo:* Anuncie a los manifestantes que el Presidente asiente de buen grado a su pedido. *(Lo despide)*

El coronel, *apaciguado:* Bien, señor Presidente. *(Sale)*

Mordel *saca la cabeza por la puerta y en voz baja y rápida:* Háblales de nuestras glorias nacionales. Si se muestran difíciles, fríos y continúan pidiendo pan y trabajo, sácales la bandera y ponte de rodillas al frente, jurándoles sacrificar todo por el bien de la patria.

Acidal *llama:* Sí, sí. ¡Ándale! Van a oírte. *(Mordel desaparece. Entra el ayudante de campo)*

El Presidente: Haga pasar al embajador de los Estados Unidos.

El ayudante de campo: Señor Presidente, el señor embajador no ha llegado todavía.

El Presidente, *después de reflexionar:* Haga entrar a la Señorita de la Flor. *(El ayudante de campo sale. El Presidente se enjuga y respira)*

El Presidente, *cortante:* ¡Disperse a golpes de sable! ¡Carguen!

El Prefecto: Señor Presidente, me temo que ellos responden. Ellos han improvisado barricadas.

El Presidente: Coronel Barro, reestablezca el orden, por favor. No tengo nada que añadir.

El Prefecto: Tendremos que recurrir a medidas severas cuya responsabilidad...

El Presidente *acaba bruscamente la entrevista:* Afinen sus ametralladoras. Arréglese. *(Suena el timbre sobre el escritorio del Presidente)*

El Prefecto: A sus órdenes, señor Presidente. *(Sale. El Presidente sale)*

El Secretario *entra, con un papel azul en la mano:* Señor Presidente, aquí está un cablegrama que alguien acaba de entregar de la oficina de los Hermanos Colacho.

El Presidente, *toma el cablegrama:* Gracias, Rocqué. Usted puede retirarse. *(El secretario sale y el Presidente lee el despacho. Un sobresalto. Llama)* ¡Mordel! ¡Mordel!

Mordel: Te impusiste definitivamente.

ACIDAL, *le da el despacho:* Un cablegrama de Nueva York. No te vas. *(Mordel lee ávidamente el despacho)* Pues, ya no es necesario. Por suerte...

MORDEL, *extasiado:* ¡Magnífico! Todo se arregla.

ACIDAL, *lee otra vez el cablegrama:* "Inútil... Acepta nuevas condiciones".

MORDEL: No teníamos que preocuparnos tanto...

ACIDAL, *preocupado:* ¿Y la presidencia?

MORDEL: ¿Cuál presidencia?

ACIDAL: ¡La presidencia de la República! ¿Vuelves a tomarla o me quedo con ella?

MORDEL: ¡Pero, vuelvo a tomarla! ¡Caramba! ¡Y ahora mismo! Afortunadamente, la noticia no llegó, ciertamente a propagarse en la capital, y menos aún en el país, por cierto.

ACIDAL: ¿Pero... Y los Ministros? ¿Y la Casa Militar?

MORDEL: ¡No hay que preocuparse!

ACIDAL: Y el pueblo, pues... El pueblo a quien acabo de dirigir algunas palabras.

MORDEL: Estate tranquilo. Estoy seguro de que nadie se dio cuenta de lo que ocurrió. Y si se dieron cuenta, no deben entender nada. *(Se sienta cómodamente en su sillón presidencial. Acidal vuelve a mirarse en un espejo)* Tendrás otras ocasiones y quién sabe, serás tal vez algún día, por seguro, mi sucesor. *(Pasa, sin decir más, a sus papeles)*

ACIDAL: Y ahora, ¿en qué sentido vamos a responder a Nueva York? Necesitamos detalles pues *(Va para salir)* MORDEL: Es verdad...

ACIDAL: La cuestión del préstamo me sigue.

MORDEL: Pide detalles. ¡Date prisa, por ejemplo! Son las cinco y tengo que recibir a varias personas. Regresa para cenar conmigo.

ACIDAL: A las ocho. No antes. Hasta luego. *(Mordel llama y Acidal se va. El secretario entra. Rocqué, reconoce a Mordel; al mismo tiempo, un tiroteo cerrado estalla bajo las ventanas del palacio)*

EL PRESIDENTE: ¿Qué es esto? ¿En la plaza? ¿Enfrente del palacio?

EL SECRETARIO: Sí. Entre la policía y el pueblo.

EL PRESIDENTE *sin prestarle atención al incidente:* Está bien... Al hecho. Avisa al general Chotengo que su nombramiento para el Ministerio está anulado.

EL SECRETARIO: Bien, señor Presidente. *(Sale. Tiempo durante el cual, el Presidente muy distraído, consulta sus apuntes. Luego, se dirige hacia sus habitaciones privadas. El despacho se queda desierto. Tiempo. De repente, se oye un ruido confuso, que viene de los cuartos exteriores, desórdenes militares, choques de puertas, pasos de botas. La puerta se abre violentamente, y el general Colongo entra, seguido de numerosos oficiales y civiles que lo aclaman. Todos están armados)*

TODOS: ¡Viva el general Colongo! ¡Viva la Revolución! ¡Muerte a los Colachos! ¡Abajo los tiranos! *(Por otras puertas, entran unos funcionarios y unos particulares, estupefactos; el coronel Carmen, jefe de la Casa Militar de Colacho, entra revólver en mano)*

EL GENERAL COLONGO: Coronel Caraza, detenga inmediatamente a este hombre. *(Señala la habitación privada de Mordel)*

EL CORONEL CARAZA *protesta:* General Colongo, mi lealtad política y militar para el general Colacho... *(Un ruido confuso hostil ahoga sus protestas)*

EL GENERAL COLONGO: Coronel Caraza, yo le nombro a usted ministro de Guerra... *(Dándose vuelta hacia la muchedumbre)* Señores, cuatro guardias en esa puerta. Aquella de la habitación de Mordel.

EL CORONEL CARAZA, *nuevo ministro de Guerra, al general Colongo:* Señor Presidente, si el pueblo lo exige así... *(Se dispone a cumplir las órdenes del general Colongo)* Perfecto, señor Presidente. No me queda más que obedecer. *(Seguido de varios oficiales, se mete por la puerta por la cual salió Mordel. Antes de desaparecer)* ¿Cuáles son sus instrucciones en cuanto a los hermanos Colacho, señor Presidente?

EL GENERAL COLONGO: Por ahora, que los registren, después, veremos.

LA MUCHEDUMBRE: ¡Bravo!... ¡Viva la Revolución!... ¡Viva el general Colongo!

EL GENERAL COLONGO, *de pie cerca del sillón presidencial:* Ciudadanos, hemos triunfado. *(Ovación)* Aquí está el sillón en el cual se habían incrustado los Colachos, para robar y asesinar al país.

LA MUCHEDUMBRE: ¡El sillón presidencial para Colongo!

EL GENERAL COLONGO: ¡Que sea el pueblo sólo él que decida eso, ciudadanos! Tomaré asiento en este sillón, cuando la voluntad popular lo haya decidido. *(Vivas y rumores confusos)*

UN VIEJO CIUDADANO: General Colongo, creo interpretar la coluntad del pueblo soberano, invitándole a tomar asiento inmediatamente en este sillón simbólico. *(Ovación)* Señores, en todas las repúblicas de la historia, el sillón presidencial es como la santa arca, donde la Constitución del Estado ha depositado las llaves de la vida democrática. Este sillón, señores es el que ordena y dispone de los destinos de los pueblos. Es por él que luchan los hombres y los partidos, porque se gobierna solamente desde aquí, porque es únicamente una vez sentado en este sillón que uno es Jefe de Estado. *(Ovación)* General Colongo, tome asiento. Hónrelo con un gobierno luminoso. No lo manche. Y no consienta que alguien se lo usurpe. No se olvide de que es la encarnación de la Patria, la cátedra suprema del poder y por fin, si usted lo perdiera algún día, usted habrá perdido con él el gobierno, el respeto y la adhesión con las cuales el país lo consagra en él. *(Gran ovación)*

EL GENERAL COLONGO: Señores, desde el fondo de mi corazón, gracias. Estoy realmente muy emocionado... Les prometo cumplir religiosamente los deberes sagrados de mi cargo. *(Se sienta con ostentación en el sillón presidencial. Entonces el general Colongo, Presidente de la República, con autoridad)* Señores, les ruego retirarse. Tenemos mucho que hacer. Hay que organizar inmediatamente el ministerio y dictar medidas necesarias a la rápida normalización de la vida nacional. *(Todos se retiran, aclamando al nuevo Presidente, que se queda en su despacho con uno solo de sus tenientes, Selar. El Presidente a Selar)* Selar, le nombro secretario general del Presidente de la República. Siéntese y escriba.

SELAR: Le ruego señor Presidente. A sus órdenes. *(Se dispone a escribir el dictado del Presidente)*

EL PRESIDENTE: Manifiesto a la nación. Los tiranos Colachos acaban de ser expulsados del poder. La ola de indignación y de odio nacionales los ha arrancado del gobierno... Una nueva era de paz y de libertad se inaugura en este momento para el país. En mi calidad de nuevo Jefe del Estado, proclamado por la voluntad espontánea y libre del pueblo, juro y prometo a la nación de servirla y de sacrificarme por ella, acabando con los vicios y egoísmos que desde hace mucho tiempo, comen las bases de nuestra democracia y precipitan a la Patria en el abismo. *(Aquí, piensa y repite)* Y precipitan... la Patria... en el abismo...

EL SECRETARIO, *haciendo eco:* En el abismo.

EL PRESIDENTE, *siguiendo:* La que se dice, Asamblea Constituyente está disuelta. Los dos tiranos, fusilados. El problema del paro será definitivamente resuelto antes de dos meses. *(Reflexiona)* Antes de dos meses... Hum... *(Se pone de pie)* ¿Antes de cuánto tiempo he dicho?

EL SECRETARIO: Antes de dos meses, señor Presidente. *(El Presidente da algunos pasos al azar, en búsqueda de ideas)*

EL PRESIDENTE: Ciudadanos: Tenemos que acabar con el arribismo que crea una inestabilidad vergonzosa en las instituciones republicanas. ¡Abajo los dictadores de una hora! *(El secretario tomando ventaja de que el Presidente va y viene, perdido en sus reflexiones, se acerca al sillón presidencial sigilosamente, pero el Presidente se da vuelta de improviso)* Cuento con la buena voluntad de todos los ciudadanos para... *(Sorprendiendo con toda evidencia, la maniobra del secretario, se calla de golpe. Lo mira con sospecha; entretanto, se recobra en seguida y finge no haber notado nada y encadena, vacilante)* para... para ayudarme... lealmente en la difícil empresa de salvar el derecho de los republicanos, atacado por los gobiernos precedentes... *(El Presidente vuelve a andar. Como el secretario trata de nuevo de acercarse al sillón presidencial y de insertarse subrepticiamente. Colongo vuelve precipitadamente)*

EL PRESIDENTE: ¿Por qué dice eso? ¡Selar! ¡Selar! No tan cerca del sillón presidencial. Quédese en los límites de su sillón de secretario.

EL SECRETARIO, *fingiendo sorpresa:* ¿Señor Presidente?...

EL PRESIDENTE, *continuando:* Atacado por los gobiernos precedentes...

EL SECRETARIO, *haciendo eco:* Por los gobiernos precedentes.

EL PRESIDENTE: ¡Viva la Patria! ¡Viva la Democracia! *(El secretario, aprovechando una nueva distracción del Presidente, salta en un dos por tres al sillón presidencial y se sienta magistralmente)*

EL SECRETARIO SELAR, *Presidente de la República, revólver en mano, con un gran gesto de dominio:* Colongo, deme ese manifiesto que le firmé. Prontamente. *(El general Colongo, frente a la rapidez y la audacia, de ese gesto se queda paralizado. Selar amenazando)* Prontamente le he dicho. Es urgente y serio.

EL GENERAL COLONGO, *balbuceando:* Pero que...

EL PRESIDENTE SELAR: Dese prisa, le digo.

EL GENERAL COLONGO: ¡Traidor!

EL PRESIDENTE SELAR, *apuntando a Colongo:* ¡Siéntese allí! *(En el sillón del secretario)* y escriba.

EL GENERAL COLONGO, *después de un supremo pero débil esfuerzo de resistencia se sienta en el escritorio del secretario y se dispone a escribir:* Bien... Bien... Veremos.

EL PRESIDENTE SELAR: ¿Dónde estábamos? Lea otra vez.

EL GENERAL COLONGO, *secretario, leyendo:* ¡Viva la democracia!

EL PRESIDENTE SELAR, *repitiendo:* ¡Viva la democracia! Añada ¡Viva la libertad! ¡La igualdad!, ¡La fraternidad!

EL SECRETARIO, *repitiendo:* La li-ber-tad, la i-gual-dad, la fra-ter-ni-dad.

EL PRESIDENTE SELAR: Eso es. ¡Y la fraternidad! *(Fraternalmente)* Démelo, querido general, para que lo firme. *(El secretario le da el manifiesto. Al momento, cuando el Presidente lo firma, quedándose con el revólver en mano, el secretario saca rápidamente el suyo)*

EL SECRETARIO COLONGO, *apuntando al Presidente Selar, quien levantó su arma al mismo tiempo:* ¡Váyase! ¡Fuera de aquí, o disparo!

EL PRESIDENTE SELAR: ¿Ah... Usted cree eso? *(Entonces, Colongo, con el revólver en una mano, de la otra, agarra a Selar por el brazo, lo saca del sillón presidencial y vuelve a sentarse)*

EL PRESIDENTE COLONGO, *a Selar que se ha quedado inmóvil frente a él:* Selar, a su sitio de secretario y quédese tranquilo si usted aprecia su vida.

SELAR, *a su vez, revólver siempre en mano, agarra con la otra a Colongo, por su solapa:* ¡Impostor! ¡Usurpador! ¡Fuera de aquí! *(Colongo ha colocado su revólver en la sien de Selar. Éste le va a disparar igualmente a Colongo. Silencio sepulcral, durante el cual los dos han palidecido. De repente, Selar se precipita de nuevo sobre Colongo y procede a sacarlo brutalmente del sillón. Tras el golpe, Colongo se cayó al suelo y Selar ha tomado posesión del sillón otra vez. Colongo se levanta y continúa la maniobra con Selar, a quien lo hace salir de nuevo. Y este juego sigue de esta manera: El uno y el otro sentándose alternativamente en el sillón presidencial, mientras el telón baja lentamente.*

Se terminó de imprimir
en Artes Gráficas Soler, S. A.,
de la ciudad de Valencia,
el 30 de diciembre de 1985